PSICOGÊNESE DA LÍNGUA ESCRITA

F383p Ferreiro, Emilia
          Psicogênese da língua escrita / Emilia Ferreiro, Ana Teberosky;
       tradução Diana Myriam Lichtenstein, Liana Di Marco, Mário
       Corso. — Porto Alegre : Artmed, 1999.
          304 p. ; 23 cm.

          ISBN 978-85-7307-572-4

          1. Psicogênese – Escrita. I. Título.

                                                  CDU 159.922:372.45

Catalogação na publicação: Mônica Ballejo Canto – CRB 10/1023

PSICOGÊNESE DA LÍNGUA ESCRITA

Emilia Ferreiro • Ana Teberosky

Edição comemorativa dos 20 anos de publicação

Tradução:
Diana Myriam Lichtenstein
Liana Di Marco
Mário Corso

Consultoria e supervisão desta edição:
Alfredo Néstor Jerusalinsky

Apresentação desta edição:
Telma Weisz
Doutora em Psicologia Escolar pela USP.

Reimpressão 2007

1999

Obra originalmente publicada em espanhol sob o título
Los sistemas de escritura en el desarrollo del niño

© de Siglo Veintiuno Editores, México, D. F., 1984

Capa:
Joaquim da Fonseca

Preparação do original
Supervisão editorial
Projeto gráfico
Editoração eletrônica

Reservados todos os direitos de publicação, em língua portuguesa, à
ARTMED® EDITORA S.A.
Av. Jerônimo de Ornelas, 670 - Santana
90040-340 Porto Alegre RS
Fone (51) 3027-7000 Fax (51) 3027-7070

É proibida a duplicação ou reprodução deste volume, no todo ou em parte, sob quaisquer formas ou por quaisquer meios (eletrônico, mecânico, gravação, fotocópia, distribuição na Web e outros), sem permissão expressa da Editora.

SÃO PAULO
Av. Angélica, 1091 - Higienópolis
01227-100 São Paulo SP
Fone (11) 3665-1100 Fax (11) 3667-1333

SAC 0800 703-3444

IMPRESSO NO BRASIL
PRINTED IN BRAZIL

Nota Preliminar

Ensinar a ler e a escrever continua sendo uma das tarefas mais especificamente escolares. Um número muito significativo (demasiadamente significativo) de crianças fracassa já nos primeiros passos da alfabetização. O objetivo deste livro é mostrar que existe uma nova maneira de considerar esse problema. Pretendemos demonstrar que a aprendizagem da leitura, entendida como o questionamento a respeito da natureza, da função e do valor desse objeto cultural que é a escrita, inicia-se muito antes do que a escola o imagina, transcorrendo por insuspeitados caminhos. Pretende-se ainda demonstrar que, além dos métodos, dos manuais, dos recursos didáticos, existe um sujeito buscando a aquisição de conhecimento; sujeito este que se propõe problemas e trata de solucioná-los, seguindo sua própria metodologia. Página após página, insistiremos sobre o que segue: trata-se de um sujeito que procura adquirir conhecimento, e não simplesmente de um sujeito disposto ou maldisposto a adquirir uma técnica particular. Um sujeito que a psicologia da lectoescrita esqueceu em favor de buscar aptidões específicas, habilidades particulares ou uma sempre maldefinida maturidade.

As reflexões e as teses aqui expostas estão baseadas em um trabalho experimental que realizamos em Buenos Aires, durante os anos de 1974, 1975 e 1976. O trabalho realizado em 1974 fez parte da nossa tarefa universitária como docentes da Universidade de Buenos Aires. A seguir, o levamos a efeito sem apoio oficial nem subvenção de tipo algum. Sem a colaboração dos docentes que auto-

vi Nota Preliminar

rizaram nosso trabalho nas escolas primárias e jardins de infância, não teríamos podido levá-lo até o fim. A eles, ainda que não possamos nomeá-los, o nosso profundo agradecimento. Agradecemos também a todas as crianças entrevistadas, as quais, sem saber, muito nos obrigaram a refletir e a modificar mais de uma vez nossas hipóteses.

Nossa equipe inicial se manteve inalterada durante os três anos de trabalho, apesar de todas as vicissitudes. Durante o último ano, porém, juntaram-se a nós novos colaboradores. Todos os integrantes da equipe inicial deveriam ser co-autores deste livro, fato que se tornou impossível devido à atual dispersão geográfica. São eles: Susana Fernández, Ana Maria Kaufman, Alicia Lenzi e Liliana Tolchinsky. Todos – cada qual no seu local de trabalho – continuam, inseridos nessa problemática, tratando de desvendar os mistérios da história pré-escolar da escrita.

Ferreiro e Teberosky

Apresentação

Já se passaram duas décadas desde a publicação em língua espanhola do livro *Los sistemas de escritura en el desarrollo del niño*, de Emilia Ferreiro e Ana Teberosky, que em português recebeu o nome de *Psicogênese da língua escrita*. O livro documenta uma investigação que tornou possível, pela primeira vez, a descrição do processo de aquisição da língua escrita. É provável que os educadores mais jovens, que estão começando agora sua vida profissional, não tenham como avaliar o impacto que as ideias expressas neste livro tiveram na educação brasileira, uma espécie de marco divisor na história da alfabetização.

Quando, ainda antes de sua tradução para o português, a divulgação boca a boca ou através de documentos produzidos por secretarias de educação começou a chamar a atenção dos professores para esta revolução conceitual na alfabetização, observamos dois tipos de reação – de um lado, a dos que, diante das novas ideias, foram experimentá-las na sala de aula e se tornaram seus entusiásticos divulgadores e, de outro, a dos que diziam em tom condescendente: "Isto é apenas mais um modismo, vai passar como todos os outros". Pois não só não passou como produziu efeitos para além da alfabetização inicial. Contaremos, aqui, alguns fatos que permitem dimensionar o que foi essa revolução conceitual, apesar de os limites desta pequena apresentação não nos permitirem mais do que pontuar algumas das mudanças ocorridas na reflexão e na prática escolar do ensino

viii Apresentação

de língua, mudanças cuja extensão e profundidade, penso eu, falam por si mesmas.

Antes da publicação deste livro, toda a discussão sobre a alfabetização estava centrada na avaliação de métodos de ensino. A psicogênese da língua escrita deslocou a questão central da alfabetização do ensino para a aprendizagem: partiu não de como se deve ensinar e sim de como de fato se aprende. Outra ideia corrente na época era a de que havia pré-requisitos para que alguém pudesse aprender a ler. Um conjunto de habilidades perceptuais conhecidas como "prontidão para a alfabetização". O que Emilia Ferreiro e Ana Teberosky demonstraram é que a questão crucial da alfabetização inicial é de natureza conceitual. Isto é, a mão que escreve e o olho que lê estão sob o comando de um cérebro que pensa sobre a escrita que existe em seu meio social e com a qual toma contato através da sua própria participação em atos que envolvem o ler ou o escrever, em práticas sociais mediadas pela escrita.

Aliás, do ponto de vista político, a maior contribuição das autoras foi exatamente explicitar o papel desta rede de atos de leitura e escrita que hoje chamamos ambiente alfabetizador. Foi mostrar que a diferença no desempenho escolar inicial entre as crianças pobres das escolas públicas e as de classe média não tinha origem em nenhum tipo de déficit intelectual, linguístico ou cultural. Que nenhuma criança entra na escola regular sem nada saber sobre a escrita e que o processo de alfabetização é longo e trabalhoso para todas, não importa a classe social. Mais ainda, que a diferença no desempenho decorre do fato de que a criança de classe média já está, em geral, no final do processo de alfabetização quando chega à escola regular, enquanto a de classe baixa ainda tem, habitualmente, hipóteses primitivas sobre a escrita, não porque seja menos capaz e sim porque teve menos oportunidades de participar de eventos de leitura e de escrita. Cabe, portanto, à escola garantir, a quem precisa, este ambiente alfabetizador, em lugar de manter as crianças à margem das oportunidades de aproximação da língua escrita, como se fazia 20 anos atrás, no tempo em que se pensava que primeiro era preciso desenvolver habilidades perceptuais – a prontidão – para só depois deixar a criança ter contato com a escrita. Aqui cabe uma ressalva: é importante frisar que não é o ambiente que alfabetiza, tampouco o fato de pendurar coisas escritas nas paredes que produz por si um efeito alfabetizador. Essa expressão designa, de maneira condensada, um ambiente pensado para propiciar inúmeras interações com a língua escrita, interações mediadas por pessoas capazes de ler e de escrever.

A descrição psicogenética da alfabetização inicial permitiu ainda diferenciar dois processos que na prática da escola apareciam como indiferenciados: a alfabetização e a ortografização. Para a vida escolar dos filhos da classe baixa, que falam dialetos sem prestígio, esta compreensão é fundamental, pois a escola estava convencida de que seus erros de ortografia estavam relacionados ao seu modo de falar, estigmatizando-os.

A mudança na compreensão do processo pelo qual se aprende a ler e a escrever afetou também todo o ensino da língua. Permitiu que o conhecimento produ-

Apresentação **ix**

zido na área da linguística encontrasse receptividade na escola e que, nestes últimos 20 anos, se produzisse experimentação pedagógica suficiente para construir, a partir dela, uma didática. Esta didática da língua – que trouxe os textos do mundo para dentro da escola e se preocupa em aproximar as práticas de ensino da língua das práticas de leitura e escrita reais – é a que vem sendo difundida pelo Ministério da Educação nos Parâmetros e Referenciais Curriculares Nacionais para a educação básica.

Uma velha queixa dos educadores era que, embora a teoria piagetiana se mostrasse válida para explicar aquisições fundamentais ao longo do desenvolvimento, como a construção da lógica ou da moralidade, ela não dava conta de explicar – a não ser no caso específico de algumas questões da matemática e da geometria – o que acontecia quando se tratava de aprendizagens específicas como os outros conteúdos escolares. Disso redundava que aqueles que insistiam em um modelo pedagógico de corte piagetiano acabavam por produzir uma prática orientada para objetivos de desenvolvimento e não para a aprendizagem destes conteúdos escolares. Para os educadores politicamente comprometidos com o acesso da maioria da população a estes conhecimentos fundamentais, isso era um enorme problema – no mínimo porque tinham muito mais afinidade com um modelo construtivista-interacionista do que com um modelo de controle de comportamento. Considerando a teoria piagetiana como uma teoria geral dos processos de aquisição do conhecimento, a psicogênese da língua escrita contribuiu para romper este impasse ao mostrar que é possível explicar o processo de aprendizagem daquele que era considerado o mais escolar dos conteúdos escolares, utilizando um modelo teórico construtivista-interacionista. Com isso abriu um enorme campo de pesquisa, tanto no que se refere à aprendizagem dos inúmeros aspectos da língua escrita que ultrapassam a questão da escrita alfabética quanto dos outros conteúdos escolares. Essa abertura aponta na direção de uma compreensão cada vez melhor dos processos de aprendizagem dos diferentes conteúdos e indica a possibilidade de construção e aprimoramento de didáticas que, sem distorcer o objeto a ser ensinado, adaptem-se ao percurso do aprendiz. Didáticas que dialoguem com a aprendizagem dos alunos, que reconheçam o conhecimento que eles já possuem, que façam a ponte entre este conhecimento e o que precisa ser ensinado, garantindo-lhes o direito de aprender.

O que vemos olhando para esses 20 anos é que, se a escola democrática com que sonhamos ainda não é real como gostaríamos, a velha escola antidemocrática e preconceituosa só está de pé por inércia, não mais por convicção.

Telma Weisz
Doutora em Psicologia Escolar pela USP.

Prólogo

O ato de compreender a natureza do sistema da escrita e sua função suscita problemas fundamentais, ao lado dos quais a discriminação das formas, seu traçado, a capacidade de acompanhar um texto com os olhos, etc., tornam-se completamente secundários. Já faz algum tempo que tanto psicólogos como talentosos educadores intuíam que a aprendizagem da leitura e da escrita não poderia se reduzir a um conjunto de técnicas percepto-motoras, nem à "vontade" ou à "motivação", pensando que deveria se tratar, mais profundamente, de uma aquisição conceitual.

Entretanto, até agora, tais ideias não passaram de hipóteses por demais generalizadas. Que classe de conceituação é essa sem a qual o leitor debutante nunca poderá entrar por completo no mundo cultural da escrita, apesar de todos os esforços desenvolvidos para inculcar-lhe bons hábitos percepto-motores e técnicas de decifração?

Este livro dá respostas a essa pergunta. Suas autoras propõem a nós um tipo completamente novo de aproximação ao problema da aprendizagem do sistema de escrita; elas conseguiram traduzir as ideias corretas – porém vagas – de seus precursores em hipóteses que podem ser tratadas experimentalmente. À medida que progrediam em suas investigações, abriu-se um mundo de pensamento infantil cuja existência era completamente desconhecida para nós.

As autoras pertencem à escola do grande epistemólogo e psicólogo Jean Piaget. Em um campo que o próprio Piaget não havia estudado, elas introduziram o essencial da sua teoria e de seu método científico. A concepção teórica piagetiana de uma aquisição de conhecimentos baseada na atividade do sujeito em interação com o objeto do conhecimento aparece também como o ponto de partida necessário para qualquer estudo da criança confrontada com esse objeto cultural que constitui a escrita. As autoras mostram que as crianças têm ideias, teorias (no profundo significado do termo) e hipóteses que continuamente colocam à prova frente à realidade e que confrontam com as ideias do outro.

O método piagetiano de exploração das noções infantis por meio de um diálogo, durante o qual o experimentador elabora hipóteses sobre as razões do pensamento da criança, provoca perguntas e cria situações para testar, no próprio momento, suas hipóteses, o que acaba sendo – neste campo como em muitos outros – o mais frutífero método. Este permite distinguir as ideias básicas sustentadas por uma grande quantidade de crianças das reações imediatas da criança interrogada que pensa ser necessário dizer ou fazer algo simplesmente para responder. Mais ainda, este método permite ao experimentador que sabe usá-lo com tanta habilidade quanto as autoras deste livro ver a maneira como se modificam as noções da criança até chegar a adquirir, reconstituindo-o, um conceito que a humanidade custou tanto a elaborar.

Esse tipo de aproximação teórica e experimental a tão importante problema pode nos abrir horizontes insuspeitados, ainda que, evidentemente, não possa proporcionar nem soluções "mágicas" nem (ainda menos) "receitas". Contudo, depois de terem lido esta obra, psicólogos e pedagogos poderão dar início a investigações e considerar novas formas de ensino sem o risco de experimentarem o insucesso ou de ficarem com noções vagas que dificilmente se prestam à experimentação e à aplicação pedagógicas.

Este livro, embora, em primeiro lugar, seja destinado a docentes e a psicólogos, merece, em minha opinião, ser usado por um vasto público. Linguistas, epistemólogos, historiadores, pais, poetas e muitos outros, os quais descobrirão coisas interessantes. Para mim, é um prazer escrever o prólogo deste livro com estas poucas linhas e, se em nome dos leitores pudesse formular um desejo, seria o seguinte: que as autoras nos presenteiem, sem demora, com o próximo volume.

HERMINE SINCLAIR
Universidade de Genebra

Sumário

Nota Preliminar v
Apresentação vii
    TELMA WEISZ
Prólogo xi
    HERMINE SINCLAIR

Capítulo 1 – Introdução 17
    A Situação Educacional na América Latina 17
    Métodos Tradicionais de Ensino da Leitura 21
    A Psicolinguística Contemporânea e a Aprendizagem da
        Leitura e da Escrita 23
    A Pertinência da Teoria de Piaget para Compreender os
        Processos de Aquisição da Leitura e da Escrita 28
    Características Gerais das Investigações Realizadas 35

**Capítulo 2 – Os Aspectos Formais do Grafismo e sua Interpretação:
Letras, Números e Sinais de Pontuação** 43
    As Características Formais que Deve Possuir um Texto para
        Permitir um Ato de Leitura 43
        Quantidade suficiente de caracteres 43
        Variedade de caracteres 47

14 Sumário

Outros critérios de classificação utilizados 49
A Relação entre Números e Letras e o Reconhecimento de
Letras Individuais 51
 Desenho e texto 52
 Letras: reconhecê-las e saber nomeá-las 55
 Números e letras 58
Distinção entre Letras e Sinais de Pontuação 61
Orientação Espacial da Leitura 64
Observações Finais 66

Capítulo 3 – Leitura com Imagem 69
A Escrita como Objeto Substituto 69
Leitura de Palavras 73
 Indiferenciação inicial entre desenho e escrita 73
 O texto é considerado como uma etiqueta do desenho 74
 As propriedades do texto fornecem indicadores que
 permitem sustentar a antecipação feita a partir da imagem 76
Leitura de Orações 77
 Indiferenciação entre desenho e texto 82
 Diferenciação entre desenho e escrita 83
 Início da consideração das propriedades gráficas de texto 87
A Busca de uma Correspondência, Termo a Termo, entre Fragmentos
Gráficos e Segmentações Sonoras 95
 Correspondência entre segmentos silábicos do nome e
 fragmentos gráficos 95
 Correspondência entre segmentos da oração e fragmentos
 gráficos 98
Progressão Evolutiva dos Resultados Obtidos 101
A Leitura na Criança Escolarizada 105
 Leitura de palavras 106
 Leitura de orações 107

Capítulo 4 – Leitura sem Imagem: A Interpretação dos
Fragmentos de um Texto 115
As Separações entre Palavras da Nossa Escrita 115
 Tudo está escrito, inclusive os artigos 120
 Tudo está escrito, exceto os artigos 123
 Ambos os substantivos estão escritos de maneira independente,
 mas o verbo é solidário da oração inteira,
 ou do predicado inteiro 128
 Impossibilidade de efetuar uma separação entre
 as partes do enunciado que possam se corresponder com
 as partes do texto 138
 Toda a oração está num fragmento do texto; no resto
 do texto, outras orações congruentes com a primeira 140

Sumário **15**

Localização exclusiva dos nomes em dois fragmentos do texto;
no resto, eventualmente, outros nomes compatíveis com os anteriores 142
O Ponto de Vista da Criança: Precisa ou Não Precisa Separar? 146
A Leitura de uma Oração Depois de Efetuar uma Transformação 150
Distribuição das Respostas 153
Por grupos de idade 153
Por grupos socioeconômicos de procedência 154
Por sujeitos 156
Interpretação Geral 160

Capítulo 5 – Atos de Leitura 165
Interpretação da Leitura Silenciosa 168
Interpretação da Leitura com Voz 173
Nível 1 – Impossibilidade de Antecipar o Conteúdo
de uma Mensagem em Função da Identificação do
Portador de Texto 175
Nível 2 – Possibilidade de Antecipar os Conteúdos
Segundo uma Classificação dos Distintos Portadores
de Texto 181
Nível 3 – Começo de Diferenciação entre "Língua Oral"
e "Língua Escrita" 187

Capítulo 6 –Evolução da Escrita 191
Como as Crianças Escrevem sem Ajuda Escolar 192
O Nome Próprio 221
Distribuição dos Níveis de Escrita por Idade e por Procedência Social ... 232
As Transformações de Outros Nomes 235
De 4 a 6 anos, sem ajuda escolar 236
De 6 a 7 anos, com ajuda escolar 240
De 4 a 7 anos, com ou sem ajuda escolar 242
Como Escrevem as Crianças com Ajuda Escolar 245

Capítulo 7 – Leitura, Dialeto e Ideologia 259

Capítulo 8 – Conclusões 273
Os Problemas que a Criança se Coloca 274
Ler Não É Decifrar; Escrever Não é Copiar 283
Não identificar leitura com decifrado 283
Não identificar escrita com cópia de um modelo externo 288
Não identificar progressos na lectoescrita com avanços no
decifrado e na exatidão da cópia gráfica 289
Consequências Pedagógicas 290
As Soluções Históricas Dadas ao Problema da Escrita 293
Implicações Teóricas 295

Referências Bibliográficas 299

CAPÍTULO 1

Introdução

Este livro tem como objetivo tentar uma explicação dos processos e das formas mediante as quais a criança consegue a aprender a ler e a escrever. Entendemos por processo o caminho que a criança deverá percorrer para compreender as características, o valor e a função da escrita, desde que esta se constitui no objeto da sua atenção (portanto, do seu conhecimento). Por se tratar de um tema já tão debatido no campo da educação, é conveniente esclarecer que não pretendemos propor nem uma nova metodologia da aprendizagem nem uma nova classificação dos transtornos da aprendizagem. Nosso objetivo é o de apresentar a interpretação do processo do ponto de vista do sujeito que aprende, tendo, tal interpretação, seu embasamento nos dados obtidos no decorrer de dois anos de trabalho experimental com crianças entre quatro e seis anos. Tampouco faremos uma análise profunda da situação educacional na América Latina. Entretanto, o jogo de influências dos fatores metodológicos e sociais está presente ao longo de todo o desenvolvimento deste livro.

1 – A SITUAÇÃO EDUCACIONAL NA AMÉRICA LATINA

A lectoescrita tem ocupado lugar de destaque na preocupação dos educadores. Porém, apesar da variedade de métodos ensaiados para se ensinar a ler, exis-

18 Ferreiro & Teberosky

te um grande número de crianças que não aprende. Juntamente com o cálculo elementar, a lectoescrita se constitui em um dos objetivos da instrução básica, e sua aprendizagem, condição de sucesso ou fracasso escolar. Também para os funcionários educacionais revela-se como um problema digno de atenção, já que os fracassos nesse campo geralmente são acompanhados pelo abandono da escola, impedindo que se alcancem – pelo menos em termos de massa populacional – os objetivos mínimos de instrução. Tanto sob um como sob outro ponto de vista, foram ensaiadas explicações sobre suas causas. O fracasso escolar nas aprendizagens iniciais é fato constatável por qualquer observador. O que, porém, também prova a persistência das causas que o provocam; embora haja as boas intenções de educadores e de funcionários, o problema subsiste. Caberia perguntar-se, então, se as causas dos fracassos não ultrapassam os limites da escola para se converterem num problema do sistema educacional como tal.

Recordemos alguns dados de base, referentes à situação educacional na América Latina, que servirão para demarcar nossa problemática. As cifras oficiais (UNESCO, 1974) mostram que:

- Do total da população compreendida entre os 7 e 12 anos, em 1970, 20% encontravam-se fora do sistema educacional.
- De toda a população escolarizada, apenas 53% chegam à 4ª série – o limiar mínimo indispensável para uma alfabetização definitiva – ou seja, a metade da população abandona sua educação, sem regressar à escola,* ainda num momento muito elementar do ensino fundamental.
- Dois terços do total de repetentes estão situados nos primeiros anos de escolaridade, e em torno de 60% dos alunos egressos da escola repetiram o ano uma ou mais vezes.

O que significam tais dados? Evidentemente, são a prova da existência de um problema de tal magnitude que não pode passar despercebido aos órgãos nacionais e internacionais. Em 1976, as estatísticas oficiais da UNESCO estimavam em *800 milhões* o número de adultos analfabetos no mundo. Em 1977, a UNESCO toma uma decisão importante, transmitida pelo jornal *Le Monde*, de Paris, em sua edição de 7 de setembro de 1977, que dizia o seguinte:

> Em 8 de setembro, Dia Internacional da Alfabetização, terá lugar, em Paris, na sede da UNESCO, uma cerimônia na qual, pela primeira vez, não será outorgado nenhum dos prêmios destinados a recompensar uma ação realizada para combater o analfabetismo (prêmios Mohammed-Reza-Pahlevi e Nadejda-Kroupaskaía). O júri tomou essa decisão em razão do *aumento do número de analfabetos* no mundo, estimado, em 1976, em 800 milhões de adultos. O júri estima que a alfabetização deveria fazer parte dos planos de desenvolvimento

---

*N. de T. Ainda na metade do ensino fundamental.

nacional dos países afetados. Na mensagem publicada em razão desse Dia Internacional, o diretor geral da UNESCO, Amadou Mathar M'Bow, exorta os estados a consagrar aos programas de alfabetização uma parte dos gastos dedicados a armamentos, sublinhando que "o custo total de um só bombardeiro com seu equipamento equivale ao *salário de 250.000 professores por ano!*".

Este ato da UNESCO parece-nos duplamente importante: primeiro, porque enfatizar o aumento do número de analfabetos no mundo é reconhecer (implicitamente) o fracasso (ou pelo menos o fracasso em termos de massa) das diversas campanhas de alfabetização realizadas em anos recentes; segundo – e principalmente – porque é a primeira vez que um diretor geral da UNESCO faz uma comparação direta entre o custo de um avião de guerra com o custo de uma equipe de alfabetizadores, mostrando, assim (implicitamente), que a subsistência de analfabetos no mundo não é um problema financeiro.

Não podemos esquecer, porém, que a alfabetização tem duas faces: uma, relativa aos adultos, e a outra, relativa às crianças. Se em relação aos adultos trata-se de sanar uma carência, no caso das crianças trata-se de prevenir, de realizar o necessário para que essas crianças não se convertam em futuros analfabetos. Ambas as tarefas são responsabilidade dos estados que – como membros das Nações Unidas – aceitaram a Declaração Universal dos Direitos Humanos (1948). O Artigo 26 dessa declaração fala do Direito à Educação: "Todo o indivíduo tem direito à educação. A educação deve ser gratuita, ao menos no que se refere ao ensino elementar e fundamental. O ensino elementar é obrigatório."

Pareceria não restar dúvidas, então, sobre a importância e a prioridade, para a comunidade internacional e seus estados constituintes, da existência de sistemas educacionais justos, igualitários e eficazes. Não obstante, o Direito do Homem à educação – como tantos outros – não é respeitado na sua totalidade. A esse problema – falta de educação geral básica para toda a população – refere-se, oficialmente, como um dos "males endêmicos" do sistema educacional, gerado pela repetência e pela deserção escolar. O absenteísmo, a repetência e, finalmente, a deserção são os fatores que provocam, sempre segundo a versão oficial, a subinstrução e o analfabetismo na maioria da população da América Latina. Caberia, no entanto, perguntar-se: qual a causa que transforma um indivíduo em repetente, em seguida num desertor, terminando por ser um subinstruído para o resto de sua vida? Seria, por acaso, sua incapacidade de aprender o que determina o fracasso? Trata-se, talvez, de um sujeito responsável pelo próprio abandono que, algum dia, poderá reintegrar-se ao sistema para diminuir suas falências educativas? Esta poderia ser uma possível interpretação (ainda que não aceitável) se, ao estudarmos o problema, fizéssemos uma abstração da realidade em que ele se insere. Ocorre, porém, que, quando analisamos as estatísticas, nenhum desses problemas se encontra proporcionalmente dividido entre a população, senão que se acumulam em determinados setores que, por razões étnicas, sociais, econômicas ou geográficas, são desfavorecidos. É entre a população indígena, rural ou marginalizada dos centros urbanos que se concentram as maiores porcentagens dos fracassos escolares.

Para compreendermos a situação, é preciso analisar os fatores apontados como causas do fracasso. Menciona-se o *absenteísmo escolar*. Com efeito, há muitas crianças que se ausentam da escola por longos períodos. Mas quais seriam as causas? Existem casos, nas zonas rurais, em que as condições climáticas ou de distância influem, impedindo a frequência regular à escola. Em outros casos, a necessidade de serem úteis à família em tarefas produtivas determina a ausência ou o abandono. Esta é a realidade: sem uma melhora nas condições de vida da população, dificilmente se poderá mudar tal situação. Trata-se, pois, de condições sociais, e não de responsabilidades pessoais. Fala-se, também, da *repetência* como um dos maiores problemas da educação primária (fenômeno este que, conforme já foi visto, concentra-se nos primeiros anos). O que é a repetência? Quando uma criança fracassa na aprendizagem, a escola lhe oferece uma segunda oportunidade: recomeçar o processo de aprendizagem. É esta uma solução? Reiterar uma experiência de fracasso em condições idênticas não é, por acaso, obrigar a criança a "repetir seu fracasso"? Quantas vezes um sujeito pode repetir seus erros? Supomos que tantas quantas sejam necessárias até que abandone o propósito. E chegamos ao aspecto central do problema educativo: *a deserção escolar*. O termo "deserção" leva, implicitamente, uma carga significativa que supõe a responsabilidade voluntária do sujeito – neste caso, crianças – de abandonar um grupo ou um sistema ao qual pertence. No caso do sistema educacional, poder--se-ia perguntar se não é este que abandona o desertor no momento em que não possui estratégias para conservá-lo nem interesse em reintegrá-lo. Ou, pelo menos, se essa "deserção" obedece a uma atitude individual, como a palavra o sugere, ou com ela coincidem indivíduos que compartilham de circunstâncias econômico-sociais que dificultam o permanecer dentro das regras do jogo que são propostas pelo sistema.

Em outras palavras, trata-se mais de um problema de dimensões sociais do que da consequência de vontades individuais. Por essa razão, acreditamos que, em lugar de "males endêmicos", deveria se falar em *seleção social* do sistema educativo; em lugar de se chamar "deserção" ao abandono da escola, teríamos de chamá-lo de *expulsão encoberta*. E não se trata de uma mudança de terminologia, mas de um outro referencial interpretativo, porque a desigualdade social e econômica se manifesta também na distribuição desigual de oportunidades educacionais.

Quando falamos de seleção social, não estamos nos referindo à intenção consciente dos docentes enquanto indivíduos particulares, e sim ao papel social do sistema educativo. A partir do ponto de vista dos docentes, ou, melhor dizendo, da pedagogia que sustenta a ação educativa, tentou-se dar respostas que tendessem à solução do mencionado problema.

2 – MÉTODOS TRADICIONAIS DE ENSINO DA LEITURA

Tradicionalmente, conforme uma perspectiva pedagógica, o problema da aprendizagem da leitura e da escrita tem sido exposto como uma questão de métodos. A preocupação dos educadores tem-se voltado para a busca do "melhor" ou "mais eficaz" deles, levantando-se, assim, uma polêmica em torno de dois tipos fundamentais: métodos *sintéticos,* que partem de elementos menores que a palavra, e métodos *analíticos,* que partem da palavra ou de unidades maiores. Em defesa das respectivas virtudes de um e de outro, originou-se uma discussão registrada em extensa literatura; literatura que tanto faz referência ao aspecto metodológico em si como aos processos psicológicos subjacentes. Recordemos, primeiro, qual é o enfoque didático para, em seguida, insistirmos nos supostos psicológicos relativos aos métodos, assim como às concepções – implícitas ou explícitas – sobre o processo da aprendizagem.

O método sintético insiste, fundamentalmente, na correspondência entre o oral e o escrito, entre o som e a grafia. Outro ponto chave para esse método é estabelecer a correspondência a partir dos elementos mínimos, num processo que consiste em ir das partes ao todo. Os elementos mínimos da escrita são as letras. Durante muito tempo se ensinou a pronunciar as letras, estabelecendo-se as regras de sonorização da escrita no seu idioma correspondente. Os métodos alfabéticos mais tradicionais abonam tal postura.

Posteriormente, sob a influência da linguística, desenvolve-se o método fonético, propondo que se parta do oral. A unidade mínima de som da fala é o fonema. O processo, então, consiste em iniciar pelo fonema, associando-o à sua representação gráfica. É preciso que o sujeito seja capaz de isolar e de reconhecer os diferentes fonemas de seu idioma para poder, a seguir, relacioná-los aos sinais gráficos. No que se segue, referimo-nos fundamentalmente ao método fonético, posto que o alfabético já caiu em desuso.

Como a ênfase está posta na análise auditiva para se separar os sons e estabelecer as correspondências grafema-fonema (isto é, letras-som), instituem-se duas questões como prévias:

a) que a pronúncia seja correta para evitar confusões entre os fonemas, e
b) que as grafias de formas semelhantes sejam apresentadas separadamente para evitar confusões visuais entre as grafias. Outro dos importantes princípios para o método é ensinar um par de fonema-grafema por vez, sem passar ao seguinte enquanto a associação não esteja bem fixada. Na aprendizagem, está em primeiro lugar a mecânica da leitura (decifrado do texto) que, posteriormente, dará lugar à leitura "inteligente" (compreensão do texto lido), culminando com uma leitura expressiva, na qual se junta a entonação.

Quaisquer que sejam as divergências entre os defensores do método sintético, o acordo sobre esse ponto de vista é total: inicialmente, a aprendizagem da leitura e da escrita é um a questão mecânica; trata-se de adquirir a técnica para o decifrado do texto. Pelo fato de se conceber a escrita como a transcrição gráfica da linguagem oral, como sua imagem (imagem mais ou menos fiel, segundo casos particulares), ler equivale a decodificar o escrito em som. É evidente que o método será tanto mais eficaz quanto mais o sistema da escrita estiver de acordo com os princípios alfabéticos, isto é, quanto mais perfeita seja a correspondência som-letra. Mas como em nenhum sistema de escrita existe uma total coincidência entre a fala e a ortografia, recomenda-se começar com aqueles casos de "ortografia regular", quer dizer, palavras em que a grafia coincide com a pronúncia. As cartilhas ou os livros de iniciação à leitura nada mais são do que a tentativa de conjugar todos esses princípios: evitar confusões auditivas e/ou visuais; apresentar um fonema (e seu grafema correspondente) por vez; e finalmente trabalhar com os casos de ortografia regular. As sílabas sem sentido são utilizadas regularmente, o que acarreta a consequência inevitável de dissociar o som da significação e, portanto, a leitura da fala.

Estes princípios não são expostos somente como posturas metodológicas, mas correspondem também a concepções psicológicas precisas. Com efeito, ao enfatizar as discriminações auditivas e visuais e a correspondência fonema-grafema, o processo de aprendizagem da leitura é visto, simplesmente, como uma associação entre respostas sonoras a estímulos gráficos. Este modelo, que é o mais coerente com a teoria associacionista, reproduz, em nível da aprendizagem da escrita, o modelo proposto para interpretar a aquisição da linguagem oral (como veremos mais adiante). Da linguística também recebeu justificativas que lhe servem de base. Em particular, o linguista Leonard Bloomfield (1942), ao se ocupar do problema, afirma: "A causa principal das dificuldades de compreensão do conteúdo da leitura é o domínio imperfeito da mecânica da leitura". E, em seguida, acrescenta: "o primeiro passo, que pode ser separado dos subsequentes, é o reconhecimento das letras. Dizemos que uma criança reconhece uma letra quando pode, mediante solicitação, dar uma resposta específica diante dela." A psicologia, a linguística e a pedagogia pareciam, então, estar em acordo ao considerar a leitura inicial como puro mecanismo.

É esta uma explicação satisfatória para compreender o processo de aquisição? A assimilação entre a concepção sobre a natureza do objeto a adquirir – o código alfabético – e as hipóteses acerca do processo têm levado a confundir métodos de ensino com processos de aprendizagem. Além disso, leva a dicotomizar a aprendizagem em dois momentos descontínuos: quando *não se sabe*, inicialmente, é necessário passar por uma etapa mecânica; quando *já se sabe*, chega-se a compreender (momentos claramente representados pela sequência clássica "leitura mecânica, compreensiva"). Este é, em síntese, o modelo do método sintético. Se temos nos estendido em considerá-lo, foi porque é um dos que encontra maiores adesões hoje em dia. Porém, além disso, se suas proposições teóricas remetem ao mais primitivo mecanicismo, suas aplicações práticas costumam excedê-

-lo, chegando, em certas ocasiões, a parecer literalmente baseado no velho e funesto refrão: *"La letra con sagre entra".*

Para os defensores do método analítico, pelo contrário, a leitura é um ato "global" e "ideovisual". O. Decroly reage contra os postulados do método sintético – acusando-o de mecanicista – e postula que "no espírito infantil, as visões de conjunto precedem a análise". O prévio, segundo o método analítico, é o reconhecimento global das palavras ou das orações; a análise dos componentes é uma tarefa posterior. Não importa qual seja a dificuldade auditiva daquilo que se aprende, posto que a leitura é uma tarefa fundamentalmente visual. Por outro lado, postula-se que é necessário começar com unidades significativas para a criança (daí a denominação "ideovisual").

Como vimos, são muitos os aspectos em discrepância entre ambos os métodos; porém, os desacordos referem-se, sobretudo, ao tipo de estratégia perceptiva em jogo: auditiva para uns, visual para outros. A assim chamada "querela dos métodos" (B. Braslavsky, 1973) está delineado em termos de quais são as estratégias perceptivas em jogo no ato da leitura. Porém, inevitavelmente, ambos se apoiam em concepções diferentes do funcionamento psicológico do sujeito e em diferentes teorias da aprendizagem. Por essa razão, o problema tampouco se resolve com a proposta de métodos "mistos" que participariam das benevolências de um e de outro.

A ênfase dada às habilidades perceptivas descuida de aspectos que, para nós, são fundamentais:

a) a competência linguística da criança;
b) suas capacidades cognoscitivas.

No que se segue, tentaremos mostrar de que modo, introduzindo esses dois aspectos como centrais, podemos mudar nossa visão da criança que atravessa os umbrais da alfabetização.

3 – A PSICOLINGUÍSTICA CONTEMPORÂNEA E A APRENDIZAGEM DA LEITURA E DA ESCRITA

No ano de 1962, começam a surgir mudanças sumamente importantes a respeito da nossa maneira de compreender os processos de aquisição da língua oral na criança. De fato, acontece neste campo uma verdadeira revolução, até então dominado pelas concepções condutistas. Até esta época, a maior parte dos estudos sobre a linguagem infantil ocupava-se, predominantemente, do léxico, isto é, da quantidade e da variedade de palavras utilizadas pela criança. Essas

---

*N. de T. Ditado utilizado no idioma espanhol para justificar o uso da violência ou de uma disciplina ferrenha no ensino.

palavras eram classificadas segundo as categorias da linguagem adulta (verbos, substantivos, adjetivos, etc.), e estudava-se como variava a proporção entre essas diferentes categorias de palavras, qual a relação existente entre o incremento do vocabulário, a idade, o sexo, o rendimento escolar, etc.

Nenhum conjunto de palavras, porém, por mais vasto que seja, constitui por si mesmo uma linguagem: enquanto não tivermos regras precisas para combinar tais elementos, produzindo orações aceitáveis, não teremos uma linguagem. Precisamente, o ponto crítico no qual os modelos associacionistas fracassam é este: como dar conta da aquisição das regras sintáticas? Hoje em dia, está demonstrado que nem a imitação nem o reforço seletivo – os dois elementos centrais da aprendizagem associativa – podem explicar a aquisição das regras sintáticas.

Ainda que esteja fora do alcance dessa introdução uma análise detalhada dos processos da psicolinguística contemporânea e das razões que levaram às mudanças citadas, é necessária uma breve resenha para indicar alguns pontos cruciais que nos serão de utilidade no que se segue (cf. por exemplo Slobin, 1974).

O modelo tradicional associacionista da aquisição da linguagem é simples: existe na criança uma tendência à imitação (tendência que as diferentes posições associacionistas justificarão de maneira variada), e no meio social que a cerca (os adultos que a cuidam) existe uma tendência a reforçar seletivamente as emissões vocálicas da criança que correspondem a sons ou a pautas sonoras complexas (palavras) da linguagem própria desse meio social.

Em termos elementares: quando a criança produz um som que se assemelha a um som da fala dos pais, estes manifestam alegria, fazem gestos de aprovação, demonstram carinho, etc. Desta maneira, o meio vai "selecionando", do vasto repertório de sons iniciais saídos da boca da criança, somente aqueles que correspondam aos sons da fala adulta (o conjunto dos fonemas do idioma em questão). A esses sons é preciso dar um significado para que se convertam efetivamente em palavras. Neste modelo, o problema resolve-se da seguinte maneira: os adultos apresentam um objeto, acompanham essa apresentação com uma emissão vocálica (isto é, pronunciam uma palavra que é o nome desse objeto); por reiteradas associações entre a emissão sonora e a presença do objeto, aquela termina por transformar-se em signo desta e, portanto, se faz "palavra".

Nossa atual visão do processo é radicalmente diferente: no lugar de uma criança que espera passivamente o reforço externo de uma resposta produzida pouco menos que ao acaso, aparece uma criança que procura ativamente compreender a natureza da linguagem que se fala à sua volta, e que, tratando de compreendê-la, formula hipóteses, busca regularidades, coloca à prova suas antecipações e cria sua própria gramática (que não é simples cópia deformada do modelo adulto, mas sim criação original). No lugar de uma criança que recebe pouco a pouco uma linguagem inteiramente fabricada por outros, aparece uma criança que reconstrói por si mesma a linguagem, tomando seletivamente a informação que lhe provê o meio. Um exemplo concreto para mostrar a diferença de ótica. Todas as crianças de fala espanhola, em torno dos 3-4 anos, dizem *yo lo poní*, ao invés de *yo lo puse*. Classicamente, trata-se de um "erro", porque a criança ainda não sabe usar os verbos irregulares. Porém, quando analisamos a natureza desse erro, a explicação não pode se deter num "engana-se", porque, precisamente, as crianças "se enganam" sempre do mesmo modo: tratam a todos os verbos irregulares como se fossem regulares (dizendo *yo nací, yo andé, está rompido*, etc.). Depois de tudo, assim como *comer* dá *comí* e *correr* dá *corrí*, *poner* "deveria" dar poní,* *andar* deveria dar *andé*.

Quando alguém se engana sempre da mesma maneira, quer dizer, quando estamos frente a um erro sistemático, chamamos a isso simplesmente de "erro", o que nada mais é do que encobrir com uma palavra o vazio de nossa ignorância. Uma criança não regulariza os verbos irregulares por imitação, posto que os adultos não falam assim (uma criança filho único também o faz); não se regularizam os verbos irregulares por reforçamento seletivo. São regularizados porque a criança busca na língua uma regularidade e uma coerência que faria dela um sistema mais lógico do que na verdade é.

Em suma, o que antes aparecia como um "erro por falta de conhecimento" surge-nos agora como uma das provas mais tangíveis do surpreendente grau de conhecimento que uma criança dessa idade tem sobre seu idioma: para regularizar, os verbos irregulares, precisa ter distinguido entre radical verbal e desinência e ter descoberto qual é o paradigma "normal" (isto é, regular) da conjugação dos verbos. (Assinalemos, de passagem, que este é um fenômeno que podemos considerar como universal, já que foi testado para todos os idiomas dos quais possuímos dados fidedignos.)

Fatos como este, que ocorrem normalmente no desenvolvimento da linguagem na criança, testemunham um processo de aprendizagem que não passa pela aquisição de elementos isolados que logo irão progressivamente se juntando, mas sim pela constituição de sistemas nos quais o valor das partes vai se redefinindo em função das mudanças no sistema total. Por outro lado, fatos como este demonstram também que existe o que poderíamos chamar *erros construtivos*, isto é, respostas que se separam das respostas corretas, mas que, longe de impedir alcançar estas últimas, pareceriam permitir os acertos posteriores. (A regularização dos verbos irregulares, entre os 2 e 5 anos, não é um fato "patológico", não é um índice de futuros transtornos, muito pelo contrário.)

A ênfase inicial da psicolinguística contemporânea nos aspectos sintéticos, assim, foi não somente porque se tratava de um tema praticamente inexplorado até então, mas sim fundamentalmente porque a nova psicolinguística se constitui graças ao poderoso impacto da teoria linguística de Noam Chomsky (1974, 1976). A *gramática generativa* proposta por esse autor dá um lugar central e privilegiado ao componente sintático, e os psicólogos tomaram esse modelo como ponto de

---

*N. de T. Em português: "eu ponhei" ao invés de "eu pus", sendo que em espanhol o correto é *anduve*, etc.

partida, tratando de provar sua "realidade psicológica". Atualmente a situação está muito mais complexa; ainda que estejamos distantes de poder dispor de um sistema interpretativo que dê uma explicação integrada dos múltiplos aspectos envolvidos na aquisição da linguagem, há uma série de passos irreversíveis que foram dados:

- a insuficiência dos modelos condutistas tem sido evidenciada num domínio que, até então, era um dos seus baluartes mais sólidos;
- manifestou-se uma série de fatos novos, e abriu-se uma série de linhas de investigação originais;
- a concepção da aprendizagem que se sustenta vai coincidir (ainda que não fosse essa a sua intenção) com as concepções sobre a aprendizagem sustentadas anteriormente por Jean Piaget (como veremos logo a seguir).

Agora, o que tem tudo isto a ver com a aprendizagem da leitura e da escrita? Muito, e por várias razões. Em primeiro lugar, porque, sendo a escrita uma maneira particular de transcrever a linguagem, tudo muda se supomos que o sujeito que vai abordar a escrita já possui um notável conhecimento de sua língua materna, ou se supomos que não o possui. (Isto se verá de maneira mais clara quando discutirmos o que é ler, e de que maneira um leitor faz uso, continuamente, de seu conhecimento linguístico. Cf. – Capítulo VIII, Seção 2.)

Em segundo lugar, porque é fácil mostrar que muitas das práticas habituais no ensino da língua escrita são tributárias do que se sabia (antes de 1960) sobre a aquisição da língua oral; a progressão clássica que consiste em começar pelas vogais, seguidas da combinação de consoantes labiais com vogais, e a partir daí chegar à formação das primeiras palavras por duplicação dessas sílabas (mamá, papá)* e, quando se trata de orações, começar pelas orações declarativas simples, é uma série que reproduz muito bem a série de aquisições da língua oral, tal como ela se apresenta vista "do lado de fora" (isto é, vista desde as condutas observáveis, e não desde o processo que engendra essas condutas observáveis). Implicitamente, julgava-se ser necessário passar por essas mesmas etapas quando se trata de aprender a língua escrita, como se essa aprendizagem fosse uma aprendizagem da fala.

Esta concepção da aprendizagem da língua escrita como uma reaprendizagem da língua oral é ainda mais evidente quando pensamos em noções tão importantes para o ensino tradicional como são as de "falar bem" e possuir uma "boa articulação". Com efeito, muitas das dificuldades da escrita foram atribuídas classicamente à fala (e no Capítulo VII discutiremos as consequências ideológicas dessa posição). Normalmente, pensa-se que para escrever de forma correta é preciso também saber pronunciar de forma correta as palavras. Temos nos detido, porém, para pensar sobre a seguinte questão: Com base em que critérios se de-

---

*N. de T. Em português: mamãe, papai.

Psicogênese da Língua Escrita **27**

termina qual é a "correta" maneira de pronunciar? No caso de uma comunidade linguística tão vasta como é a comunidade de fala espanhola, quem tem direito de fixar qual é a "correta" pronúncia? É possível legislar nessa matéria como se a linguística fosse uma ciência normativa e não uma ciência fática?

O ensino tradicional obrigou as crianças a reaprender a produzir os sons da fala, pensando que, se eles não são adequadamente diferenciáveis, não é possível escrever num sistema alfabético. Mas esta premissa baseia-se em duas suposições, ambas falsas: que uma criança de seis anos não sabe distinguir os fonemas do seu idioma, e que a escrita alfabética é uma transcrição fonética do idioma. A primeira hipótese é falsa, porque, se a criança, no decorrer da aprendizagem da língua oral, não tivesse sido capaz de distinguir os fonemas entre si, tampouco seria capaz aos seis anos de distinguir oralmente pares de palavras, tais como pau, mau; coisa que, obviamente, sabe fazer. A segunda hipótese também é falsa, em vista do fato de que *nenhuma* escrita constitui uma transcrição fonética da língua oral.

Não faremos pouco do problema do recorte da fala nos seus elementos mínimos (fonemas); porém, o apresentaremos de maneira diferente: não se trata de ensinar as crianças a fazer uma distinção, mas sim de levá-las a se conscientizarem de uma diferença que já sabiam fazer. Em outras palavras: não se trata de transmitir um conhecimento que o sujeito não teria fora desse ato de transmissão, mas sim de fazer-lhe cobrar a consciência de um conhecimento que o mesmo possui, mas sem ser consciente de possuí-lo. E o que estamos dizendo a respeito das oposições fonêmicas é válido para todos os outros aspectos da linguagem. (Voltaremos reiteradamente sobre isto mais adiante.)

Atualmente, sabemos que a criança que chega, à escola tem um notável conhecimento de sua língua materna, um saber linguístico que utiliza "sem saber" (inconscientemente) nos seus atos de comunicação cotidianos. A partir de Chomsky, tornou-se comum em psicolinguística a distinção entre *competência e desempenho* (em inglês, *performance*). Esta distinção coloca-nos em guarda contra a tendência – marcadamente condutista – de identificar o saber real de um sujeito sobre um domínio particular com seu desempenho efetivo numa situação particular. O fato de alguém não ser capaz de efetuar, mentalmente, uma complicada operação matemática não pode ser tomado como índice de ignorância nas matemáticas. (Normalmente, para efetuar essas operações, necessitamos de "ajudas mnemotécnicas" especiais, sendo a mais simples delas o dispor de um lápis e de um papel, o que tem a ver com as limitações de nossa memória imediata, e não com nossa real capacidade para efetuar essas operações.) Do mesmo modo, o fato de alguém não ser capaz de repetir uma palavra desconhecida (como "Nabucodonosor" ou "Constantinopla", que se encontram em conhecidos testes de maturidade para a leitura) não quer dizer que este seja incapaz de compreender e de produzir as distinções fonemáticas próprias da sua língua.

(Esta distinção entre *competência e desempenho* está também na base da teoria piagetiana da inteligência, como veremos em seguida.)

Dificilmente a escola teria podido assumir esse "saber linguístico" da criança antes que a psicolinguística o tivesse colocado em evidência; mas podemos agora ignorar esses fatos? Podemos continuar atuando como se a criança nada soubesse a respeito da sua própria língua? Podemos continuar atuando de tal maneira que a obriguemos a *ignorar* tudo o que ela sabe sobre sua língua para ensinar-lhe, precisamente, a transcrever esta mesma língua em código gráfico?

Não somos nós os primeiros a assinalar a necessidade de proceder a uma revisão completa de nossas ideias sobre a aprendizagem da língua escrita a partir das descobertas da psicolinguística contemporânea. Em 1971, tem lugar nos Estados Unidos uma conferência sobre a "relação entre a fala e a aprendizagem da leitura", que se constitui no primeiro intento global nesse sentido (J. Kavanagh e I. Mattingly, 1972). Desde então, autores como Kenneth Goodman, Frank Smith, Charles Read e Carol Chomsky produziram vários trabalhos importantes sobre esse problema.

Nossa originalidade reside em sermos, provavelmente, os primeiros a fazê-lo em língua espanhola e, principalmente, os primeiros a vincular essa perspectiva com o desenvolvimento cognitivo, tal como é visto na teoria da inteligência, de Piaget.

4 – A PERTINÊNCIA DA TEORIA DE PIAGET PARA COMPREENDER OS PROCESSOS DE AQUISIÇÃO DA LEITURA E DA ESCRITA

Quando se analisa a literatura sobre a aprendizagem da língua escrita, encontramos, basicamente, dois tipos de trabalhos: os dedicados a difundir tal ou qual metodologia como sendo *a* solução para todos os problemas, e os trabalhos dedicados a estabelecer a lista das capacidades ou das aptidões necessárias envolvidas nessa aprendizagem. (Neste último grupo incluímos, obviamente, todos os trabalhos que se ocupam em estabelecer quais são as condições necessárias para iniciar essa aprendizagem, condições comumente denominadas "maturidade para a lectoescrita".)

Nosso trabalho não se encontra em nenhum dos dois grupos e é necessário explicar por quê.

Ao considerarmos a literatura psicológica dedicada a estabelecer a lista das aptidões ou das habilidades necessárias para aprender a ler e a escrever, vemos aparecer, continuamente, as mesmas variáveis: lateralização espacial, discriminação visual, discriminação auditiva, coordenação viso-motora, boa articulação, etc. Dos trabalhos que tentam sintetizar essas investigações parciais, surge uma visão bastante curiosa (cf., por exemplo, Mialaret, 1975): todos esse fatores se correlacionam positivamente com uma boa aprendizagem da língua escrita. Dizendo em termos banais: se uma criança está bem lateralizada, se seu equilíbrio emocional é adequado, se ela tem uma boa discriminação visual e auditiva, se seu quociente intelectual é normal, se sua articulação é também adequada..., então, também é provável que aprenda a ler e a escrever sem dificuldades. Em suma: se tudo vai bem, também a aprendizagem da lectoescrita vai bem.

O mínimo que se pode dizer é que isso é insatisfatório. Com efeito, por um lado, sabe-se bem que não há que se confundir uma correlação positiva com uma relação causal (o fato de quaisquer desses fatores se correlacionarem positivamente com o rendimento escolar na lectoescrita não quer dizer que o referido fator seja a causa do rendimento observado, coisa que se aprende em qualquer curso elementar de estatística). Por outro lado, surge inevitavelmente a pergunta do que é que há de especificamente ligado à lectoescrita nessa extensa lista de fatores. Ainda que a aprendizagem da língua escrita seja um problema complexo, estamos de acordo. Contudo, mesmo que para se vencer tal complexidade tenhamos de recorrer a uma lista de aptidões, parece-nos discutível.

Algo que temos procurado em vão nesta literatura é o próprio sujeito: o sujeito cognoscente, o sujeito que busca adquirir conhecimento, o sujeito que a teoria de Piaget nos ensinou a descobrir. O que quer isto dizer? O sujeito que conhecemos através da teoria de Piaget é aquele que procura ativamente compreender o mundo que o rodeia e trata de resolver as interrogações que este mundo provoca. Não é um sujeito o qual espera que alguém que possui um conhecimento o transmita a ele por um ato de benevolência. É um sujeito que aprende basicamente através de suas próprias ações sobre os objetos do mundo e que constrói suas próprias categorias de pensamento ao mesmo tempo que organiza seu mundo.

Podemos supor que esse *sujeito cognoscente* está também presente na aprendizagem da língua escrita? Nós achamos que a hipótese é válida. Raciocinando pelo absurdo: é bem difícil imaginar que uma criança de 4 ou 5 anos, que cresce num ambiente urbano no qual vai reencontrar, necessariamente, textos escritos em qualquer lugar (em seus brinquedos, nos cartazes publicitários ou nas placas informativas, na sua roupa, na TV, etc.) não faça nenhuma ideia a respeito da natureza desse objeto cultural até ter 6 anos e uma professora à sua frente. Torna-se bem difícil, sabendo o que sabemos sobre a criança de tais idades: crianças que se perguntam sobre todos os fenômenos que observam, que realizam as perguntas mais difíceis de responder, que constroem teorias sobre a origem do homem e do universo. No que diz respeito à discussão sobre os métodos, já assinalamos (Seção 2 deste Capítulo 1) que essa querela é insolúvel, a menos que conheçamos quais são os *processos de aprendizagem do sujeito*, processos que tal ou qual metodologia pode favorecer, estimular ou bloquear. Porém, certamente, essa distinção entre *métodos de ensino*, por um lado, e processos de *aprendizagem do sujeito*, pelo outro, requer uma justificativa teórica. Dentro de um marco de referência condutista, ambos aparecem identificados, visto que um dos princípios básicos desta posição é que são os estímulos que controlam as respostas, e a aprendizagem em si nada mais é do que a substituição de uma resposta por outra. Num marco piagetiano de referência, pelo contrário, a distinção entre ambos é clara – e necessária – visto que um dos princípios básicos dessa teoria é que os estímulos não atuam diretamente, mas sim que são transformados pelos sistemas de assimilação do sujeito

30 Ferreiro & Teberosky

(seus "esquemas de assimilação"): neste ato de transformação, o sujeito *interpreta* o estímulo (o objeto, em termos gerais), e é somente em consequência dessa interpretação que a conduta do sujeito se faz compreensível.

Na teoria de Piaget, então, um mesmo estímulo (ou objeto) *não é o mesmo, a menos que os esquemas assimiladores à disposição também o sejam.* Isto equivale a colocar o sujeito da aprendizagem no centro do processo, e não aquele que, supostamente, conduz essa aprendizagem (o método, na ocasião, ou *quem* o veicula). Esse fato nos obriga – felizmente – a estabelecer uma clara distinção entre os passos que um método propõe, e o que efetivamente ocorre "na cabeça" do sujeito. Dizemos "felizmente", já que a confusão entre métodos e processos leva, necessariamente, a uma conclusão que nos parece inaceitável: os êxitos na aprendizagem são atribuídos ao método e não ao sujeito que aprende. E dizemos "inaceitável", porque, tomando de um exemplo histórico recente, resulta evidente a falácia da argumentação: o fato de que durante décadas os homens tenham aprendido, na escola, a calcular utilizando lápis e papel, memorizando os resultados de um cálculo, não pode ser usado como prova de que se chega a uma noção de "quantidade numérica", com a qual se pode operar, dessa maneira. Atualmente sabemos – graças, em particular, aos trabalhos de Piaget e da sua equipe sobre o tema – que os processos que conduzem às noções matemáticas elementares não passam pela memorização nem por atividades mecânicas de reprodução (J. Piaget e A. Szeminska, 1967). Se os homens conseguiram forjar, durante gerações, noções numéricas corretas, certamente não foi graças a esses métodos, e sim *apesar* deles. Isso foi possível porque, felizmente, nenhuma criança espera receber as instruções de um adulto para começar a classificar, para ordenar os objetos de seu mundo cotidiano.

Este exemplo do cálculo elementar nos conduz a outro ponto muito importante até há pouco tempo (para não dizer ainda atualmente): o primeiro ano de escola primária era concebido como um ano "instrumental": ali, a criança deveria adquirir os instrumentos que lhe serviriam para mais tarde adquirir outros conhecimentos. Em si mesmos, esses "instrumentos" (cálculo elementar e lectoescrita) não são conhecimento, mas sim, precisamente, "instrumentos para" obter outros conhecimentos.

Ora, hoje em dia, sabemos (novamente graças aos trabalhos de Piaget) que, no que se refere ao cálculo elementar, tal posição é insustentável: adquirindo as noções numéricas elementares, a criança *constrói seu pensamento lógico,* isto é, adquire um conhecimento do mais alto poder de generalização. Os trabalhos de Piaget sobre a aquisição das noções numéricas elementares destroem nas suas próprias bases a concepção da "matemática da primeira série" como a aquisição de uma mecânica não raciocinada.

Perguntamo-nos: não acontecerá o mesmo com a lectoescrita? Até que ponto é sustentável a ideia de que se tem de passar pelos rituais de "ma-me-mi-mo-mu" para aprender a ler? Qual é a justificativa para se começar pelo cálculo mecânico das correspondências fonema/grafema para então se proceder, e somente então, a uma compreensão do texto escrito? É justificável essa concepção da iniciação da lectoescrita, concebida como uma iniciação às cegas (isto é, com ausência de um pensamento inteligente) à transcrição dos grafemas em fonemas?

Nas duas disciplinas nas quais o destino escolar da criança de primeira série vai ser decidido (cálculo elementar e lectoescrita) muitos são os docentes que se veem obrigados a uma prática pedagógica dissociadora: são piagetianos (ou tentam sê-lo) na hora da matemática; são associacionistas (às vezes, sem o querer) na hora da leitura. Esta dissociação é insustentável na prática, não somente por razões de coerência pedagógica, senão porque estão sendo sustentadas, simultaneamente, duas diferentes concepções da própria criança, *concebida como criadora, ativa e inteligente na hora da matemática, e como passiva, receptara e ignorante na seguinte.*

Neste ponto, é preciso evitar um mal-entendido. Várias vezes temos escutado a seguinte objeção: como se pode falar de "teoria piagetiana" da lectoescrita, quando o próprio Piaget nada escreveu sobre este tema? Efetivamente, Piaget não realizou nem investigações nem uma reflexão sistemática sobre o tema, e apenas pode-se encontrar, em diversos textos, referências tangenciais a respeito desses problemas. Porém, o que aqui está em jogo é a concepção que se tem sobre a teoria de Piaget: ou se a concebe como uma teoria limitada aos processos de aquisição de conhecimentos lógico-matemáticos e físicos, ou como uma *teoria geral dos processos de aquisição de conhecimento*. Esta última é, por certo, nossa interpretação: a teoria de Piaget não é uma teoria particular sobre um domínio particular, mas sim um marco teórico de referência, muito mais vasto, que nos permite compreender de uma maneira nova *qualquer* processo de aquisição de conhecimento. (Da mesma maneira que a teoria de Freud não pode ser considerada como uma teoria particular da neurose, ou dos processos inconscientes, mas sim como uma teoria geral sobre o funcionamento afetivo.)

Compreender a teoria de Piaget dessa maneira não supõe que ela seja aceita como "dogma", mas sim, precisamente, como teoria científica, e uma das maneiras de provar sua validade geral é tratar de aplicá-la em domínios ainda inexplorados a partir dessa perspectiva, tendo bastante cuidado em diferenciar o que significa utilizar esse marco teórico para engendrar novas hipóteses e evidenciar novos marcos observáveis das tentativas demasiado rápidas de fazer com que Piaget tenha dito o que se tem vontade de dizer (como as deduções apressadas que justificam os "métodos globais" como sendo os métodos em consonância com a teoria piagetiana).

A teoria de Piaget nos permite – como já dissemos – introduzir a escrita *enquanto* objeto de conhecimento, e o sujeito da aprendizagem, *enquanto* sujeito cognoscente. Ela também nos permite introduzir a noção de assimilação, à qual também já fizemos referência. Mas há ainda mais.

A concepção da aprendizagem (entendida como um processo de obtenção de conhecimento) inerente à psicologia genética supõe, necessariamente, que existam processos de aprendizagem do sujeito que não dependem dos métodos (processos que, poderíamos dizer, passam "através" dos métodos). O método (enquanto ação específica do meio) pode ajudar ou frear, facilitar ou dificultar; porém, não pode *criar* aprendizagem. A obtenção de conhecimento é um resultado da própria atividade do sujeito. (É útil recordar aqui – ainda que não o possamos desenvolver – que a epistemologia genética é única em postular a *ação* como origem de *todo* conhecimento, incluindo o conhecimento lógico-matemático). Um sujeito intelectualmente ativo não é aquele que "faz muitas coisas", nem um sujeito que tem uma atividade observável. Um sujeito ativo é aquele que compara, exclui, ordena, categoriza, reformula, comprova, formula hipóteses, reorganiza, etc., em ação interiorizada (pensamento) ou em ação efetiva (segundo seu nível de desenvolvimento). Um sujeito que está realizando materialmente algo, porém, segundo as instruções ou o modelo para ser copiado, dado por outro, não é, habitualmente, um sujeito intelectualmente ativo.

Nenhuma aprendizagem conhece um ponto de partida absoluto, já que, por mais novo que seja o conteúdo a conhecer, este deverá necessariamente ser *assimilado* pelo sujeito e, conforme os esquemas assimiladores à disposição, a assimilação será mais ou menos deformante. Como dissemos antes, não há semelhança nos objetos apresentados, a menos que haja semelhança nos esquemas assimiladores que tratarão de interpretá-los. Em termos práticos, isto significa que o ponto de partida de toda a aprendizagem é o próprio sujeito (definido em função de seus esquemas assimiladores à disposição), e não o conteúdo a ser abordado.

As propriedades desse objeto serão ou não *observáveis* para um sujeito. A própria definição de *observável* é relativa ao nível de desenvolvimento cognitivo de um sujeito, e não a suas capacidades sensoriais. Do mesmo modo que no desenvolvimento da ciência certos fatos não foram "observáveis", porque não se dispunha de esquema interpretativo para eles, na história psicogenética há uma progressão nos "observáveis", concomitante com o desenvolvimento dos esquemas interpretativos do sujeito. (O papel das teorias científicas é exatamente paralelo ao dos esquemas assimiladores.)

Talvez seja útil dar alguns exemplos: pede-se a uma menina de 5 anos que encontre dois palitos de igual longitude dentro de um conjunto de palitos; ela já sabe igualar as bases para comparar os extremos (isto é, coloca-os perpendicularmente apoiados na mesa para poder compará-los); num dado momento, depois de múltiplas comparações que consistem todas em usar um palito qualquer como "medidor" e comparar com ele outro qualquer, está diante de uma configuração de três, na qual os dois das extremidades têm exatamente o mesmo comprimento, e o do meio é sensivelmente mais curto ($|\,|\,|$). Diante dessa configuração, ela conclui que não há dois do mesmo comprimento. Esta menina não tinha nenhum defeito perceptivo, e seu problema tampouco era de caráter perceptivo: ela não podia concluir pela igualdade, porque procedia exclusivamente por comparações de pares que estivessem próximos. Efetivamente, se neste trio procedemos a comparar cada palito com seu sucessor imediato, só o que constatamos são desigualdades. A igualdade não era "observável", a menos que fosse modificado o método de comparação.

Em certas experiências de transmissão de movimento através de intermediários aparentemente (molarmente?) imóveis, a imobilidade dos intermediários não pode ser observada (isto é, é negada como "observável") em virtude de uma ideia geral segundo a qual para que um objeto possa transmitir movimento ele mesmo deve se pôr em movimento (isto é, deslocar-se). (Cf. J. Piaget e E. Ferreiro, 1972.)

No terreno das teorias científicas – e para não sairmos do campo da psicologia – é óbvio que os atos falhos não foram observáveis (isto é, fatos interpretáveis) até que a teoria de Freud nos forneceu esquemas interpretativos para eles. Da mesma maneira, as respostas aparentemente alógicas das crianças não foram fatos observáveis (isto é, interpretáveis) até que a teoria de Piaget lhes restituísse todo o seu valor, fazendo-os passar da categoria de fatos engraçados do anedotário familiar à dos fato científicos.

Na teoria de Piaget, o conhecimento objetivo aparece como uma aquisição, e não como um dado inicial. O caminho em direção a este conhecimento objetivo não é linear: não nos aproximamos dele passo a passo, juntando peças de conhecimento umas sobre as outras, mas sim através de grandes reestruturações globais, algumas das quais são "errôneas" (no que se refere ao ponto final); porém, "construtivas" (na medida em que permitem aceder a ele). Esta noção de *erros construtivos* é essencial. Para uma psicologia (e uma pedagogia) associacionista, todos os erros se parecem. Para uma psicologia piagetiana, é chave o poder distinguir entre os erros aqueles que constituem pré-requisitos necessários para a obtenção da resposta correta. O exemplo dado na Seção anterior (p. 25) sobre a regularização dos verbos irregulares é certamente um exemplo de erro construtivo: indica o momento em que a criança descobriu uma regra de derivação dos verbos, mas também o momento em que resulta-lhe cognitivamente inabordável tratar ao mesmo tempo com regras gerais e com exceções a essas regras (razão pela qual os verbos irregulares resultam "inobserváveis"). Toda a obra de Piaget abunda em exemplos de tais erros construtivos. Citando apenas um: os julgamentos de equivalência numérica que se baseiam na igualdade de fronteiras entre duas coleções (quando a criança julga que há igual quantidade de elementos em duas filas de objetos cujos limites coincidem independente do fato de que em uma há cinco, espaçados entre si, e na outra sete, menos espaçados) constituem um progresso notável com relação a uma etapa anterior, na qual não há critério estável para julgar a equivalência quantitativa entre as duas coleções, e mesmo que levem a criança a cometer erros sistemáticos, estes erros são construtivos, não impedindo, mas sim permitindo o acesso à resposta correta.

Em outros termos, uma criança não regulariza os verbos irregulares "porque sim", nem julga da equivalência entre duas coleções pela equivalência de fronteiras "porque sim". Estes são erros sistemáticos, e não erros por falta de atenção ou por falta de memória. Nosso dever, como psicólogos, é tratar de compreendê-los; o dever dos pedagogos é levá-los em consideração, e não colocá-los no saco indiferenciado dos erros em geral. Identificar tal tipo de erros construtivos na gênese das conceitualizações acerca da escrita será um dos objetivos do nosso trabalho. Porém, conseguir fazer com que seja aceito na prática pedagógica – que tradicionalmente tem horror ao erro – a necessidade de permitir ao sujeito passar por períodos de erro construtivo é uma tarefa de fôlego, que demandará outra classe de esforços.

Finalmente, consideremos que, na teoria de Piaget, a compreensão de um objeto de conhecimento aparece estreitamente ligada à possibilidade de o sujeito reconstruir este objeto, por ter compreendido quais são suas leis de composição. Contrariamente às posições "gestaltistas", a compreensão "piagetiana" não é figural, mas sim operatória: não é a compreensão de uma forma de conjunto dada de uma vez por todas, mas a compreensão das transformações que engendram essas configurações, conjuntamente com as invariáveis que lhe são próprias. (Por exemplo, compreender as relações entre os objetos num espaço euclidiano equivale a poder reconstruir este espaço a partir de suas coordenadas de base e a trabalhar com as invariáveis métricas que dali resultam.)

Se dissemos antes que uma prática pedagógica de acordo com a teoria piagetiana não deve temer o erro (sob a condição de distinguir entre erros construtivos e os que não o são), agora devemos acrescentar que ela não deve, tampouco, temer o esquecimento. *O importante não é o esquecimento, e sim a incapacidade para restituir o conteúdo esquecido.* Se um sujeito aprendeu a tabuada de memória sem compreender as operações que as formam, ao se esquecer de "quanto é" 7 x 8, por exemplo, somente poderá restituir o conhecimento esquecido dirigindo-se a alguém que o possua, pedindo-lhe que o restitua. Se, pelo contrário, compreendeu o mecanismo de produção desse conhecimento, poderá restituí-lo por si mesmo (e não de uma só maneira, mas sim de múltiplas maneiras). No primeiro caso, temos um sujeito continuamente dependente de outros que possuem conhecimento e que podem outorgá-lo. No segundo caso, temos um sujeito independente porque compreendeu os *mecanismos de produção desse conhecimento* e, por conseguinte, converteu-se em criador do conhecimento.

Entre uma concepção do sujeito da aprendizagem como receptor de um conhecimento recebido de fora para dentro, e a concepção desse mesmo sujeito como um produtor de conhecimento, há um grande abismo. Esta é a diferença que separa as concepções condutistas da concepção piagetiana.

Um progresso no conhecimento não será obtido senão através de um *conflito cognitivo*, isto é, quando a presença de um objeto (no sentido amplo de objeto de conhecimento) não assimilável force o sujeito a modificar seus esquemas assimiladores, ou seja, a realizar um esforço de acomodação que tenda a incorporar o que resultava inassimilável (e que constitui, tecnicamente, uma *perturbação*). Da mesma maneira, porém, que não é qualquer atividade que define a atividade intelectual, tampouco qualquer conflito é um conflito cognitivo que permite um progresso no conhecimento. Há momentos particulares no desenvolvimento em que certos fatos, antes ignorados, se convertem em perturbações.[1]

Em termos práticos, não se trata de continuamente introduzir o sujeito em situações conflitivas dificilmente suportáveis, e sim de tratar de detectar quais são os momentos cruciais nos quais o sujeito é sensível às perturbações e às suas próprias contradições, para ajudá-lo a avançar no sentido de uma nova reestruturação.

É óbvio que não podemos pretender, nesta introdução, dar um resumo da teoria piagetiana. Somente pretendemos indicar alguns pontos que nos parecem ser essenciais para proceder à utilização desse marco conceitual, num terreno até agora inexplorado sob essa perspectiva.

Para concluir essa introdução, assinalaremos, em curta síntese, que nosso objetivo será mostrar nos fatos a pertinência da teoria psicogenética de Piaget e das conceitualizações da psicolinguística contemporânea, para compreender a natureza dos processos de aquisição de conhecimento sobre a língua escrita, situando-nos acima das disputas sobre os métodos de ensino, mas tendo como fim último o de contribuir na solução dos problemas de aprendizagem da lectoescrita na América Latina e o de evitar que o sistema escolar continue produzindo futuros analfabetos.

5 – CARACTERÍSTICAS GERAIS DAS INVESTIGAÇÕES REALIZADAS

Abordar uma investigação no campo da aquisição da leitura e da escrita, no qual já existe uma grande quantidade de estudos e de publicações, pode não parecer uma novidade. Acrescentar mais um estudo aos já existentes se justifica, no entanto, na medida em que o duplo marco conceitual eleito – o da psicologia genética e o da psicolinguística contemporânea – permite-nos encarar questões até agora não resolvidas. Com efeito, se a aprendizagem neste domínio – como em qualquer outro – não pode reduzir-se a uma série de habilidades específicas que deve possuir a criança, nem às práticas metodológicas que o professor desenvolve, é preciso dar conta do verdadeiro processo de construção dos conhecimentos como forma de superar o reducionismo em que têm caído as posturas psicopedagógicas até então. Todo enfoque teórico (e toda prática pedagógica) depende de uma concepção sobre a natureza do conhecimento, assim como de uma análise do objeto sobre o qual se realiza o conhecimento. Tentar uma explicação sob outro ponto de vista epistemológico, encarar um antigo problema sob uma nova óptica: acreditamos que isso justifica a tentativa. Como resultado desse novo enfoque, apresentaremos neste livro uma série de investigações que tem por objeto estudar o processo de construção dos conhecimentos no domínio da língua escrita, a partir de: a) identificar os processos cognitivos subjacentes à aquisição da escrita; b) compreender a natureza das hipóteses infantis; e c) descobrir o tipo de conhecimentos específicos que a criança possui ao iniciar a aprendizagem escolar.

Tendo fixado nessa introdução nosso ponto de partida teórico, parece-nos necessário esclarecer os princípios que guiaram a construção das situações experimentais que aqui são expostas. Tendo em vista que o nosso interesse residia em descobrir qual era o processo de construção da escrita, ao planejar situações experimentais procuramos que a criança colocasse em evidência a escrita tal como ela a vê, a leitura tal como ela a entende e os problemas tal como ela os propõe para si. Este novo enfoque exigia um método adequado. Nem os testes de predição sobre a "maturidade" para a aprendizagem da lectoescrita, nem as provas de avaliação do "rendimento escolar" serviam ao nosso propósito, pois tanto um como o outro se referem a uma problemática diferente da nossa. Não se tratou, pois, de aplicar nenhum teste, porque os testes estão baseados em uma suposição sobre o processo da aprendizagem. Com efeito, as provas do tipo *reading readiness* ou de "maturação para a aprendizagem" repousam sobre a suposição de que certos aspectos linguísticos (como a correta articulação) e não linguísticos (como percepção visual e motricidade manual) da conduta infantil estão relacionados com a capacidade para ler e escrever. Assim, a partir do estudo de casos, foram encontradas correlações entre o fracasso na lectoescrita e deficiências paralelas em outros domínios exteriores. Por sua vez, notou-se que um bom rendimento no campo da lectoescrita estava acompanhado de êxitos em outros domínios. Esta constatação levou ao estabelecimento de correlações entre o nível de leitura e outros aspectos, tais como esquema corporal, orientação espacial e temporal, lateralização, quociente intelectual, etc. A partir daí, se supôs que uma nova "performance" nesses domínios era condição necessária e prévia para que a aprendizagem se realizasse posteriormente. Parte-se do princípio de que existe uma "maturação" para a aprendizagem e que esta consiste numa série de habilidades específicas suscetíveis de mensuração através de condutas observáveis. Se tomamos, por exemplo, um dos testes de maior difusão na América Latina, o ABC de Lorenzo Filho, encontramos que, para decidir se uma criança pode começar sua aprendizagem sistemática, é necessário que possua um mínimo de "maturidade" na coordenação viso-motora e auditivo-motora, além de um bom quociente intelectual e de um mínimo de linguagem (Filho, 1960). Partindo do nosso ponto de vista, não se trata de partir do conceito de "maturação" (suficientemente amplo e ambíguo para abarcar todos os aspectos não explicados), nem de estabelecer uma lista de aptidões e de habilidades. Fundamentalmente, porém, não se trata de definir as respostas da criança em termos do "que lhe falta" para receber um ensino. Ao contrário, procuramos colocar em evidência os aspectos positivos do conhecimento. Em cada um dos Capítulos deste livro, e em cada análise dos diferentes níveis de respostas, este princípio será reencontrado: a conduta infantil definida como uma maneira de aproximação ao objeto de conhecimento (modos que podem se aproximar mais ou menos das respostas adultas), que supõe um caminho de longa construção. Por outro lado, as situações experimentais propostas tampouco supõem uma avaliação do "rendimento escolar", em termos de quantas palavras uma criança sabe escrever, nem de como pode decifrar um texto. É evidente que, nas provas de rendimento, o progresso é medido em função do modelo proposto a partir do qual se ensina. Os avanços escolares são, então, o resultado de assimilar um determinado tipo de ensino. No entanto, conforme já afirmamos, o "modelo de ensino" não pode confundir-se com os processos subjacentes. Se a distinção entre métodos e processos é necessária para não confundir a natureza do processo com a metodologia proposta, também é necessária uma distinção entre níveis de conceitualização e respostas corretas. Medir a "performance" de uma criança em determinado momento da sua aprendizagem supões não somente uma teoria sobre a natureza do processo de aprendizagem como também hipóteses sobre o progresso segundo uma escala ideal de rendimentos. Nem os testes, nem as provas escolares (ambos solidários de uma teoria empirista da aprendizagem) ajudam a resolver o tipo de problemas que nós temos colocado. Se bem que nos utilizamos de tarefas de leitura e de escrita, o modo de instrumentá-las foi totalmente diferente.

Os princípios básicos que guiaram a construção de nosso projeto experimental foram:

1) *Não identificar leitura com decifrado.* Até o presente, tanto a psicologia como a pedagogia têm encarado a aprendizagem da leitura como um inevitável mecanismo de correspondência entre o oral e o escrito. Só recentemente alguns autores começam a defender outras posições, colocando em evidência que ler não equivale a decodificar as grafias em sons (J. Foucambert, F. Smith) e que, portanto, a leitura não pode ser reduzida a puro decifrado.

2) *Não identificar escrita com cópia de um modelo.* Quando se encara a escrita como uma técnica de reprodução do traçado gráfico ou como um problema de regras de transcrição do oral, se desconhece que, além do aspecto perceptivo-motor, escrever é uma tarefa de ordem conceitual. Portanto, se bem que seja necessária a presença de modelos – enquanto ocasião de desenvolvimento dos conhecimentos – a escrita não é cópia passiva e sim interpretação ativa dos modelos do mundo adulto. Longe da caligrafia e da ortografia, quando uma criança começa a escrever, produz traços visíveis sobre o papel, mas, além disso, e fundamentalmente, põe em jogo suas hipóteses acerca do próprio significado da representação gráfica.

3) *Não identificar progressos na conceitualização com avanços no decifrado ou na exatidão da cópia.* Este terceiro princípio é consequência do primeiro e do segundo. Se entendemos a aquisição da escrita como produto de uma construção ativa, ela supõe etapas de estruturação do conhecimento. Nosso objetivo é estudar os processos de construção, independentemente dos progressos escolares (se entende que os progressos na conceitualização podem coincidir ou não com os avanços escolares).

A novidade do nosso enfoque requeria, então, uma *situação experimental* estruturada, porém, flexível, que nos permitisse ir descobrindo as hipóteses que a criança põe em jogo na raiz de cada uma das tarefas propostas. Seguindo os delineamentos da psicologia genética, todas as tarefas supunham uma interação entre o sujeito e o objeto de conhecimento (neste caso, a escrita) sob a forma de uma situação a ser resolvida. Na raiz dele, desenvolvia-se um diálogo entre o sujeito e o entrevistador, diálogo que tentava evidenciar os mecanismos de pensamento infantil. O delineamento experimental compreendia tanto situações de interpretação do código alfabético, tal como aparece no mundo cotidiano, como situações de produção gráfica. Em todas as tarefas propostas, foram introduzidos elementos conflitivos (ou, ao menos, potencialmente conflitivos), cuja solução requeria, por parte da criança, um raciocínio real. Os detalhes das tarefas serão apresentados nos Capítulos correspondentes.

Durante o *interrogatório*, que era individual, foram registrados manualmente e gravadas as respostas das crianças. Cada sujeito era testado em toda série de tarefas, em alguma sala da escola ou jardim de infância que frequentava. O protocolo final é o resultado de unir ambos os registros.

O método de indagação, inspirado no "método clínico" (ou "método de exploração crítica"), amplamente desenvolvido pela escola de Genebra, tinha como objetivo explorar os conhecimentos da criança no que se referia às atividades de leitura e de escrita. Foram justamente a modalidade do interrogatório e a flexibilidade da situação experimental que nos permitiram encontrar respostas realmente originais – no sentido de inesperadas para um adulto – ao mesmo tempo que nos permitiram elaborar hipóteses adequadas para compreender seu significado.

A análise dos resultados que apresentaremos em cada Capítulo será fundamentalmente de caráter qualitativo, destinada a descobrir e a interpretar cada categoria de respostas, assim como a encontrar, nas situações que se apresentam, os níveis sucessivos do desenvolvimento que nos ocupa. Estes níveis são relativos a cada uma das tarefas propostas e não supõem semelhança entre os níveis para tarefas diferentes (por exemplo, o nível 1 de uma tarefa não é necessariamente contemporâneo com o nível 1 de outra tarefa). As referências quantitativas, quando existem, são mais para dar uma ideia sobre a frequência de um determinado tipo de respostas do que para fazer uma valoração estatística. Obviamente, fica excluída toda avaliação em termos de respostas corretas ou erradas, visto que nosso fim é dar uma explicação dos processos de conceitualização da escrita e, por conseguinte, entender a razão dos chamados "erros" da criança . Apresentaremos, como exemplo, resumos de protocolos ilustrativos dos diferentes tipos de respostas. A transcrição do protocolo respeita a linguagem usada pela criança durante o diálogo. Recordemos que na Argentina, mais especificamente na região rio-platense, emprega-se um tipo particular de pronomes e de desinências verbais. A forma dialetal do *tuteo**[*]* substitui o pronome "tu" por "vos" e sua terminação verbal correspondente para o tempo presente (em lugar de "tu eres" usa-se "vos sos", etc.).

Começamos nosso estudo por um *seguimento semilongitudinal* de um ano de duração. Escolhemos aleatoriamente um grupo de 30 crianças provenientes de um meio social de classe baixa, as quais, pela primeira vez, cursavam a primeira série do ensino primário. Elas foram entrevistadas periodicamente no início, no meio e ao final do ano escolar. Terminamos a experiência com 28 das 30 crianças entrevistadas inicialmente. Estas crianças frequentavam duas turmas da primeira série na mesma escola. As respectivas professoras seguiam o mesmo método de ensino e utilizavam o mesmo texto de iniciação; porém, a distinta experiência anterior de cada uma determinava diferença nos procedimentos concretos. Uma

---

[*]N. de T. *Tutear*: tratar por *tu*.

delas havia sempre trabalhado no nível primário e havia, no ano anterior, ensinado na primeira série. A outra, no entanto, enfrentava, pela primeira vez, o ensino inicial, tendo trabalhado antes como professora jardineira. O *método de ensino da leitura e da escrita* utilizado na escola era o chamado "método misto" ou de "palavras-tipo", analítico-sintético (o mais difundido na Argentina e em muitos outros países da América Latina). O ensino começa com palavras consideradas fáceis, tais como "mamá", "papá", "coso", "ala" (mamãe, papai, urso, asa), etc., em geral, com casos de duplicação de sílabas ou com repetição da mesma vogal em diferentes sílabas. Estas palavras se decompõem em constituintes menores, recombinando-se posteriormente. (Da decomposição resultam sílabas representadas por consoante e vogal, ou vogal exclusivamente. As consoantes se combinam com todas as vogais para formar novas sílabas.) Em poder de um grupo de palavras aprendidas (ou, melhor dito, "ensinadas"), o professor apresenta orações simples nas quais estão inseridas as ditas palavras. O método respeita os princípios descritos nesta introdução de apresentar uma palavra de cada vez, sem passar a outra nova antes que a mesma seja aprendida. Insiste-se no decifrado do escrito, seguindo os passos clássicos de leitura mecânica, compreensiva e expressiva. As crianças vão acompanhando um "livro de leitura" (isto é, um texto de iniciação) e um caderno de exercícios. Na Argentina, não existe uma regulamentação uniforme sobre o livro, admitindo-se várias versões, cuja escolha é responsabilidade do docente. O tipo de letra com que se começa o ensino é a cursiva minúscula; as maiúsculas são introduzidas na metade do curso e a de imprensa se reserva aos livros de texto.

A população escolhida para este estudo originava-se, como já dissemos, da classe baixa. Existiram razões para tal seleção: uma delas foi o fato, antes assinalado, da acumulação de fracassos escolares na crítica etapa inicial em crianças com baixos níveis socioeconômicos. Tratava-se então de descobrir como uma criança chega a ser um "repetente" antes que o seja, a ter um "transtorno de aprendizagem" antes que se produza. Além disso, porém, e essa é a segunda das razões, pensamos que as crianças de classe baixa são aquelas que iniciam a aprendizagem escolar ao começar a escolaridade primária, enquanto que as de classe média não fazem mais do que continuar uma aprendizagem iniciada anteriormente. Isto, entre outros motivos, deve-se , na Argentina, ao número insuficiente de jardins de infância, e muitas crianças de classe baixa não têm oportunidade de assistência pré-escolar. A escola frequentada pelas crianças estava localizada num bairro do cinturão industrial de Buenos Aires. Esta recebia crianças de um subúrbio operário de "villas miserie"* dos arredores (isto é, bairros de emergência, construções precárias). Os pais eram, na sua maioria, operários não qualificados ou trabalhadores temporários. Das 30 crianças da mostra, 15 tinham ido ao jardim de infância, 7 se encontravam pela primeira vez em "situação escolar" e as 6 restantes tinham frequentado, de forma muito irregular, o curso pré-escolar. Do

---

*N. de T. O mesmo que favelas.

total, 17 eram meninos e 13 meninas. Todas foram entrevistadas no começo, no meio e no final do curso. A primeira situação experimental foi realizada durante o primeiro mês de aula; nessa ocasião, a média de idade do grupo era de 5-11 anos. No meio do curso, ou seja, durante a segunda parte, a média de idade encontrava-se entre 6; 13 anos e no final do curso, na terceira parte, em 6; 7 anos. Além das situações experimentais específicas, aplicamos a todos os sujeitos, em cada entrevista, a prova de invariável numérica (cf. Piaget e Szerminska 1967; Inhelder, Sinclair e Bovet, 1975).

Os resultados dessa investigação nos proporcionaram dois indícios: por um lado, que o processo de aprendizagem da criança pode ir por vias insuspeitadas para o docente, e por outro, que inclusive essas crianças de classe baixa não começam do "zero" na primeira série. Aos 6 anos, a criança já possui toda uma série de concepções sobre a escrita, cuja gênese é preciso procurar em idades mais precoces. Com efeito, o problema suscitado foi: Em que momento a escrita se constitui em objeto do conhecimento? As nossas sondagens nos indicaram que até por volta dos 4 anos as crianças espontaneamente fazem perguntas do tipo "como se escreve?", ou "o que diz?", ao mesmo tempo em que solicitam do adulto a leitura de histórias ou de revistas. Não queremos afirmar que o interesse pela escrita comece em uma idade cronológica determinada, pois é possível que seja uma preocupação anterior (em função dos sujeitos e das condições ambientais), somente que devíamos, por razões práticas, possuir um ponto de partida.

Para averiguá-lo, fizemos um *estudo de tipo transversal* com crianças de idades compreendidas entre os 4 e 6 anos. Com a finalidade de analisar a influência da variável diferença social, escolhemos uma população de classe média e classe baixa, em igualdade de situação escolar: todos frequentavam a escola.

A amostragem da classe média foi selecionada, expressamente, entre aqueles sujeitos cujos pais eram profissionais liberais (engenheiros, médicos, psicólogos, etc.) como forma de assegurarmo-nos da presença de livros, leitores à disposição, etc., dentro do âmbito familiar. No outro extremo social, as crianças de classe baixa vinham de um bairro do cinturão industrial de Buenos Aires. Se bem que nessa zona não se registre porcentagem de analfabetismo adulto muito alto, as ocasiões de assistir a atos de leitura, ou de dispor de material escrito para as crianças, diminuem. Essas diferenças sociais nos meios familiares deveriam – ao menos teoricamente – influir sobre o valor que se adjudicava à escrita, um objeto cultural por excelência. Tratava-se, pois, de conhecer a ação do meio em relação às hipóteses e aos conhecimentos infantis sobre o escrito. No entanto, a influência da diferente valoração social é impossível de avaliar através de pesquisas, pretensamente objetivas, para averiguar as atividades de leitura dos pais. Na realidade, nenhuma pesquisa pode substituir as observação antropológicas; mas, além disso, a influência pode também ser avaliada em função daquilo que a criança pôde assimilar do seu meio. De um ponto de vista interacionista, como o da conceitualização piagetiana adotada por nós, o conhecimento se constrói a partir do sujeito cognoscente e do objeto a conhecer, no qual o objeto serve de ocasião para que o conhecimento se desenvolva. Um estudo comparativo nos permitiria

Psicogênese da Língua Escrita **41**

esclarecer a ação do meio através das formas de assimilação dos sujeitos provenientes de diferentes classes sociais. Porém, a frequência às escolas representava o denominador comum a todos os grupos. As crianças de 4 e 5 anos cursavam o jardim de infância e as de 6 anos, a primeira série. Na Argentina, o jardim de infância começa aos 4 anos. Este era, pois, o limite inferior de idade a considerar. O ensino da lectoescrita inicia-se na primeira série da escolaridade primária. Quando realizamos essa investigação, durante os anos de 1975 e 1976, por disposição do Ministério de Educação, o primeiro mês de aula era dedicado a "exercícios preparatórios" para a aprendizagem (em geral, faziam-se exercícios de práticas, coordenação viso-motora, orientação espacial, etc.). Aproveitamos tal possibilidade para interrogar as crianças de 6 anos antes de receber o ensino sistemático, que começava pela metade do segundo mês de aula.

A população de estudo transversal estava formada, como já dissemos, por grupos de crianças de 4, 5 e 6 anos, provenientes da classe média e da classe baixa. A amostragem de 4 e 5 anos de classe média frequentava jardim de infância particular e os de classe baixa jardins pertencentes a uma escola pública. A classe média profissional da Capital Federal costuma dar muita importância à educação pré-escolar e envia seus filhos, de preferência, a jardins de infância particulares. De 4 anos, de classe baixa, foram entrevistados 10 sujeitos – 6 meninos e 4 meninas – de uma média de 4; 8 anos de idade. De 5 anos, classe baixa, foram testados 11 sujeitos 6 meninos e 5 meninas – de 5; 6 anos como média de idade e de 5 anos classe média, 16 sujeitos – 7 meninos e 9 meninas – com uma média de 5;7 anos de idade. Com respeito aos 6 anos, de classe baixa, a amostragem não foi completa. Começamos com um grupo de 11 sujeitos provenientes de um grupo social muito marginalizado (todos habitantes de favelas); porém, por razões alheias à nossa vontade, tivemos de abandonar essa mostragem. Os dados desse grupo são, portanto, parciais, fato que complica a análise comparativa. Afortunadamente, os dados obtidos no estudo longitudinal, com uma população similar, permitem-nos completar esta carência. A média de idade desse grupo era de 6;4 anos. A amostragem de 6 anos, classe média, está formada por 20 sujeitos – 14 meninos e 6 meninas – com uma média de idade de 5; 11 anos.[2] Os sujeitos de 6 anos de ambas as classes sociais frequentavam escolas oficiais localizadas em bairros diferentes: cinturão industrial, as crianças de classe baixa; zona residencial, as crianças de classe média.

No total, as escolas envolvidas foram 6. O interrogatório se realizava em alguma sala da escola e tinha uma duração de entre 20 e 30 minutos. O tipo de interrogatório e a situação experimental foram idênticos para todos os sujeitos do estudo transversal. O estudo completo apresentado neste livro é o resultado da análise sobre dados de 108 sujeitos no total. A ordem de apresentação dos dados, que em seguida veremos, é o inverso com respeito à ordem de obtenção. O objetivo dessa ordem de apresentação é o poder seguir melhor a linha evolutiva que queremos apresentar. A análise estará centrada na idade pré-escolar, com dados de complementação do estudo longitudinal realizado com o grupo de 6 anos que recebe ajuda escolar.

No que se segue, abreviaremos classe média como CM e classe baixa como CB.

NOTAS

1. Para o esclarecimento teórico desses problemas remetemos o leitor a Piaget (l975). Exemplos particularmente claros de conflito cognitivo encontram-se em B. lnhelder, H. Sinclair e M. Bovet (l975).
2. Na Argentina, a escolaridade primária pode Iniciar aos -5 anos se de completarem os 6 durante o curso escolar. Em geral na classe média se encontram médias de idades menores que na classe baixa.

Os Aspectos Formais do Grafismo e sua Interpretação: Letras, Números e Sinais de Pontuação

CAPÍTULO 2

1 – AS CARACTERÍSTICAS FORMAIS QUE DEVE POSSUIR UM TEXTO PARA PERMITIR UM ATO DE LEITURA

Que uma criança não saiba ainda ler, não é obstáculo para que tenha ideias bem precisas sobre as características que deve possuir um texto escrito para que permita um ato de leitura. Quando apresentamos às crianças diferentes textos escritos em cartões e lhes pedimos que nos dissessem se todos esses cartões "servem para ler" ou se existem alguns que "não servem", observamos dois critérios primordiais utilizados: *que exista uma quantidade suficiente de letras, e que haja variedade de caracteres*. Em outras palavras, a presença das letras por si só não é condição suficiente para que algo possa ser lido; se há muito poucas letras, ou se há um número suficiente; porém, da mesma letra repetida, tampouco se pode ler. E isso ocorre antes que a criança seja capaz de ler adequadamente os textos apresentados. Vejamos separadamente como se utilizam ambos os critérios.

A – Quantidade suficiente de caracteres

A tarefa que nos permitiu evidenciar a aplicação desse critério é a seguinte: apresentamos às crianças cartões com uma letra, com duas letras (formando sílabas ou palavras corretas), com três letras (idem), etc. A palavra mais longa constava de nove letras. Os cartões estavam escritos tanto em imprensa maiúscula como em cursiva. Além disso, havia três cartões que continham um número escrito em cada uma. Sílabas e palavras correspondiam, em alguns casos, às tradicionais combinações próprias do começo da aprendizagem da lectoescrita (por exemplo, OSO,* *PAPA, PE, pi*) e, em outras, a textos que dificilmente alguma das crianças interrogadas teria condições de reconhecer (por exemplo, *PERÍMETRO, vaciones, tra*).

As crianças trabalharam com um mínimo de 15 e um máximo de 20 cartões para classificar de acordo com o critério dado por nós, mas que a criança deveria definir segundo suas próprias ideias: "olhe bem nesses cartões e diga-me se te parece que todos servem para ler, ou se há alguns que servem para ler e outros que não servem para ler". No total, 63 crianças foram interrogados com essa técnica.

Os resultados permitem distinguir, por um lado, os sujeitos que não utilizam nenhum critério de classificação definido dos que utilizam algum critério. Os primeiros se situam no que poderíamos chamar "nível zero" com relação a essa tarefa. Eles atuam da seguinte maneira: ou todos os cartões são igualmente bons para ler, ou um serve para ler e o seguinte não serve, independentemente de suas características objetivas (isto é, o sujeito decide aleatoriamente que um cartão serve para ler e, a partir daí, alterna suas respostas, de tal maneira que um cartão servirá para ler se estiver no mesmo monte dos que servem para ler. Bastará, porém, trocá-lo de monte para que deixe de servir para ler). Resulta claro que essas crianças ainda não são capazes de efetuar discriminações num universo gráfico constituído unicamente por letras e números. O interessante é descobrir que as crianças que assim agem são muito poucas, surpreendentemente poucas: somente 9 no total, limitadas em idades inferiores (2 crianças de 4 anos de CM, 4 da mesma idade de CB e 3 de 5 anos de CB). Todas as outras crianças (isto é, a maioria das de 4 anos, quase todas de 5 anos, e todas as de 6 anos, de ambos os grupos sociais) são capazes de proceder a um ordenamento desse universo gráfico de uma maneira coerente.

O critério mais fácil de utilizar para um adulto seria, certamente, distinguir de um lado os números e de outro os cartões com as letras para, em seguida, proceder, eventualmente, a uma diferenciação dentro dessas últimas, entre caracteres de imprensa ou cursivos, ou entre letras, sílabas e palavras. Porém, isto não é o que fazem as crianças.

A solução mais frequentemente adotada consiste em formar um grupo com os cartões que apresentam poucos caracteres (independentemente, em muitos casos, de que sejam letras ou números) porque, segundo a opinião dessas crianças, com *poucas letras não se pode ler.* Dizemos "letras", porém, por certo, a denominação varia de uma criança a outra como em seguida veremos. O mais interessan-

---

*N. de T. No original espanhol *oso,* quer dizer *urso.*

Psicogênese da Língua Escrita **45**

te é constatar que o número-chave, em volta do qual gira a decisão, é *o três:* para a maioria dessas crianças, um exemplo de escrita com três caracteres identificáveis já pode ser lido; no entanto, com menos, torna-se "ilegível" (nos termos da ordem dada de "não serve para ler"). Para outros, são necessários 4 caracteres, e alguns se contentam com dois. Porém, o fato de que a maioria das opções giram em torno de três caracteres é extremamente importante, já que, como veremos no Capítulo 4, isto determina que a categoria gramatical dos artigos (que em sua representação escrita tem duas letras para os determinantes singulares *el* e *la*[*] e para o indefinido *un*) não sejam "legíveis".

Em muitos casos, a justificativa do critério de quantidade mínima de caracteres é explícita:

> Gustavo (6a CM) exige pelo menos três caracteres e justifica dizendo que o grupo das que não servem para ler é porque "têm uma palavra ou duas", enquanto que as outras "têm muitas, como quatro". (Ele usa "palavra" no lugar de "letra" ou "caracteres gráficos".)
>
> Juan Pablo (6a CM) também exige três, mas justifica simplesmente dizendo que as que não servem para ler "são muito certinhas", enquanto que as outras "são mais compridas", ainda sendo capaz de indicar que dentro do grupo das que não servem para ler "alguns são números e algumas letras".
>
> Jorge (6a CM) exige quatro caracteres como mínimo. Para que um cartão sirva para ler, tem de ter "muitas coisas, um montão"; ele, por exemplo, exclui um manuscrito "porque só tem três".

Para se poder decidir qual é o critério de quantidade utilizado pela criança, não basta observar quais cartões inclui em cada grupo: é preciso saber também como conta esses caracteres. Em geral, não há ambiguidades com as maiúsculas de imprensa; entretanto com os caracteres cursivos, a distinção entre a terminação de uma letra e o começo da seguinte é problemática. O exemplo *pi* de cursiva foi algumas vezes considerado como possuindo três letras, às vezes quatro e, raras vezes, duas. Da mesma forma, o *m* cursivo, no caso de Alejandro, tem três caracteres, assim como o *p* cursivo é contado, às vezes, como se fosse formado por dois ou três caracteres diferentes.

Vejamos como se expressam crianças menores:

> Lorena (5a CM) exige pelo menos três caracteres e assinala que o grupo das que não servem para ler são "só para armar uma palavra", enquanto que no outro grupo "já estão feitas" as palavras. Em outras palavras, para que uma representação gráfica seja uma palavra, deve ter pelo menos três letras. (Chamamos a atenção para o fato de que Lorena não é capaz, todavia, de ler uma palavra como *mamá*).
>
> Gustavo (5a CM) indica claramente que "onde há umas pouquinhas não é para ler; aqui tem mais pouquinhas letras, tem duas (cartões AS *e SO*)."

---

[*]N. de T. Em português: *o, a* e *um.*

> Erik (5a CB) separa os cartões com *f* e *i* em cursiva, dizendo que não servem para ler "porque têm um só número". Logo, hesita com as que têm duas e passa a exigir pelo menos quatro, para, a seguir, finalmente, exigir pelo menos três.
>
> Maria Paula (4a CM) rejeita os cartões com uma só letra, dizendo "não é para ler; nada"; hesita com as que têm três porque são "um pouquinho para ler", e está segura com as que têm quatro: *PELO*, por exemplo, serve para ler "porque tem uns quatro números".
>
> José Luis (4a CM) exige três como mínimo, indicando que o grupo das que servem para ler são boas cartas "porque estão as letras; se tinha duas letras não podia ler".
>
> Mariana (4a CM) também exige três e justifica as que não servem para ler "porque são uma só letra, enquanto que as outras são muitas". Assim, por exemplo, excluirá OS "porque são duas", mas incluirá *pi* em cursiva, "porque são muitas".

Torna-se claro, através dos exemplos apresentados, que a exigência de uma quantidade mínima de caracteres é totalmente independente das denominações que a criança seja capaz de empregar que chamem a esses caracteres "letras", "números", "palavras" ou "coisas", não tem importância. O que importa é que a legibilidade de um texto aparece associada à quantidade.

Entretanto, um fato notável aparece em alguns casos: uma mesma letra recebe diferentes denominações, conforme ela se encontre num contexto de outras letras (neste caso, converte-se em algo que se pode ler) ou se encontre isolada (em cujo caso se faz "ilegível").

> Por exemplo, Romina (4a CM) exige pelo menos dois caracteres para que um cartão sirva para ler e explica que todos os cartões desse grupo "são letras", enquanto que os outros (os que têm somente um caráter) não servem porque "são números", Acontece, porém, que neste segundo grupo há tanto cartões com um número escrito como cartões com somente uma letra escrita. Mais ainda, neste grupo há um cartão com a letra *A* que Romina reconhece como tal em outros contextos (dentro das que servem para ler incluiui cartões com escritos, tais como *LA ou FRUTA*).

Essa conduta não deve ser confundida com outra que consiste em dar nomes de números às letras que têm uma grafia parecida com os primeiros. Nesse caso, um *L*, por exemplo, ficará no grupo das que não servem para ler, porque está identificado com 7 e, portanto, reconhecido como número. O mesmo pode acontecer devido às semelhanças do S com o 2 ou com o 5, do O com o zero, do E com o 3, etc.

No caso de Romina, trata-se de um problema conceitual e não de uma confusão gráfica.

> Carolina (5a CM) agrupa *UNO, DOS, do, mamá*, no grupo das que servem para ler porque "são letras" e, em seguida, separa *e* (cursiva), *i* (cursiva), *7, SO, P* e

TRA porque "são números". Depois hesita e tira *TRA* desse grupo porque "não é nem número nem letra". De fato, o que acontece é que começa a duvidar se três caracteres são suficientes para que sirva para ler, ou é necessário um número maior de caracteres (*do*, em cursiva, para ela tem três caracteres).

Gladys (6a CB) chama de "letras" as que aparecem num livro, mas essas mesmas letras apresentadas separadamente tornam-se "números". Na sua tarefa de classificação, ela utiliza o critério de quantidade (pelo menos três) e agrupa os cartões com três ou mais caracteres, dizendo que servem porque "são letras", enquanto que os cartões com um ou dois caracteres não servem "porque são números".

O dado mais claro a respeito foi o obtido com uma menina de 5 anos, interrogada em Genebra: Sandra aceita como *bonne pour lire* (isto é, adequado para ler) um cartão em que está marcado EA e nos diz que serve porque *c'est un a avec un e* ("é um *a* com um *e*"), mas repudia um cartão com E porque *c'est un chiffre* ("é um número").

Isso nos indica que, inclusive quando uma letra é reconhecida como tal e mais ainda, nomeada adequadamente, não serve de garantia que seja sempre uma letra; depende do contexto em que se encontra. Para um adulto é óbvio que uma letra é sempre uma letra em qualquer contexto em que se apresente. Para as crianças, o problema surge de outra maneira: *a mesma forma gráfica pode ser uma coisa ou outra em função do contexto*. Para que algo seja uma letra, é preciso que esteja com outras letras. Seria inútil supor que Sandra tenha um problema perceptivo. O que tem é um problema conceitual, um *bom* problema conceitual, no sentido de que corresponde a uma boa pergunta, a um bom questionamento conceitual. Certamente, Sandra tem razão: uma letra sozinha não é, todavia um escrito; enquanto que um número sozinho já é a expressão de uma quantidade.

Certamente que se pode recorrer à fácil solução de se dizer que a criança faz confusão entre números e letras. Demasiado fácil, para dar conta de casos como esses, nas quais a confusão não é senão aparente, já que algo será chamado sistematicamente de "letra" se estiver acompanhado de outras, e "número" se estiver isolado. Então, *não há confusão, mas sim uma sistematização diferente da do adulto*. Um pouco adiante, neste mesmo Capítulo, retomaremos ao problema da distinção entre números e letras, que é, certamente, uma distinção fundamental (cf. Parte 2.2).

B – Variedade de caracteres

Acabamos de ver que, para que um escrito "sirva para ler", não basta que possua caracteres identificados como letras. É preciso uma certa quantidade de caracteres, variável entre dois e quatro, que, na maioria dos casos, situa-se em três. Além desse critério, encontramos outro que tem grande importância: *se todos os caracteres são iguais, ainda que haja um número suficiente, tampouco esse cartão pode oportunizar um ato de leitura.*

48 Ferreiro & Teberosky

Isso se evidenciou quando se fez as crianças compararem os seguintes exemplos de escrita: MMMMMM, AAAAAA, MANTECA (manteiga) e a mesma série em cursivas. O número de letras (superior a três) garante que os cartões não serão rejeitados por quantidade insuficiente de caracteres; escolhemos as letras M e A por serem as primeiras claramente identificados pelas crianças. A pergunta exposta é a mesma que no caso anterior (decidir se "serve para ler" ou não).

Somente a metade das crianças de 4 e 5 anos foram interrogados com essa técnica:[*] um pouco mais da metade das crianças de 4 anos, e dois terços das de 5 anos (de ambos os grupos sociais) afirmam explicitamente que, se todas as letras são iguais, não se pode proceder a um ato de leitura. Expressam-se assim:

> Javier (4a CB) aceita, inicialmente, os cartões com letras repetidas, precisamente porque são "letras", mas logo as rejeita" porque são letras iguais; não se pode ler, digo-lhe que são as mesmas; essas são para ler, com as outras letras" Javier consegue, assim, expressar o seguinte pensamento complexo: visto que são letras, a "matéria-prima" de uma possibilidade de leitura ali se encontra, sob condição de que outras letras diferentes apareçam.
>
> Gustavo (4a CB) rejeita os cartões com letras repetidas "porque têm tudo a mesma coisa".
>
> Mariana (4a CM) rejeita a série de *emes* em cursiva "porque estão todas assim", e a série de *a* em cursiva "porque são também todas". A ambiguidade de tais justificativas se esclarece quando, diante do cartão que tem *manteca*, diz que sim, que se pode ler porque não são todas iguais como esta e esta" (as anteriores).
>
> José Luis (4a CM) rejeita a série de *emes* em cursiva porque "é um mamarracho;[*] tem montanhazinhas e assim não fazem as letras". Rejeita, igualmente, a série de *a* cursiva porque "parece um laguinho" e a série de A em imprensa, "porque tem muitos *a* e poucas letras" (sic!).
>
> Romina (4a CM) rejeita igualmente os cartões com *a e m* em cursiva, porque "é tudo igualzinho", e aceita *manteca* "porque não é tudo juntinho, também têm outras letras".
>
> Rosario (5a CB) rejeita sem justificar os cartões com letras repetidas e aceita *manteca* "porque não tem tantas letras iguais", tanto como MANTECA "porque não tem letras iguais, todas as letras iguais".
>
> Laura (Sa CM) rejeita a série A "porque diz todo o tempo *a*", e a série M porque "diz eme, eme, eme, eme...", enquanto que aceita MANTECA: "Não sei o que diz, mas é de ler".

Temos citado muitos exemplos para se ver que as justificativas são sempre do mesmo tipo. O repúdio aos cartões com letras repetidas não depende do reconhecimento das letras em questão, tanto como a aceitação do cartão com letras

---

[*]N. de T. Segundo Aurélio Buarque de Hollanda, "mamarracho" significa "mau pintor; pinta-monos". Na língua espanhola, no entanto, adquire um sentido popular de feio, desgracioso, mal-feito.

diferentes tampouco depende de que possa ser lido. Como diz claramente Laura: "Não sei o que diz, mas é de ler".

Em outras palavras, estamos diante de um caso típico de *exigência formal, prévia à abordagem da escrita, que passa pelo decifrado sonoro de cada um dos caracteres gráficos.*

Uma particularidade que devemos mencionar é que frequentemente as séries *m e a* em cursiva têm sido interpretadas como mais próximas a um desenho representativo do que a um escrito: "são montanhazinhas", "é como o mar", "é um laguinho", "são desenhos", etc. Estas são justificativas posteriores a um repúdio dos cartões em questão. Em *nenhum* caso, as crianças justificaram que um cartão serve para ler" porque se assemelha a um desenho. *Todas* as referências a um desenho figurativo estão reservadas às exclusões. O que nos permite supor que, já desde os 4 anos e apesar das marcadas diferenças quanto à origem social das crianças, começa a se estabelecer uma distinção muito importante entre o universo gráfico próprio do desenho representativo e o universo gráfico próprio da escrita.

C – Outros critérios de classificação utilizados

Até aqui, temos feito referência aos dois critérios principais de classificação utilizados pelas crianças interrogadas. São os mais importantes pelas consequências que terão sobre a evolução posterior – como veremos em seguida – e também em termos quantitativos.

A título indicativo, consideremos que o critério de quantidade mínima de caracteres foi utilizado por 57,41% da totalidade da amostragem; porém, mais frequentemente em CM (na qual se mantém próximo aos 70% em todas as idades) que em CB (na qual aumenta progressivamente de 4 a 6 anos para situar-se ali em torno dos 60%). O critério de variedade de caracteres foi utilizado por 68% da totalidade da amostragem (mas recordemos que somente a metade dos sujeitos de 4 e 5 anos foram interrogados a respeito). As crianças de CM o utilizam um pouco mais frequentemente que os de CB (72,72% e 64,28%, respectivamente), e, em ambos os grupos, aparece uma progressão na frequência de utilização desse critério de 4 a 5 anos.

Porém, obviamente, outras possibilidades de classificar os cartões apresentados também aparecem. Uma conduta que constitui, no nosso parecer, um intermediário entre o nível zero de classificação e a utilização de algum critério sistemático é *a utilização de índices* para decidir se um cartão serve ou não para ler. Somente três crianças de CB assim procedem: se encontram no cartão um índice que lhe permita interpretá-lo, o cartão serve para ler, e não serve no caso contrário.

> Débora (4a CB) julga bom para ler PAPÁ porque é "de papai", *MAMÁ* porque "esta é de mamãe", O porque "esta é de Cristian", 7 porque "esta é de meu irmão que arrancou o dente", etc.
>
> Atilo (5a CB) baseia-se continuamente no reconhecimento de uma letra--índice e sustenta que *fabuloso, dos, palo e do* em cursiva servem para ler porque em todas *"oso,* diz, porque está esta" (o *o final). PELO* serve para ler porque "é de papai" (o *P* inicial), e *MARAVILLA* também serve porque é "mamãe e Atilio" (mamãe, pelo *M* inicial e Atilio pelo *A* final).

Ainda que essa conduta de utilização de índices seja muito pouco frequente na tarefa de classificação que estamos analisando, veremos logo que aparece amiúde em outras situações.

Outra possibilidade de classificar o material apresentado consiste em trabalhar sobre a distinção entre *caracteres cursivos e de imprensa. O* importante é ver como se conceitualiza essa diferença:

> Anabela (5a CB) agrupa os cartões que têm escritos em letra cursiva, dizendo que "não são para ler; estas são *para escrever".* Em separado, agrupa os cartões com caracteres de imprensa e os números, dizendo que são "para nomes e também para ler". Para complicar ainda mais a situação, logo retira os cartões com números, dizendo que não são para ler "porque são letras". A lógica de seu raciocínio é que a denominação que ela utiliza para designar os caracteres de um texto impresso é "números". Portanto, nos cartões que servem para ler, existem "números" (isto é, letras de imprensa).
>
> Silvia (6a CB) agrupa os cartões em cursiva e diz que servem para ler porque "têm letras"; no outro grupo ficam os cartões escritos em imprensa, conjuntamente com os números e algumas letras soltas que não servem para ler "porque não têm isto" (isto é, o que as outras têm e que ela identifica como sendo "letras"; observemos que aqui o critério do tipo de caracteres se mistura com o de quantidade mínima).
>
> Marisela (4a CM) confirma que a escrita cursiva serve para ler "porque são letras: aeiou", enquanto que os cartões em imprensa não são para ler, mas sim "para falar de letras, para contar". Procurando nos explicar melhor o seu pensamento, Marisela agrupa os cartões *MAMÁ/PERÍMETRO/LA,* alinha-os e diz "quinze" e faz o mesmo com os cartões em cursiva *o/sete/quilo/pi* e diz "aeiou". (Torna-se claro que no primeiro caso contou – corretamente – a quantidade de letras, enquanto que no segundo emitiu uma série de vogais que constituem, provavelmente, a própria definição do que é ler para ela).

Desses exemplos resulta claro que o critério do tipo de caracteres, quando é utilizado, encobre muitos outros problemas. Por um lado, é uma indicação de que a criança é sensível ao fato de que existe mais de um tipo de escrita. Porém, por outro lado, a maneira de conceitualizar este fato pode ser muito variada. Pelo menos em dois dos exemplos apresentados (Anabela e Marisela) a distinção cursiva/imprensa aparece misturada com a maneira de *distinguir* números de letras. Quando abordarmos esse problema, veremos mais claras as razões dessas confusões conceituais.

Finalmente, um critério aparentemente simples, mas que poucas vezes aparece como um critério único, é o de proceder à distinção entre cartões com *letras*, por um lado, e cartões com *números*, por outro. A utilização desse critério exige, por um lado, uma clara distinção entre os grafismos próprios às letras e os grafismos próprios aos números. Porém, por outro lado, exige renunciar ao critério de quantidade mínima de caracteres, que tão pertinazmente se impõe à maioria das crianças interrogadas.

> Mariano (6a CM) consegue uma conciliação, fazendo três grupos: o das letras sozinhas, que não servem para ler; o dos cartões que têm, pelo menos, duas letras e que servem para ler, e o dos números que, segundo Mariano, "não vão a nenhum lado". Isto é: os números se diferenciaram tão marcadamente das letras que não se pode aplicar-lhes a dicotomia "serve/não serve para ler"; é outra coisa, que não se define pelo parâmetro dicotômico.

2 – A RELAÇÃO ENTRE NÚMEROS E LETRAS E O RECONHECIMENTO DE LETRAS INDIVIDUAIS

Ao nosso ver, a evolução do problema das relações entre letras e números tem três momentos importantes: no começo, letras e números se confundem não somente porque têm marcadas semelhanças gráficas, mas sim porque a linha divisória fundamental que a criança procura estabelecer é a que separa o desenho representativo da escrita (e os números se escrevem tanto como as letras e, além disso, aparecem impressos em contextos similares). O seguinte momento importante é quando se faz a distinção entre as letras que servem para ler, e os números que servem para contar. Números e letras já não podem misturar-se, porque servem a funções distintas. Mas o terceiro momento reintroduzirá o conflito: precisamente com a iniciação da escolaridade primária (se não antes), a criança descobrirá que o docente diz, tanto "quem pode ler esta palavra?" como "quem pode ler este número?". Que um número possa ser lido, apesar de que não tenha letras, constitui um problema real. Um problema que somente se resolve quando tomamos consciência de que os números estão escritos num sistema de escrita diferente do sistema alfabético utilizado para escrever as palavras. Como afirma M. Cohen (1958), "em todas as línguas os números se leem ideograficamente". Para povos de línguas diferentes que usam os mesmos caracteres para representar os números, não há nenhuma necessidade de introduzir modificações na escrita para ajudar a ler os números: nada terá de ser mudado no número escrito 8 para que se leia "oito", *ocho*, *eight*, *huit*, etc. Entretanto, não se poderá passar com tanta facilidade de "pato" para *duck* ou *canard*. É possível que sejam poucos os docentes que têm claro, ao introduzir a criança na escrita, que a estão confrontando com dois sistemas de escrita totalmente diferentes quando passam da lição de matemática para a da lectoescrita.

Os dados sobre os quais nos baseamos para situar uma criança nos diferentes níveis que veremos na continuação são muito variados: levamos em conta seu comportamento diante de um texto impresso; diante de um conjunto de pequenos cartões, cada um dos quais com uma só letra (maiúscula de imprensa); a escrita do seu próprio nome (feita *com* lápis ou *por* composição de letras móveis), e o reconhecimento de seu próprio nome (quando a criança não é capaz de escrevê-lo por si só). Finalmente, utilizamos também os dados derivados da classificação de cartões que previamente analisamos.

Começamos habitualmente nossa entrevista com a criança propondo folhearmos juntos um livro de histórias infantis. Isto nos permitia contrapor uma descrição ou denominado para as imagens a uma descrição para os textos (simplesmente perguntando "o que é isso?", a respeito de uma imagem e, logo, a respeito de um texto). Detectávamos, assim, a primeira denominação que a criança era capaz de empregar frente a um texto impresso e, com ela, continuávamos o interrogatório: se a criança utilizava a denominação "letra", ou "número", não recebia aprovação nem correção. Nós tentávamos compreender os limites e as razões da utilização desse nome, mas não usávamos uma denominação alternativa até que a própria criança a produzisse.

A – Desenho e texto

A maioria das crianças faz uma distinção entre texto e desenho indicando que o desenho serve "para olhar" ou "para ver enquanto que o texto serve "para ler". Quando perguntamos por que se pode ler no texto, a maioria das crianças diz que é porque tem letras", mas uma quantidade importante – particularmente crianças da CB – diz que "é porque tem números".

Nenhuma criança indicou somente as imagens como sendo para ler; porém, várias indicaram ao mesmo tempo texto e imagem, como se ambos fossem complementares para proceder a um ato de leitura. Isto não implica necessariamente que texto e imagem se confundam:

> Ariel (5a CM) diz que, para ler, "leio as figuras: começo por aqui", e mostra a capa do livro. O que não o impede de explicitar que o desenho é "para olhar", e que no texto tem "letras".
>
> Jorge (4a CM) assinala texto e desenho como sendo para ler "porque são iguais; isto é para ler (texto) e isto também (desenho)", ainda que logo possa nos indicar que no texto estão "as letras", que servem "para ler", enquanto que o desenho é "para olhar".
>
> Fernando (4a CB) pensa que texto e desenho servem ambos para ler e explícita assim o problema "técnico" de como se lê: "Sabes que com os dois olhos para olhar aqui (texto), e esse aqui (desenho)". Fernando acompanha

Psicogênese da Língua Escrita **53**

> sua verbalização com gestos para nos mostrar que, visto que temos dois olhos, com um vamos olhando o texto e com o outro a imagem!
>
> Roxana (5a CB): perguntamo-lhe onde há algo para ler e ela diz "aqui texto) e aqui (desenho); isto é para ler (texto), e aí é onde vão os desenhos (imagem); aqui tem que ler, aqui onde vão as letras".
>
> Gustavo (4a CB), diante da pergunta de onde há algo para ler, assinala primeiro o texto, logo os caracteres grandes do título e finalmente a imagem, dizendo "e depois me lês o desenho". Então, perguntamo-lhe se o desenho pode ser lido, e Gustavo esclarece: "Se pode ver, não tem que ler. Estas são flores, mas não são letras, certo?"

Destes exemplos, resulta que a utilização do texto feita por essas crianças é muito particular: sabem bem que onde se pode ler é onde existem letras, mas a imagem também serve para ler como elemento de apoio que não é possível ser excluído.

(No Capítulo 3, onde analisaremos especificamente as relações entre imagem e texto, poderemos compreender em que sentido a imagem aparece invocada como parte do material de leitura.)

Esta apelação simultânea à imagem e ao texto para fundar um ato de leitura aparece com uma frequência muito maior em CB do que em CM: em torno de 25% das crianças de CB e apenas 7% dos de CM. A diferença mais marcante – e seguramente a que tem mais repercussão no destino escolar dessas crianças – situa-se aos 6 anos, idade em que já nenhuma criança de CM apela simultaneamente para o texto e para a imagem, enquanto que a quarta parte dos de CB o fazem.

Entretanto, por mais importante que seja tal fato, não deve nos fazer esquecer seu próprio reverso: em torno de 75% das crianças de CB e em torno de 90% das de CM já não têm mais dúvidas a esse respeito e indicam unicamente o texto como sendo para ler. Isto faz com que, para alguns, nossa pergunta sobre onde há algo para ler lhes resulte ridícula (demasiadamente óbvia). Como disse Romina (4a CM), para ler é preciso olhar o texto "porque, senão, onde vão estar as letras?!".

Quando a criança mostra exclusivamente o texto como sendo "para ler", isso não implica necessariamente que denomina "letras" aos grafemas do texto. À nossa pergunta de por que é possível ler ali, uma quantidade considerável de crianças responde que é possível ler porque ali tem "números".

> Erik (5a CB) diz: "tudo isso são os números para ler".
>
> Anabela (5a CB) caracteriza o texto dizendo que "é tudo escrito" e, quando lhe perguntamos o que tem aí, no texto, responde: "O que, o que, a história, o... o que diz (em) as coisas. São números".

A denominação "número" aplicada às letras do texto é extremamente frequente nas crianças de CB sem que se observem maiores mudanças através das idades (46% do total da amostragem de CB). Na amostragem de CM muito pou-

54 Ferreiro & Teberosky

cas crianças pensam que no texto há "números" (pouco mais de 10%, concentrados principalmente no grupo de 4 anos).

Para evitar confusões, é preciso esclarecer o seguinte: do que estamos falando agora é da denominação aplicada ao conteúdo de um texto impresso (um livro de histórias para crianças, na ocasião). Que uma criança diga que ali tem "letras" não implica que os mesmos caracteres, apresentados isoladamente, sigam sendo "letras" (como o veremos em seguida), nem que tampouco sigam sendo "letras" quando se apresentam em grupos de duas a duas (como vimos neste mesmo Capítulo).

Em resumo, se bem que as crianças de CB (globalmente consideradas) compartilhem com as de CM a possibilidade de distinguir dentro do universo gráfico as imagens, que servem "para olhar", do texto que serve "para ler, estão claramente em inferioridade de condições com respeito às distinções dentro do universo das grafias não representativas (letras e números). Se se trata de uma simples confusão verbal ou também de uma confusão conceitual é o que deveremos analisar em seguida.

Porém, antes de passar a isso, é preciso assinalar que algumas crianças de CB parecem ainda se situar abaixo do nível que caracterizamos como utilização simultânea de texto e desenho, ainda que com distinções entre ambos. Vejamos alguns exemplos, começando por um de 6 anos, nos quais as propriedades dos números (enquanto elementos gráficos) e das letras aparecem indiferenciadas:

> Silvia (6a CB): "pá lê(r) primeiro se começa a fazê(r) o(s) número(s). Tem que aprendê(r). Tem que fazê(r) o(s) número(s), depois a(s) letra(s)".
>
> Alejandro (4a CB). Quando lhe perguntamos onde há algo para ler, assinala muito vagamente na página. Mostramos-lhe o desenho e perguntamo-lhe se isso se lê. Ele responde que não, mas continua sem poder precisar onde há algo para ler. Perguntamos se para poder contar a história é preciso olhar os desenhos, ao que ele responde que sim. Indicando-lhe o texto perguntamos o que é: "para contar a(s) coisa(s); te dizem toda(s) a(s) coisa(s)". E quando lhe perguntamos como se faz para contar, ele conta as letras enquanto vai dizendo: "um, dois, oito, dez, nove, quatorze, dezessete, quinze, sete".[*]
>
> Silvana (4a CB) diz que para ler é preciso olhar o texto, no qual tem "número(s)"; porém, quando lhe perguntamos onde tem de começar a ler, responde: *"com a caneta"*. Pedimos que nos mostre, ao que responde: *"escrevo"*. Então, lhe perguntamos se para ler o que está escrito é preciso escrever, responde que sim.

Os três exemplos mencionados são diferentes entre si, e se os apresentamos juntos é para que se tenha uma certa impressão intuitiva das dificuldades que uma criança deve enfrentar., Está claro que para Silvia a dificuldade consiste em compreender a diferença de função entre duas atividades escolares (desenhar

---

[*]N. de R.T. Temos optado pela tradução, respeitando as equivalências em português, dos modos de fala utilizados em espanhol pelas crianças das experiências. Se tivéssemos mantido o espanhol, seria de difícil leitura para o português.

Psicogênese da Língua Escrita **55**

letras e desenhar números) que lhe parecem – e com razão – muito próximas entre si. No caso de Alejandro, colocam-se em evidência as dificuldades que resultam da ambiguidade do verbo "contar": conta-se uma história, e também se podem contar objetos ou grafemas. Ambas as ações são marcadamente diferentes, mas a denominação verbal é a mesma. Finalmente, para Silvana, o problema é ainda mais profundo: ler e escrever são duas ações ainda indiferenciadas.

E também ler e escutar um texto lido por outro resultam, às vezes, difíceis de serem diferenciados. É uma menina de CM, e de 6 anos, quem nos diz: à nossa pergunta "para ler o que tenho de fazer?", Marcela responde "tem que *escutar*".

B – Letras: reconhecê-las e saber nomeá-las

Passemos agora a caracterizar os níveis de *reconhecimento de letras individuais* e, particularmente, a utilização de denominações convencionais para nomeá-las.

1) O nível mais elementar está representado por aquelas crianças que no máximo reconhecem uma ou duas letras – em particular, a inicial do próprio nome, mas que não utilizam nenhum nome de letra. Dentro do mesmo grupo, localizamos os que utilizam nomes de números para as letras; porém, sem consistência e sem que exista semelhança gráfica entre o número e a letra (como seria o caso com os pares E/3, L/7, S/2, S/ 5, etc.). Um exemplo é suficiente:

Martín (4a CM) usa esporadicamente nomes de números para as letras: F é "o três", 3 é "o dois", X *é* "o seis", etc.

2) Muito próximas às crianças deste nível elementar estão aqueles que conhecem alguns nomes de letras, mas os aplicam sem consistência.

Débora (4a CB) conhece o nome das vogais, que usa para qualquer letra, de tal maneira que qualquer consoante leva o nome de alguma das vogais.

Marisela (4a CM) denomina assim: *M* é "i", *L* é "u", *C* é "o", *A* é "o quatro", *a* é "e", *e* é "seis", etc.

Muito frequentemente, nomes de vogais e nomes de números alternam:

María Natividad (6a CB) usa nomes de números e de vogais com correspondência gráfica para os nomes de números; no entanto, sem correspondência gráfica para as letras, de tal maneira que *l* é "*um um*" e *O* é "zero"; porém, *M* é "um e", *P* é "um u", *A* é "uma... um e", etc.

O reconhecimento das letras pode ser feito indicando quem é "o possuidor" dessa letra, isto é, de quem é a inicial:

Carolina (5a CM): *C é* "o ca de Carolina"; V *é* "a de Viviana"; F *"não sei de quem é"*.

Atilio (5a CB): *A é* "a de Atilio"; *T* também é "a de Atilio"; *C* é "a de casa"; *P* é "de papai" e *M é* "de mãe".

Curiosamente, dentro das consoantes, a mais frequentemente reconhecida é o Z como sendo "do Zorro", ou inclusive "o zê de Zorro"; e o N passou a ser, para vários, "o zê de lado", "o zê de Zorro, mas virado". (O Zorro é, na época em que realizamos esta investigação, um personagem de história em quadrinhos e de séries de televisão muito popular). Está claro que se trata de conhecimento extra-escolar e que fez passar aos primeiros lugares, na escala de reconhecimento correto, a última letra do alfabeto, uma das menos frequentes na escrita e uma das últimas no ensino escolar.

3) Num nível superior, localizamos as crianças que reconhecem e nomeiam de uma maneira estável as vogais (pelo menos três delas) e que identificam algumas consantes, não somente por pertencer a tal ou qual pessoa o nome, senão *dando-lhe um valor silábico em função do nome a que pertence.*

Emilio (4a CM): conhece alguns nomes de consoantes (*L* é "ele" e *T* é "te"); porém, para as outras, procede assim: M *é* "mi de Emílio"; F é "fe de Felisa"; N *é* "ni de Nicolás", etc.

Carlos (6a CM): *C* é "o ca" de Carlos.
Gustavo (6a CM :. *G* é "o gu".
Ariel (5a CM): *R* é *"o ri"* (pronúncia correspondente à de Ariel).
Marina (5a CM): *M* é "ma de Marina".

4) O nível seguinte foi constituído por aqueles que nomeiam corretamente todas as vogais e algumas consoantes. Ainda que se continue, às vezes, mencionando o nome que começa com essa vogal, o nome da letra não é derivado do valor silábico obtido a partir do nome da pessoa:

Laura (5a CM): *S* é "se de Silvia e de Sarita", O "esse".

Nesse nível, localizamos crianças que nomeiam corretamente em torno de dez consoantes diferentes. Obviamente, subsiste um conjunto de letras mal--identificadas, as quais dão lugar a assimilações interessantes.

Gustavo (5a CM) conhece por seu nome as letras *G, S, N, Z, M, J, Y,* etc. Porém, tem dificuldades com duas das letras de seu próprio nome: *V* que é "vê comprida"" e *A* que é "vê curta" *provavelmente porque é como a outra; porém, "cortada" por uma linha horizontal).*

5) O nível superior está constituído por aquelas crianças que conhecem praticamente todas as letras do abecedário por seu nome e eventualmente são capazes de dar o nome e o valor sonoro, ou os distintos valores sonoros que pode admitir uma mesma letra.

Carlos (6a CM): conhece todas as letras pelo seu nome e várias por seu nome è valor sonoro. Por exemplo: *S é* "o s... esse"; *L* é "o l, o ele".

Miguel (6a CM) conhece pelo seu nome pelo menos 14 consoantes diferentes e diz que *C é* "o ca ou o ce", admitindo que "tem dois nomes". Seus únicos erros são assimilar *K* a "erre" e designar *S* como "o se".

Gabriela (5a CM): conhece pelo seu nome todas as consoantes, exceto *W* que é *"o ENHE" (EÑE).*

Rafael (5a CM): conhece por seu nome, pelo menos, 15 consoantes e sabe diferenciar o nome da letra de seu valor sonoro: *C* é "ca ou ce; se pode pronunciar ca ou ce *H* "não se pronuncia nada, *CHE...* algo assim se chamava".""

Este último nível está representado *exclusivamente* por crianças de 6 e 5 anos de CM: aos 5 anos, cinco das 17 crianças entrevistadas localizam-se claramente neste nível, e aos 6 anos, sete das 20 crianças entrevistadas. A disparidade com as crianças de CB é, portanto, neste caso, muito marcante.

Aqui é pertinente fazer algumas observações:

- *Temos aqui um caso típico de conhecimento socialmente transmitido e não em níveis de conceitualização próprios da criança* (Não é possível descobrir por si mesmo que *Y* se chame "ipsilon"""" ou *W* "dobre ve".)
- *O conhecimento específico destas crianças se restringe às maiúsculas de imprensa,* ainda que, às vezes, se estenda também às minúsculas de imprensa. Muito poucos eram capazes de nomear as letras em cursiva. Isto reforça o caráter extraescolar deste conhecimento específico, já que, na Argentina, a "letra escolar" é a cursiva.
- *O conhecimento do nome das letras precede regularmente o do seu equivalente sonoro enquanto valor fonético* (como diferenciado do valor silábico atribuído em função do nome que a apresenta). Este fato – que tradicionalmen-

---

*N. de T. No espanhol, as letras *V* e *B* são denominadas respectivamente como "ve corta" (vê curta) e "vê larga" (vê comprida).

**N. de T. A palavra italizada não tem tradução. Equivale ao som da letra H na língua espanhola: ou seja, *atche.*

***N. de T. Em espanhol, "Y" denomina-se "i griega".

te tem sido considerado como nefasto para a aprendizagem escolar – não parece ser causa de confusão em nenhum dos sujeitos estudados.

- A maneira de atuar frente a esses caracteres gráficos testemunha uma extensa prática de *explorações ativas* com esse material. Por exemplo, algumas crianças conhecem as letras que se originam de transformações a partir de outra letra:

> Mariano (6a) nos diz, espontaneamente, que "o eme (*M*), se o viro, é dobreve; O a (*A*) se o viro, é o *a* ao contrário, e o i (*l*) é o mesmo".
>
> Alejandro (6a) explica-nos que algumas letras "têm duas formas: é duas em uma", e exemplifica com o *A:* "tiramos-lhe o palito e é esta (V)".

Antes de extrair as consequências dessa densa lista de observações, passemos a analisar novamente a distinção letras/números, e a distinção letras/sinais de pontuação.

C – Números e letras

Com respeito às relações entre letras e números, já indicamos (p. 46) as razões que podem levar a confundir inicialmente esses caracteres gráficos, a diferenciá-los marcadamente em seguida e a problematizar posteriormente essa relação a um nível superior de problemática. Também vimos (p. 41-3) que uma letra, reconhecida como tal no contexto de outras letras (e inclusive nomeada corretamente), pode se converter num "número" quando está isolada. Finalmente (p. 45-6) indicamos que a distinção cursiva/imprensa pode misturar-se com as denominações "letra"/"número".

Isso não esgota, porém, o problema das relações entre ambos os tipos de grafismos. Um fato notável é que temos encontrado em muitos casos a denominação número" aplicada a letras, mas nunca o inverso (isto é, a denominado "letra" aplicada a números). Isso pareceria indicar uma anterioridade psicogenética dos números enquanto formas gráficas (um problema que seria preciso estudar em detalhe). A título especulativo, poderíamos encontrar certas razões para isso: o universo gráfico dos números é mais restrito que o das letras; utilizamos dez grafias diferentes para compor todos os números, enquanto que utilizamos (em espanhol) 26 grafias diferentes (ou 28, se contamos ñ e LL) para compor todas as palavras; por outro lado, o nome das grafias correspondentes aos números coincide com as palavras que usamos no ato de contar (quando falamos, não usamos o nome das letras, mas quando contamos uma série de objetos utilizamos as palavras "um, dois, três... que nos servem também para identificar as formas gráficas dos números).

É muito possível que exista um momento inicial de indiferenciação total entre números e letras (enquanto elementos gráficos). É o que sugerem os exemplos:

Alejandro (4a CB), e Liliana (5a CB) nunca chegam a decidir se num texto tem "números" ou "letras", ainda que manifestem certa preferência pela denominação "números".

David (5a CB) usa indistintamente nomes de números e de letras. Assim, o *P* é o "o o" em um dado momento, mas é "quatro" um pouco mais tarde; *A* é "o *a*", mas 2 também é "o *a*" e *E* também é "o *a*", etc.

Fernando (4a CM) sustenta que no texto impresso "tem números", mas às letras isoladas denomina alternativamente "letra" ou "número" (uma qualquer é letra, e a seguinte, qualquer que seja, é "número" e assim continua).

Entretanto, também é possível sustentar que essa indiferenciação não é senão aparente e que testemunha um fracasso do experimentador em evidenciar a sistematização que a criança poderia – pelo menos esporadicamente – utilizar. Como exemplo disso, alguns casos em que, durante a entrevista com a criança, tanto como durante a leitura do protocolo e uma primeira análise dos dados, tivemos, reiteradamente, a impressão de uma indiferenciação total. Conseguimos descobrir, em seguida, numa análise minuciosa, indicações em sentido contrário.

Uma das formas de distinção insuspeitadas que apareceram assim consiste *em reservar a denominação "letra" para as do seu própria nome*, de tal maneira que, em geral, chamar-se-ão "números", mas, se são as do seu nome (ou, se por semelhança gráfica são assimiladas às do seu nome) se convertem em "letras". Assim procedem Walter e Anabela (5a CB) e Valeria (4a CM).

Assinalemos também que nos parece exagerado falar de confusão quando a criança utiliza, de maneira regular e estável, nomes de números para designar as letras com grafismo similar ao dos números.

Gustavo (4a CB) é regular em suas denominações de números e de letras, já que *L* é sistematicamente "o um", *S* é "o cinco", e *G* é "o seis".

Evangelina (6a CB) usa a denominação geral "letras", porém, utiliza nomes de números para cada uma delas. Entretanto, ela faz uma distinção sutil: R é *"parecido* com o dois", enquanto que o *2* é "o dois"; não é letra mas é "um dois". Torna-se claro que o que aqui existe é um problema de vocabulário por desconhecimento do nome das letras: assimilar o *R* ao *2* é reconhecer a semelhança da forma, sem que isso represente, necessariamente, a transformação de R em "número".

Previamente, indicamos que as letras são reconhecidas com maior facilidade num início como sendo "as de" alguém. Mas é interessante que o mesmo pode acontecer com os números:

Cynthia (5a CM) diz que *9* "é o número de Javier" e o *2* "é o número de Ramiro", isto é, o número do andar do edifício de apartamentos onde vivem seus amigos ou, em termos de sua própria existência concreta, o botão do elevador que é preciso apertar para chegar aonde eles vivem. Fazemos notar que Cynthia

60 Ferreiro & Teberosky

não pode nomear esses números escritos, mas os reconhece em função das suas relações de pertinência.

Diego (4a CM) diz "meu papai é um nove; se chama Pablo", enquanto escreve algo parecido com um *P*.

Estas referências reiteradas a nomes de pessoas conhecidas da criança são uma característica peculiar às crianças de CM e constituem indicações de comportamentos culturais diferentes. A criança de CM assiste frequentemente à escrita de nomes de pessoas conhecidas, enquanto que esta experiência é distante da criança de CB.

No grupo de 6 anos, as diferenças entre CM e CB são dramáticas (*dramáticas no que diz respeito ao que a escola exigirá deles*): *todas as crianças de 6 anos de CM, exceto uma, diferenciam corretamente números de letras; somente uma das crianças de 6 anos de CB o faz.*

Para poder avaliar esta diferença, insistimos no que aqui consideramos como bagagem de conhecimentos específicos, socialmente transmitidos, com a qual crianças de 6 anos vão começar "oficialmente" a aprendizagem da lectoescrita. A impossibilidade de aplicar adequadamente as denominações "número"/"letra" aos grafismos *não pode ser tomada como indicação de uma confusão conceitual*. Na maioria de nossos monumentos históricos, grava-se a data com o que chamamos *números romanos;* porém, não devemos esquecer que esses números não são nada mais do que *letras utilizadas com valor numérico;* quando, num monumento, vemos letras substituindo os números, parece-nos um sinal de "cultura", mas, quando vemos uma criança fazer o mesmo, falamos de "confusão conceitual". O absurdo desse raciocínio fica em evidência através da comparação histórica que estamos fazendo: *a ninguém ocorreria dizer que os romanos confundiam conceitualmente números e letras pelo fato de que utilizavam as letras de seu alfabeto para representar graficamente os números.* E eles o fizeram, aprendendo-o dos gregos, que utilizavam a inicial dos nomes dos números para representar graficamente o próprio número (a letra *pi* para o 5, já que "cinco" = "pénte"; a letra *delta* para o 10, já que "dez" = "déka", etc.).

Também na tradição hebraica, as letras serviram para representar os números: desde a época dos Macabeus (ou talvez antes), as nove primeiras letras eram usadas para representar as unidades, e para evitar confusões, soma-se uma espécie de acento (o "ápex"), de tal forma que uma letra com ápex passa a ser um número. Os gregos da época alexandrina fizeram o mesmo, utilizando a ordem das letras para representar a ordem dos números, juntando o ápex como único sinal diferenciador.

Por menos que agrade a nossa tão mencionada "civilização ocidental", ocorre que a utilização de signos especiais para os números não é de origem greco--romana, mas sim de origem hindu e árabe. Na Europa, a introdução de sinais especiais para os números (quer dizer, de sinais diferentes das letras) é sumamente tardia: sua utilização se generaliza recém nos séculos XIII e XIV, depois de ser adotada pelos matemáticos e comerciantes florentinos. Os "números arábicos"

Psicogênese da Língua Escrita **61**

substituem progressivamente os "números romanos", precisamente porque a utilização de sinais especiais permite evitar confusões entre a escrita de palavras e as anotações matemáticas (cf. Cohen, 1958).

Ao nosso ver, o recurso da história é sumamente útil para: a) recordarmos a origem tardia de certas aquisições culturais que hoje nos parecem óbvias, mas que custaram à humanidade um enorme esforço intelectual, e b) para evitar o etnocentrismo que inevitavelmente aparece, a menos que se realize um esforço de "descentralização histórica" (exemplo: usar grafismos diferentes para números e para letras era "normal" para vários povos da Ásia na mesma época em que as grandes civilizações da Europa utilizavam também, "normalmente", um único sistema de sinais).

No Capítulo final deste livro, tentaremos mostrar outra possibilidade de recorrer à história da escrita para tentar compreender os mecanismos comuns aos processos de produção e de apropriação de conhecimentos na sociogênese e na psicogênese.

3 – DISTINÇÃO ENTRE LETRAS E SINAIS DE PONTUAÇÃO

Não devemos esquecer que numa página impressa, além das letras e dos números (que aparecem, no mínimo, na numeração das páginas), existem outros elementos que podem facilmente ser fator de confusão: os "sinais de pontuação".

No começo do ensino escolar, os primeiros a aparecer são o ponto e os sinais de interrogação e de exclamação, de tal forma que a discriminação a respeito dos sinais restantes, nas idades nas quais nos localizamos, deverá ser atribuída a uma exploração de textos variados e não somente de textos de iniciação à matéria, e a uma transmissão sociocultural específica. *Novamente nos localizamos no terreno de conhecimentos socialmente transmitidos, "não dedutíveis".* Os sinais que acompanham as letras (e que globalmente chamamos "de pontuação") têm cada um seu próprio nome, além de uma função nem sempre fácil de identificar. Os sinais de interrogação e exclamação não reproduzem a entonação, mas o leitor os interpreta como sinais para introduzir uma entonação particular. Porém, o uso das aspas não está intrinsecamente ligado à entonação: serve para marcar uma citação inteira, ou para fazer ressaltar um termo particular, ou para substituir uma expressão complexa, ou para introduzir um termo tirado de outro idioma, etc.

C. Blanche-Benveniste e A. Chervel (1974) resumem o problema da seguinte maneira:

> O sinal de interrogação é, sem dúvida, de todos os sinais de pontuação, o que tem melhor justificativa linguística. Os outros estão longe de ter um *status* tão nítido: não simbolizam por si mesmos os traços prosódicos, mas simplesmente substituem os sinais prosódicos. Já que não podem representar com exatidão tal tipo de silêncio ou de acento, a vírgula, o ponto-e-vírgula, o ponto, os dois pontos, os sinais de exclamação, as reticências e o hífen têm uma utilização

62 Ferreiro & Teberosky

lógica, mais que fonográfica. Eles contribuem diretamente para o sentido, e são assimiláveis a elementos pictográficos" (p 29-30).

No começo de nossa investigação, não suspeitávamos que crianças em idade pré-escolar estivessem capacitadas para distinguir entre letras e sinais de pontuação. Mas, no curso do trabalho, quando constatamos a enorme bagagem de conhecimentos específicos com os quais as crianças de 6 anos de CM abordam o primeiro ano escolar, decidimos realizar uma exploração sobre o tema. Nossos resultados não são senão preliminares e baseiam-se exclusivamente em perguntas que fizemos a propósito de uma página impressa (de um livro de histórias). Uma classificação puramente descritiva dos resultados obtidos nos permite distinguir os seguintes níveis:

1) Não existe diferenciação entre sinais de pontuação e letras; a criança utiliza, para esses sinais especiais, a mesma denominação que emprega para designar os números ou as letras. Exemplo:

Ximena (4a CM) diz que são letras, como as outras, os seguintes sinais (; ! – ? ,). David (5a CB) pensa que (?) é "número, o seis", que (–) é "letra, o *o*", que (:) são "letras, o seis", etc.

2) Existe um início de diferenciação limitado ao ponto, dois pontos, hífen e reticências (isto é, aos sinais compostos somente de pontos ou de um a só linha reta); diz-se deles que são "pontinhos" ou "risquinhos", mas, na sua maioria, os sinais de pontuação continuam sendo assimilados às letras ou números. Exemplo:

Débora (4a CB) pensa que (;) "é letra, o u", e que (?) também "é letra, o e", mas (–) "não é letra" e tampouco (...) é letra, são "os pontinhos".

3) Há uma diferenciado inicial que consiste em distinguir duas classes de sinais de pontuação: os que tem uma semelhança gráfica com letras e/ou números e que continuam se assimilando a eles, e os outros que não são nem letras nem números; no entanto, que a criança não sabe o que podem ser. O conjunto dos que seguem sendo assimilados a letras ou números é fácil de imaginar: (;) é assimilado ao *i;* (?) ao 2 ou ao 5 ou ao S e (,) ao seis ou ao nove.

4) Há uma diferença nítida entre letras e sinais de pontuação. Somente pode persistir (;) como letras por assimilação ao *i*, mas os outros são rejeitados. Diz-se deles que não são letras, ainda que "vão com as letras". (Javier, 4a CB, diz, por exemplo, que a vírgula "não é letra, é dessa letra", assinalando a letra anterior à vírgula e indicando claramente que a vírgula não é em si mesma uma letra, ainda que possa fazer parte ou ser acompanhante de uma letra). Vários dizem que "não é

letra, é outra coisa", sem poder ir mais além de uma descrição em termos de "pauzinhos", "pontinhos", etc.

5) Não somente há uma diferenciação nítida entre os grafismo próprios das letras e dos outros, como também há uma tentativa de empregar uma denominação diferencial e um começo de distinção da função. No que diz respeito à denominação, falam de *sinais* ou "marcas".

Marina (5a CM) diz que (?) é "a letra da cabeça", que (!) "é o i" e que (:) "são pontinhos, da cabeça, acho". As "letras da cabeça" são as que "se pensam, mas não se dizem".

Ariel (5a CM) diz que (–) é simplesmente "um risco" e que serve "para dizer... ponto, um ponto". Porém, o ponto é simplesmente "um ponto", e o colocam "porque segue no outro lado".

Se observamos a distribuição dessas respostas através das idades e dos grupos sociais, podemos constatar que:

- Em CM há uma clara progressão através das idades, já que, aos 4 anos, a maioria das respostas é de nível 1 (ausência de diferenciação), enquanto que, aos 5 e 6 anos, todos os sujeitos são capazes de algum tipo de diferenciação, e alguns chegam até o nível 5.
- Em CB, pelo contrário, a linha evolutiva é menos marcada: respostas de indiferenciação encontram-se nas três idades, tanto como inícios de diferenciação. Porém, ninguém chega a dar respostas de nível 5.
- No total da amostragem de CB, a maioria das respostas concentra-se no nível 2 (começo limitado de diferenciação), enquanto que, no total da amostragem de CM, a maioria das respostas concentra-se no nível 3 (diferenciado inicial).

Em outras palavras, as crianças de CB, em sua maioria, são capazes de estabelecer que um ponto ou um traço isolados não constituem uma letra, enquanto que os de CM estabelecem, além disso, uma distinção global entre sinais que acompanham as letras e outros que, por sua semelhança gráfica, são assimilados àquelas. Porém, se levamos em consideração somente os de 6 anos, vemos que, no começo da instrução escolar, várias crianças de 6 anos de CM já têm bem claro que cumprem uma função diferente (ainda que não saibam bem qual), e ninguém confunde já totalmente sinais de pontuação com letras. Pelo contrário, em CB, algumas são incapazes de diferenciar graficamente letras de sinais de pontuação, e nenhuma chega a dar aos últimos uma denominação específica, nem a fazer suposições acerca da sua função. Uma vez mais, a bagagem de conhecimentos específicos de ambos os grupos difere: *as de CM testemunham uma longa e prévia prática com textos e informantes, dos quais os de CB não puderam beneficiar-se.* O ensino escolar não será, em consequência, o mesmo para uns e outros (ainda que se siga o mesmo texto escolar e o mesmo método).

4 – ORIENTAÇÃO ESPACIAL DA LEITURA

Da esquerda à direita e de cima para baixo. Como saber que é essa e não outra a orientação espacial da leitura? É esta uma das características mais arbitrárias da escrita. Nada nos surpreenderia se descobríssemos que as crianças na idade pré-escolar não soubessem qual é a orientação correta (e esta vez "correto" é sinônimo de convencionalmente correto", não o esqueçamos). Para poder sabê-lo, não é suficiente saber o que é a esquerda e a direita, o que é acima e abaixo numa página. Faz falta, além disso, que algum informante tenha transmitido esta informação, seja verbalmente, seja tendo lido textos às crianças, enquanto assinalava com o dedo as palavras lidas.

Os dados mais interessantes provêm das crianças de 4 anos. Nessa idade, em ambos os grupos sociais – nenhuma das duas orientacões convencionais está presente. Isto pode acontecer por três razões:

a) porque se recorre a uma indicação de pontos sobre cada linha de escrita (pontos centrais ou pontos nas margens), e não a uma indicação da totalidade do texto de cada linha;

b) porque há uma marcante tendência à alternância, que consiste em começar a página seguinte ali onde se terminou na anterior (isto é, se numa página se procede de cima para baixo, na seguinte se começará de baixo para cima); e

c) porque existe também uma marcada tendência a ir de baixo para cima (isto é, do próximo com respeito ao sujeito ao distante com respeito a si mesmo).

A alternância de orientações de uma página a outra pode reduzir-se, em sujeitos da mesma idade e de idades posteriores, à alternância de uma das duas orientações, mantendo a outra constante:

> Débora (4a CB) assinala a primeira página da esquerda para a direita e de cima para baixo, e a segunda página também da esquerda para a direita; porém, de baixo para cima. Mantém, assim, constante a orientação lateral, mas alterna a vertical.
>
> Valéria (4a CM) assinala a segunda página da direita para a esquerda e de baixo para cima e, em seguida, passa à primeira página, na qual assinala também de baixo para cima; porém, da esquerda para a direita. Ela mantém constante a orientação vertical, mas alterna a lateral.

Entretanto, a alternância também pode se manifestar ao passar de uma linha a outra (reduzida então à alternância lateral e mantendo constante a orientação vertical). O resultado prático disso é que uma linha é indicada da esquerda para a direita, a seguinte da direita para a esquerda, e assim por diante. Em outras palavras, a leitura de urna linha qualquer começa onde a precedente termina. O traçado "em cobrinha" que daí resulta é bastante curioso. Porém, mais curiosa ainda é a coincidência com a história: efetivamente assim se escreveu alguma vez na Grécia antiga, e essa maneira de escrever se chamava escrita em "bustrófedon", porque recordava a maneira de fazer sulcos na terra com um arado puxado por bois:

> A direção dos sinais na escrita varia consideravelmente nas inscrições gregas mais antigas, já que se dirigem tanto da direita para a esquerda, como da esquerda para a direita, continuando neste estilo bustrófedon, mudando de direção alternadamente em cada linha. Somente pouco a pouco foi se impondo, no sistema grego, o método clássico de escrever da esquerda para a direita. (Gelb, 1976, p. 232)

Estas tendências principais não esgotam o leque de possibilidades. Daremos somente dois exemplos de possibilidades insólitas:

> José (4a CB) indica um traçado em labirinto sobre a parte central do texto, seguido de um contorno do próprio texto, através de suas fronteiras externas, de tal modo que, na prática, explora-se a totalidade do território escrito (primeiro seu interior e, em seguida, suas fronteiras) para terminar no ponto de partida.
>
> Ariel (5a CM) guia-se pelo número da página: se o número está abaixo, começa embaixo e, se está em cima, começa por cima.

Se consideramos a distribuição das respostas por grupos sociais de procedência, podemos comprovar que:

- A quantidade de crianças que se localizam no grupo dos que não conservam nenhuma das duas orientações básicas é aproximadamente a mesma em ambos os grupos (32,4% em CM e 36,6% em CB). Isto é assim, fundamentalmente, porque as crianças de 4 anos localizam-se maciçamente nessa categoria.
- No outro extremo, a quantidade de crianças que conhecem as duas orientações convencionais difere marcadamente em ambos os grupos: quase a metade das crianças de CM (45,9%) e apenas uma quarta parte dos de CB (23,3%). Isto é assim porque as de 6 anos CM localizam-se maciçamente nesse grupo, enquanto que as da mesma idade de CB se distribuem em todas as categorias, sem concentrar-se em nenhuma delas.

É óbvio que esta diferença marcante aos 6 anos entre ambos os grupos evidencia, uma vez mais, uma larga experiência com leitores de textos, e não somente uma larga experiência de exploração de textos, como indicamos antes. Nada há numa página impressa que indique por onde é preciso começar a ler e por onde há de se seguir. Faz falta ter-se assistido a atos de leitura – acompanhados de indicações gestuais específicas – para poder sabê-lo.

Porém, além da instrução específica, estão as ideias que uma criança pode forjar: aos 4 anos, essa instrução pareceria não ter peso algum (por inexistente ou por incapacidade do sujeito de assimilá-la) e, entretanto, algumas ideias originais aparecem. Pensemos, em particular, nas alternâncias de orientação (de uma linha a outra ou de uma página a outra). Ao nosso ver, essas alternâncias não constituem unicamente uma indicação da incerteza do sujeito a respeito, mas sim também uma tentativa de dar continuidade ao ato de leitura, de evitar os cortes bruscos, os saltos no vazio (se terminamos uma página embaixo, seria o mais natural começar a seguinte ali, onde terminamos a anterior; se terminamos à direita uma linha, o mais natural seria começar a seguinte a partir dali).

5 – OBSERVAÇÕES FINAIS

Os dados que acabamos de apresentar neste capítulo nos indicam que, muito antes de saber ler um texto, as crianças são capazes de tratar o mesmo em função de certas características formais específicas.

Quisemos começar pela análise desses dados para evitar, desde o começo, uma visão demasiado simplista do desenvolvimento das noções relativas à escrita na criança, que veria essa progressão evolutiva como uma passagem do "concreto" ao "abstrato". Nós tentamos, neste Capítulo, prevenir o leitor contra tal supersimpliflicação.

Falamos de supersimplificação porque seguidamente se explica a prematura aparição de algo porque se trata de um conteúdo "concreto", e a tardia aparição de outra conduta como requerendo "capacidades de abstração", ou "pensamento abstrato", ou relativo a um "conteúdo abstrato". Se "concreto" e "abstrato" se reservam, respectivamente, para aquisições prematuras ou tardias no curso do desenvolvimento, perdem, em consequência, toda a significação específica. Trata-se de uma "pseudoexplicação", demasiado usada nos manuais de divulgação.

Exigir três letras como mínimo para que algo "possa ser lido", ou exigir uma variedade de caracteres, são exigências puramente formais que nada têm a ver com um suposto pensamento "concreto" (que não deve ser confundido com as "operações concretas", no sentido piagetiano). O caráter aparentemente concreto das conceitualizações infantis sobre a escrita (insistimos: aparentemente) nos será dado por suas expectativas a propósito do *conteúdo representativo* de um texto e scrito (como veremos nos Capítulos 3 e 4). Mas isso está demarcado numa série de ideias como as que analisamos – que são tão importantes como as outras.

Finalmente, é útil distinguir dois tipos de fatos vinculados entre si, mas de origem diferente: que, com menos de três letras, não se pode ler, ou que com letras repetidas tampouco se pode ler, ou que uma letra isolada se converta em número, não são noções socialmente transmitidas. Em particular, a primeira (exigência de quantidade de letras) é inconcebível como critério transmitido pelo adulto: um adulto lê os artigos *o/a/um*, as preposições *de/em/a*, etc.

O critério de variedade de caracteres pode se originar de uma longa prática com textos efetivos, nos quais a norma é uma variedade de caracteres; entretanto, os limites dessa exigência são especificamente infantis. Uma menina de língua francesa, por exemplo, rejeita a palavra *non* como impossível de ser lida, "porque tem duas vezes a mesma" (subentendido: a mesma letra *n*). Suspeita disso o docente quando propõe (em espanhol) como palavras iniciais *oso, ala, nene, mamá, papa*, etc.? Suspeita que com as duas primeiras está se situando justo no limite (ou por baixo do limite) de aceitabilidade, em função da quantidade de letras? Sabe que com todas elas se situa na própria fronteira da exigência de variedade de caracteres? Essas palavras iniciais são precisamente as primeiras, porque são consideradas como fáceis: por serem curtas e por representarem os mesmos grafismos repetidos. A partir de agora é possível perguntar-se: fáceis para quem? Fáceis desde que ponto de vista, desde qual definição de facilidade?

Abordando a distinção números/letras/sinais de pontuação e o reconhecimento da orientação convencional da leitura, estamos, pelo contrário, no terreno dos conhecimentos socialmente transmitidos e altamente convencionais. Que as crianças difiram sensivelmente com respeito a eles é previsível, porque sua aquisição requer condições sociais específicas (objetos e informantes à disposição).

A complexidade dos fatos que analisamos torna difícil um resumo sintético. Alguns desses fatos não são novos. Por exemplo, a confusão entre letras e números foi destacada na literatura.

Porém, uma coisa é destacar este fato, situando-se na superfície dos mesmos, e falar de "confusão", e outra coisa é ser capaz de mostrar, como nós o fizemos, que esta confusão não é senão aparente em muitos casos; que o que aparece como confusão aos olhos do adulto não é, na realidade, senão uma sistematização da criança, que opera sobre bases muito diferentes das do adulto.

E. Gibson (1970) apresenta os primeiros resultados experimentais de L. Lavine que são próximos dos nossos, no sentido de indicar possibilidades de discriminação muito tênues em crianças pequenas. L. Lavine (1977) estudou as possibilidades de discriminação de crianças de 3 a 5 anos frente a um material composto de cartões com desenhos, formas geométricas, escritos em inglês (maiúsculas de imprensa e cursiva), em hebraico e em chinês, além de números. A consigna dada requeria dos sujeitos uma classificação dicotômica, mas sobre uma base diferente da que nós solicitamos. Neste caso, a consigna era: "Se o cartão está escrito, se é escrita, vai nesta caixa" (*"If it has writing on it, if it is writing, it goes in this box"*). Os resultados de Lavine mostram que os cartões com desenhos são rejeitados já desde os 3 anos, enquanto que todas as crianças aceitam como escrita os exemplos de escrita convencional inglesa. Os cartões com escritas estranhas à experiência dessas crianças foram mais aceitos do que as figuras geométricas. Lavine conclui que os critérios das crianças para decidir se algo é uma escrita incluem as seguintes propriedades: linearidade (em contraste com grafias dispersas, não alinhadas), multiplicidade (contraste entre uma só grafia e seis grafias alinhadas) e variedade (contraste entre a mesma grafia, repetida seis vezes, e essa grafia isolada).

Parece-nos interessante assinalar o seguinte: esta autora contrasta unicidade (uma grafia) com multiplicidade (seis grafias), enquanto que nós trabalhamos com todos os intermediários (duas, três, quatro grafias ou mais). Em termos da ordem dada por ela, o critério de multiplicidade não desempenha um papel demasiado importante ("a multiplicidade foi utilizada como critério de escrita somente no grupo das crianças mais pequenas", diz L. Lavine), enquanto que a multiplicidade desempenha um papel decisivo se a consigna muda. Como demonstramos neste Capítulo, a quantidade de grafias é um dos critérios mais importantes, entre 4 e 6 anos, para determinar se uma escrita é ou não legível.

A comparação entre nossos resultados e os de Lavine mostra quão sensíveis são as crianças pequenas a uma modificação da consigna dada e quão capazes são de empregar critérios coerentes de classificação de um material gráfico, muito antes de poder ler, no sentido convencional do termo.

Neste Capítulo, não tratamos ainda da leitura em sentido estrito: não nos perguntamos o que é que a escrita representa para a criança, qual é o significado atribuído a um texto. Nossa indagação referiu-se exclusivamente às condições prévias a uma leitura: qual é o material específico, a classe de "objetos" com os quais é possível exercer atos de leitura, e as propriedades (abstratas) que a criança requer. Nos Capítulos seguintes, abordaremos o problema da natureza da escrita enquanto objeto simbólico (a que remete, e qual é a sua forma de remeter a esse "algo"), e sua relação com a linguagem em si mesma.

CAPÍTULO 3 Leitura com Imagem

1 – A ESCRITA COMO OBJETO SUBSTITUTO

Neste Capítulo, propomo-nos a abordar o problema das relações entre o desenho e a escrita, utilizando uma situação que consiste em pedir à criança que "leia" um texto escrito acompanhado de imagens gráficas. Esta situação, clássica nos textos para crianças que iniciam sua escolaridade, é um recurso habitual em livros infantis, em histórias em quadrinhos, etc. Além disso, porém, no mundo circundante, há materiais impressos em que ambos elementos gráficos estão presentes (pense-se, por exemplo, nos objetos de uso cotidiano, nas placas indicadores, cartazes de propaganda, etc.) Nossa situação experimental não resulta, portanto, nada artificial, desde que a criança, em maior ou menor medida, já está habituada a ela. A presença desse estímulo, tão familiar na nossa cultura, não passa inadvertida para ela. No entanto, como ela concebe as relações entre desenho e escrita? Qual é a interpretação que faz delas? O objetivo deste Capítulo é compreender as interpretações que a criança elabora a respeito da relação entre imagem e texto escrito. Se nos colocamos no início da representação gráfica infantil, vemos que nos primeiros traços, de produção espontânea, desenho e escrita se confundem. Ambos consistem em marcas visíveis sobre o papel. Logo, e em forma paulatina, vão se diferenciando alguns traços gráficos, os quais adquirem formas cada vez mais figurativas, enquanto que outros evoluem em direção à imitação dos caracteres que mais ressaltam da escrita (cf. L. Lurçat, 1974). Estas raízes gráficas comuns implicam também conceitualizações semelhantes? Entendemos que este é precisamente o problema fundamental ao qual tentamos dar resposta.

Dentro da perspectiva da escola piagetiana, o desenho, sendo uma imitação gráfica, reprodução material de um modelo, implica a função semiótica, entendida como a possibilidade de diferenciar significantes de significados. Para Piaget, a função semiótica aparece durante o segundo ano de vida, continuando, em outro nível, as ações sensório-motoras iniciais. A linguagem, o jogo simbólico, a imitação diferida, a imagem mental e a expressão gráfica envolvem a função semiótica. Na posse dela, a criança é capaz de usar significantes diferenciados, sejam estes símbolos individuais ou sinais sociais (Piaget, 1966).

A escrita também é um objeto simbólico, é um substituto (significante) que representa algo. Desenho e escrita – substitutos materiais de algo evocado – são manifestações posteriores da função semiótica mais geral. No entanto, diferem. Por um lado, o desenho mantém uma relação de semelhança com os objetos ou com os acontecimentos aos quais se refere; a escrita não. Por outro lado, a escrita constitui, como a linguagem, um sistema com regras próprias; o desenho, por sua vez, não. Tanto a natureza como o conteúdo de ambos os objetos substitutos são diferentes. Porém, nos níveis iniciais, dos quais nos ocupamos, quais serão as relações entre ambos os sistemas? Prevalecerão as de semelhança ou as de diferença?

Até por volta dos 4 anos, nossos sujeitos são capazes de considerar a um e a outro como objetos substitutos da realidade. O livro, desde muito cedo, é algo que serve "para olhar" e para muitos, mais especificamente, "para ler". Existem índices condutuais imitativos de "atos de leitura", tais como a forma de pegar o livro, postura corporal, direção do olhar, gestos de folhear – acompanhados ou não de formulações verbais – que mostram certa compreensão da natureza das condutas imitadas. O texto é visto como portador de algum conteúdo, sugere algo; as perguntas "o que diz?" ou "diz alguma coisa?" são aceitas como pertinentes diante de um texto. Muitos de nossos sujeitos diferenciam também entre o que é e o que não é "letra", ainda antes de poder denominá-las corretamente.

Entretanto, o problema da relação entre imagem e texto subsiste. Com efeito, sendo a escrita um objeto simbólico – como o desenho – constitui um substituto exatamente de quê? Qual é seu significado e a que remete? O que é que representa, segundo a concepção da criança? Da perspectiva, as relações entre desenho e escrita não se reduzem somente a uma origem gráfica comum. Caberia perguntar-se se – ainda quando a criança possa compreender a distinta natureza desses dois objetos – não os assimila ao interpretá-los; se o texto acompanhado de uma imagem não é concebido como a reprodução mais ou menos próxima do significado dessa imagem.

Porque nossa escrita é alfabética, afirmou-se com insistência que representa os sons da fala, que é a transcrição fonética da língua. Compartilhando a opinião de outros autores (cf. Smith, 1971), nós consideramos que essa interpretação é discutível. Considerarmos o problema das relações entre desenho e escrita não significa, naturalmente, reduzir esta ao desenho; como veremos no desenvolvi-

Psicogênese da Língua Escrita **71**

mento psicogenético, a escrita mantém relações muito estreitas com o desenho e com a linguagem, mas não é nem a transcrição da linguagem, nem um derivado do desenho. A escrita constitui um tipo específico de objeto substituto de cuja gênese pretendemos dar conta.

A tarefa proposta consistiu em apresentar à criança uma lâmina composta por textos e por imagens. Num caso, se tratava de uma só palavra escrita e, em outro, de orações. Primeiro perguntamos à criança se "tinha algo para ler", solicitando-lhe que indicasse "onde", e incitando-a a ler o que ali estava escrito. Quando necessário, fazia-se com que se antecipasse, em função da imagem, e logo se indagava se "dizia" o que havia antecipado.

A) *Palavras:* apresentaram-se 7 pares de figuras, compostas por desenhos de objetos familiares e um texto localizado abaixo de cada imagem, no qual estava escrito somente uma palavra (em letra de imprensa minúscula em 4 casos, e em cursiva em 3). Os pares desenho-texto foram os seguintes:

1) Imagem: uma bola de brinquedo. Texto (em cursiva):pelota (bola)
2) Imagem: uma xícara de chá. Texto (em imprensa minúscula):asa (asa)
3) Imagem: uma árvore (imagem em que não era clara a espécie). Texto (em cursiva):higuera (figueira)
4) Imagem: um urso de brinquedo. Texto (em cursiva): *juguete* (brinquedo)
5) Imagem: um barco. Texto (em imprensa minúscula): *velero* (veleiro)
6) Imagem: um guarda de trânsito. Texto (em imprensa minúscula): agente (guarda)
7) Imagem: perfil do rosto de um homem fumando cachimbo. Texto (em cursiva): *pipa* (cachimbo)

Os textos correspondem ou ao nome de um objeto total (designação habitual, como no caso da bola, ou não habitual, como nos casos do veleiro e do guarda) ou a uma parte do objeto (como em asa), enquanto que a imagem aparecia representando o objeto total. Quando na imagem figurava um exemplar da subclasse, o texto designava a classe total (como em brinquedo); em outros casos, na imagem figurava a classe total, enquanto que no texto aparecia o nome da subclasse (como em figueira) e, finalmente, numa imagem havia dois objetos e uma sugestão de ação (homem fumando cachimbo), enquanto que no texto aparecia somente o nome de um objeto (cachimbo). Portanto, a imagem nem sempre ilustrava exatamente o texto. Esta discordância foi introduzida a fim de avaliar melhor as hipóteses das crianças e averiguar quais delas podiam decifrar o texto e quais antecipavam o texto segundo a imagem.

B) *Orações:* apresentaram-se 4 pares de imagem-texto:

1) Imagem: um pato, estático, sobre uma lagoa. Texto (em cursiva): *o pato nada*

2) Imagem: uma rã, estática, que surge entre ramos com flores. Texto (em cursiva e distribuído em duas linhas de diferente longitude): *a rãzinha saiu* (linha superior) *a passeio* (linha inferior)

3) Imagem: composta por vários elementos, uma criança remando um bote em direção a uma ilha, onde existem plantas e animais, no céu aparece o sol e na água, alguns peixes. Texto (em imprensa minúscula): *Raúl rema no rio*

4) Imagem: um cachorro correndo, atrás dele umas latas. Texto (em imprensa maiúscula): O CACHORRO CORRE

O objetivo das duas situações era, como já dissemos, o de averiguar quais são as hipóteses das crianças com respeito à escrita quando está acompanhada de uma imagem. Desta maneira, pensamos que se podia contribuir para a compreensão do papel desempenhado pelo desenho com relação ao texto escrito, seguindo o processo de conceitualização desde seus primórdios até a intervenção da instrução sistemática.

Pareceu-nos importante propor imagens que formassem parte do "mundo gráfico" da criança. Elas foram extraídas de revistas infantis de circulação massiva, a fim de facilitar a identificação dos desenhos. Por sua vez, nos textos, apresentamos três tipos de caracteres gráficos: cursiva, imprensa minúscula e imprecisa maiúscula, facilitando-lhe opções às quais pudesse estar habituada.

Um fato geralmente observado é que as crianças esperam encontrar no texto o nome do objeto desenhado. A situação "leitura de palavras" devia, em princípio, permitir-nos avaliar se este fato era geral em todas as idades. Igualmente, nos permitiria diferenciar as condutas que mostravam um decifrar do texto daquelas que somente se atinham a antecipar o texto em função da imagem. A situação "leitura de oração" nos serviria, por outro lado, para observar as condutas que manifestassem um começo de considerado das propriedades do texto. Com efeito, uma oração escrita apresenta partes, seus fragmentos estão distribuídos ordenadamente, entre cada um deles há lacunas, cada fragmento, por sua vez, está composto por elementos menores, etc. Como a criança conciliaria sua antecipação em função da imagem e a realidade das propriedades do texto? As características da imagem não eram muito diferentes em uma e outra situação; se o sujeito levasse em conta somente a imagem, deveria dar respostas semelhantes, qualquer que fosse o texto. Inversamente, as diferenças nas respostas não poderiam ser atribuídas somente à imagem. E, finalmente, esse mesmo material nos daria pautas para estudar as primeiras condutas de leitura – no sentido tradicional do termo (ou seja, os primórdios do decifrado) – num grupo de crianças escolarizadas.

No que se segue, denominaremos, para a situação, "leitura de orações": *lâmina 1:* ao par imagem-texto correspondente à situação 1 (o pato nada); *lâmina 2:* ao segundo par para a situação 2, etc. Para a situação "leitura de palavra", faremos referência exclusivamente ao texto, entendendo-se, naturalmente, o par

Psicogênese da Língua Escrita **73**

imagem-texto. (Assim, por exemplo, quando nos referirmos à bola, será em relação à imagem de bola e ao texto correspondente).

2 – LEITURA DE PALAVRAS

As respostas obtidas poderiam ser classificadas do seguinte modo:

a) Texto e desenho estão indiferenciados.
b) O texto é considerado como uma etiqueta do desenho; nele figura o nome do objeto desenhado; há diferencialção entre desenho e texto.
c) As propriedades do texto fornecem indicadores que permitem sustentar a antecipação feita a partir da imagem.

Vejamos agora mais detidamente o desenvolvimento dessa classificação:

a – Indiferenciação inicial entre desenho e escrita

Respondendo à pergunta "onde tem algo para ler", os sujeitos assinalam tanto desenho como texto; quando lhes é solicitado uma interpretação ("o que diz aqui"?), respondem como se a pergunta fosse "o que é isso?", e essa resposta a atribuem indiferentemente ao texto ou ao desenho.

Vejamos alguns exemplos:

Roxana (4a CB)
Mostre-me onde tem algo para ler.   (mostra um desenho)
O que dirá? (mostra texto)   Uma bolinha (*bola*), um ursinho (*brinquedo*), uma lancha (*veleiro*), uma florzinha (*asa*).

Alejandro (4a CB)
Tem algo para ler?   Sim (mostra o texto).
E o que diz?   A polícia (*guarda*), o boneco (*brinquedo*), as árvores (*figueira*), o barco (*veleiro*), o homem (*cachimbo*).
Onde diz homem?   (mostra desenho).
Onde diz barco?   (mostra desenho).
No desenho diz barco?   Sim.

As respostas de identificação do objeto desenhado são claras: tem "um ursinho" ou está "a polícia". Alejandro, por exemplo, começa mostrando o texto como sendo para ler, mas termina localizando na imagem sua atribuição específica (à pergunta "onde diz barco" mostra o desenho).

74 Ferreiro & Teberosky

Aqui podemos fazer algumas observações. As perguntas "onde tem para ler" e "o que diz" são de diferentes naturezas e merecem uma análise em separado. Responder a "onde tem algo para ler" supõe, por parte do sujeito, uma compreensão da atividade "leitura" e uma diferenciação entre olhar e ler. Se bem que para ler temos que olhar, a recíproca não é verdadeira (ver Capítulo 5). A este nível, a indiferenciação entre desenho e escrita supõe uma indiferenciação entre as ações pertinentes que se aplicam a cada um desses objetos. Já a pergunta "o que diz" pressupõe que ali diz algo.[1] Para saber o que diz, deve se buscar o significado da escrita no desenho. Não podendo ser inferido diretamente, o sentido se extrai da imagem e logo é aplicado ao texto. O próprio desta etapa é a aplicação direta do sentido de um a outro objeto simbólico. Existe uma identificação do desenho (uma bola, um barco, etc.) e um ato de mostrar o texto (ou o desenho) quando este foi identificado.

b – O texto é considerado como uma etiqueta do desenho

Neste nível, a conduta típica consiste em "apagar" explicitamente o artigo que acompanha o nome que identifica a imagem.

Vejamos os exemplos:

Romina (4a CM)
O que diz aqui? (*figueira*)   Uma árvore, diz árvore.
María Paula (4a CM)
O que diz aqui? (*brinquedo*)   Isto é um urso, urso, aqui diz urso (mostra o texto).

E aqui? (*cachimbo*)   Um homem com cachimbo, diz cachimbo.

Gabriela (5a CM)
O que diz? (*bola*)   Não sei.
O que é? (*desenho*)   Uma bola.
Que diz?   Bola.

Marcos (6a CM)
E aqui, o que diz? (*asa*)   A xícara... xícara.
Facundo (6a CM)
E aqui, o que diz? (*bola*)   Não sei.
O que é? (*desenho*)   Uma bola.
E o que diz? (*texto*)   Bola.

Rosario (5a CB)
O que diz? (*bola*)   Bola.
Como te deste conta?   É porque está a bola.

Este tipo de respostas, como veremos, são semelhantes às que encontramos na situação "leitura de orações": em todos os casos, há uma supressão explícita do artigo quando se passa ao texto, que pareceria representar a "etiqueta", o nome do objeto desenhado. María Paula, por exemplo, diferencia entre "isto é um urso" e "aqui diz urso". Gabriela e Facundo respondem "uma bola " ao ter que identificar o desenho; porém, supõem que no texto figura somente o nome "bola".

Das 60 crianças de 4 a 6 anos entrevistadas nessa situação, 46 delas (ou seja, 76%, tanto de classe média como de classe baixa) oferecem este tipo de respostas: o texto representa o nome do objeto total presente no desenho. Voltaremos mais adiante a esta interpretação, já que obtivemos respostas similares na situação "leitura de oração". Disto podemos inferir que o que denominamos "a escrita representa o nome do desenho" não depende da natureza do estímulo apresentado, visto que a resposta permanece imutável apesar dos diversos estímulos. Nossa hipótese é de que a "etiquetagem" constitui um momento evolutivo importante no desenvolvimento da conceitualização da escrita.

Algumas das crianças que se localizam nesta categoria têm tanta convicção que chegam a rechaçar a sugestão do experimentador, negando que se trate de uma oração e reafirmando sua hipótese de que somente os nomes estão escritos. Veremos mais adiante que esta convicção subsiste, ainda que diante de textos de várias palavras, que formam uma oração.

Aqui está um exemplo muito ilustrativo:

Romina (4a CM)
O que diz? (*cachimbo*)   Não sei.
Dirá "o senhor está fumando
cachimbo"?   Cachimbo!
(A mesma menina em situação de "leitura de orações")
          Lâmina 4
O que diz?   Cachorro.
Ou dirá "o cachorro corre"?   Não, diz cachorro.

É evidente que esta menina interpreta a escrita como uma forma de representar nomes de objetos. No que concerne às propriedades do texto, estas não são levadas em conta. Os "nomes" se atribuem a todo o texto, ainda quando este apresente fragmentações é necessário esclarecer, entretanto, que a dificuldade para considerar as propriedades do texto e a atribuição de um só "nome" são condutas que, em muitos casos, apresentam-se juntas, mas existe um momento (posterior na gênese) em que ambos os aspectos se diferenciam. A concepção da escrita como etiqueta do desenho permanece, mas não exclui a possibilidade de ir centrando-se paulatinamente nas características gráficas do texto. A comparação entre as respostas a uma e a outra situação experimental (palavra e oração) poderá orientar-nos para descobrir em que momento esta diferenciado aparece. Com efeito, sendo a imagem semelhante em ambas as situações (nas duas existem imagens estáticas, que sugerem ação, com um objeto ou muitos objetos dese-

76 Ferreiro & Teberosky

nhados), as diferenças nas respostas têm necessariamente de ser atribuídas às diferenças nas propriedades do texto. Sobre este ponto voltaremos mais adiante.

c – As propriedades do texto fornecem indicadores que permitem sustentar a antecipação feita a partir da imagem

A consideração das propriedades físicas do texto determinará cada vez mais o tipo de antecipações que as crianças façam em função da imagem. E, fundamentalmente, o tipo de hipóteses que as crianças formulem sobre o que a escrita representa em cada caso.

Devemos considerar dois tipos de indicadores: de um lado, as propriedades do texto em termos de continuidade e de comprimento, e do outro, a diferença entre as letras, utilizadas como índices que servem para justificar as respostas. Os seguintes casos são exemplos de como, explicitamente, leva-se em conta o comprimento do texto:

Laura (5a CB) (*pipa:* cachimbo)
O que diz?
Poderá dizer "papai está fumando"?

Papá (papai)[*]
Não, porque é muito pequenininho e não alcança.

Mariano (5a CM)
O que diz? (*figueira*)
Poderá dizer "árvore" ou dirá "a árvore tem folhas?"
Por quê?

Não sei.

Árvore.
Porque é curtinho e tem só árvores.

É "curtinho", ou "é muito pequeninho e não alcança" são as justificativas para rejeitar uma oração, as quais demonstram uma clara consideração das características formais do texto. Estes mesmos sujeitos, entretanto, aceitam uma oração quando se trata de interpretar um texto descontínuo, com lacunas entre as palavras. É evidente, por outro lado, que nenhuma das crianças lê o texto – no sentido tradicional do termo –; não obstante, são capazes de inferir que uma das propriedades do mesmo, seu comprimento espacial, está em relação direta com o comprimento do enunciado que lhe é atribuído.

O segundo tipo de indicador (a busca de letras com valor de índice) é outra das manifestações de como o texto começa a orientar as atribuições. Buscar letras-índices é considerar o texto em função de propriedades ainda mais específicas que o comprimento. As letras são características particulares de um texto que

---

[*]N. de T. Neste caso, respeitou-se a escritura no original espanhol, porque, nesse idioma, os comprimentos das palavras *papá/pipa* são exatamente iguais; o que não acontece no português: papai/cachimbo. Seguimos o mesmo critério para os casos seguintes.

Psicogênese da Língua Escrita **77**

o diferenciam de outro e que servem para apoiar uma atribuição e eliminar uma variedade maior de outras atribuições possíveis. O caminho em direção à estabilidade e à conservação do significado já começou.

Vejamos os exemplos:

Carlos (6a CM)

O que diz? (*brinquedo*)	Urso.
Estão aí as letras de urso?	Não, parece que não.
E diz?	Não.
E aqui, o que diz? (*pipa:* cachimbo)	*Papá* (papai).
Onde?	Papai, porém, aqui não diz, porque está o i... e o a.
O que diz, então?	... pipa! (cachimbo)

Martín (6a CM)

O que diz aqui? (*pipa:* cachimbo)	Não sei.
O que é? (*figura*)	*Una pípa* (um cachimbo)
E o que dirá?	Não sei.
Se olhares as figuras não basta?	Não!
O que é preciso fazer para saber?	É preciso saber ler!

Diego (6a CM)

O que diz aqui? (*brinquedo*)	Urso... urso de brinquedo, porque urso não pode ser.
O que diz, então?	Meu ursinho, ai, não sei o que diz. Em todas sim (nas restantes). Mas aqui...

Estes são alguns exemplos do começo da busca orientada para confirmar uma antecipação. Como diz Carlos, se as letras de "urso" não estão, não pode dizer urso. Vemos que neste nível a antecipação em função da imagem deu lugar a um processo de busca de verificado no texto. O exemplo de Martín é muito claro neste sentido: "olhar as figuras não basta". Finalmente, conseguiu-se uma conciliação entre as hipóteses sobre o que é o que representa o texto e a consideração das propriedades do mesmo. O texto já não é inteiramente previsível a partir da imagem; necessitam-se índices que confirmem o que se antecipou.

3 – LEITURA DE ORAÇÕES

Convém, antes de qualquer coisa, compreender quais são as relações que a criança estabelece entre imagem e texto. Uma das perguntas que nos fizemos, então, foi: Que papel desempenha a imagem? Através destes exemplos, poderemos ver quais são as respostas das crianças.

Emílio (4a CM)
O que diz? Mostre-me.

Lâmina 3
Barco e sol (sobre o texto) e uma vaca e um sol e uma árvore (sobre o desenho).

Epifanio (6a CB)
Onde?

Lâmina 3
O menino anda caçando peixe. Aqui peixe (mostra a palavra *rema*)... árvore(s), flor(es), bambi (sobre o desenho).

Marcela (6a CM)
Onde?
E aqui? (mostrando a segunda linha)

Lâmina 2
Aqui diz sapo (mostra desenho).

(se corrige, mostra texto).
Flor.

Jorge Luís (4a CM)
Ou, "O menino está no rio?"

Lâmina 3
Um peixinho.
... com um barquinho e aqui a âncora (mostra desenho).

Estes exemplos são muito ilustrativos para nos orientar na análise. Todos eles mostram que as crianças pensam que se pode passar do texto à imagem e desta àquele sem necessidade de diferenciar os dois sistemas de simbolização. Com efeito, várias crianças começam mostrando o texto ao fazer sua interpretação; porém, considerada esta como incompleta, busca-se no desenho a informação necessária (Emílio, Epifanio e Jorge Luis). Outra, em troca (Marcela), pode mostrar em primeira instância o desenho e logo, devido à intervenção do experimentador, corrigir-se e mostrar o texto. Mas, para todos, é possível seguir "lendo" sobre a imagem, ou partir desta, e continuar no texto. Se bem que sejam diferentes em muitos aspectos, o denominador comum é a fluência da passagem entre escrita e desenho. Poder-se-ia supor que texto e imagem se confundem, porque, se o experimentador pergunta "onde diz", elas entendem "o que é que está desenhado". Nossos próprios dados – expostos anteriormente – nos indicam um momento, inicial na gênese, em que tanto o texto como o desenho são considerados como "para ler". Isso significa que a criança trata o texto impresso como se fosse um desenho? Nossa interpretação não se orienta neste sentido. Acreditamos que, para o sujeito, é possível passar de um a outro sistema, e que esta passagem não modifica basicamente o ato de interpretação, porque texto e imagem formam um todo complementar. Ambos são uma unidade com vínculos muito estreitos, que juntos expressam um sentido. Para interpretar o texto, pode-se buscar na imagem os dados que aquela não fornece.

O recurso de se apoiar na imagem para antecipar o texto escrito não é exclusivo dos exemplos citados, senão que o reencontraremos em condutas que, como veremos, podem ser consideradas como mais avançadas. Entretanto, o que é típico desses exemplos é que a interpretação pode ser atribuída tanto ao desenho como ao texto.

Neste processo, pareceria não intervir a forma linguística, ainda quando a interpretação seja veiculada pela linguagem verbal. Veiculação exigida pela situação experimental, mas não necessária para o ato de compreensão por parte do sujeita. A um adulto talvez pareça surpreendente que a criança seja capaz de passar de um a outro símbolo, sem discriminar sua tão diferente natureza. Porém, pense-se que nós adultos estamos demasiado treinados em expressar os símbolos escritos através de seus equivalentes falados. Não ocorre o mesmo com nossos sujeitos. Para eles, a escrita pareceria não ser, inicialmente, a transcrição da linguagem.

Neste contexto, voltamos a colocar a pergunta: Que papel desempenha a imagem? E agora acrescentamos: Qual é o papel do texto e que relação existe entre ambos? Nestes exemplos, é difícil decidir quando a criança faz uma referência ao texto ou à imagem. Trata-se de uma dificuldade metodológica, ou melhor, deve-se ao fato de que, para ela, texto e imagem formam uma unidade que não e necessário, nessa etapa, dissociar? Inclinamo-nos a pensar que os limites entre ambos são ainda tênues, que são representações complementares do mundo exterior.

As interpretações que as crianças fazem de nossas perguntas mostram que existem conceitualizações anteriores à leitura efetiva. Seguramente se poderia afirmar que essas crianças não leem – no sentido estrito –, porém, o que é ler, nos níveis iniciais? Se aprender a ler supõe um processo, haveria necessariamente distintos níveis nesse processo e, portanto, distintas formas de leitura. Quais são, então, as diferentes formas de "leitura" nas etapas iniciais?

Em continuação, oferecemos outros exemplos:

Fernando (4a CM)
Tem algo para ler aqui?
E aqui, tem algo para ler?
 (mostra texto)

Lâmina 3
Sim, aqui (mostra desenho).
(Diz que um menino está navegando e tem, embaixo da água, peixinhos e um animalzinho que se chama... tem um cervo que olha o menino navegando).

Diz tudo isso?
Liliana (5a CB)
Aqui, o que dirá?
Onde?
O que diz aqui?
Aqui diz Sapo (mostra a primeira linha).
E aqui? (mostra a segunda) Sapo?
Onde diz uma flor?
Aqui dizia Sapo (primeira linha)
E aqui? (segunda)

(concorda)
Lâmina 2
Para ler um sapo.[*]
(mostra a primeira linha).
Sapo

Sim, e uma flor.

Aqui (desenho).

Uma letra para ler.

---

[*]N. de T. Preferimos utilizar sapo em lugar de *rã* (do espanhol *rana)* para facilitar, mais adiante, as referências à divisão em sílabas.

Reencontramos, no caso de Fernando, um exemplo a mais da inclusão do desenho como sendo "para ler". Efetivamente, isso é o que ele faz, "lê" a partir do desenho, melhor dizendo, interpreta o desenho, atribuindo tal interpretação ao texto. O que Fernando diz é a descrição da imagem, mas a forma merece especial interesse, já que introduz seu enunciado com "diz que...". Se especulássemos um momento com esse exemplo, poderíamos encontrar semelhanças com situações nas quais as crianças pequenas ensaiam ler histórias (livros de história). O que acontece quando uma criança de 4 anos trata de ler uma história? Infere o conteúdo a partir do desenho. Suas atitudes de postura, como pega o livro, onde olha, etc., serão uma imitação do ato leitura do adulto. Mas, além disso, poderemos advertir que sua imitação não termina ali. Haverá determinada "forma" no que diz, determinadas marcas: palavras, entonação e inclusive gestos, que nos indicam que pretende "ler". Obviamente, para que isso ocorra, será necessário que, antes, ela tenha assistido a atos de leitura, que tenha tido leitores à sua disposição, que lhe tenham lido histórias. Ou seja, que tenha exemplos aos quais imitar. Claro que existem diferenças com o exemplo de Fernando, mas as semelhanças são suficientes para considerar que este é um dos primeiros indícios de referência ao texto (de forma simbólica, ao ato de leitura), ainda quando não esteja dissociado da imagem.

O exemplo de Liliana é ilustrativo de outro tipo de conceitualização. Para Liliana, assim como para Fernando, pode-se ler tanto a imagem como o texto. As oscilações mostram como, novamente, é possível passar de um ao outro para apoiar a interpretação. Ora, a função que Liliana adjudica ao texto é a de servir "para ler" o que está no desenho. Sua expressão "para ler um sapo" indica-nos que, sob seu ponto de vista, um e outro formam uma unidade com funções diferentes, mas intimamente vinculadas. O desenho pode ser interpretado, o texto serve para ler o que o desenho representa. Neste caso, como em muitos outros, a expectativa é a de que o texto corresponda ao desenho, o objeto representado em um também o está no outro. E esta é uma das formas mais simples de compreender a relação.

Aqui surgem duas interrogações: por um lado, se o texto pode ser interpretado sem a imagem; e por outro, até que ponto a escrita, que foi interpretada com a imagem, conserva a mesma significação quando está sozinha, ou inclusive acompanha uma imagem diferente. Está claro que a este nível o texto não fornece significação de uma maneira direta. Mas que, além disso, a escrita não alcançou, todavia, o grau de estabilidade e convencionalidade necessárias para poder conservar uma atribuição. É possível supor que um mesmo texto possa ser "lido" de forma diferente segundo a imagem que o acompanhe.[2] Torna-se subjacente a este problema a compreensão da escrita como um sistema arbitrário de sinais. O que é evidente é a complexidade da construção da escrita, na qual pareceriam intervir muitos outros fatores, além de uma simples relação entre significante escrito e significante sonoro.

Até aqui temos falado das semelhanças entre os exemplos de Liliana e Fernando. Mas também existem diferenças. Enquanto que no primeiro caso

Psicogênese da Língua Escrita **81**

(Fernando) o texto é entendido como servindo para *descrever* a imagem, no segundo (Liliana) é considerado como uma forma de *denominar o objeto desenhado*. Estas duas maneiras de considerar o texto passarão por uma evolução; no entanto, é fundamentalmente a última a que reencontramos com maior frequência nessa situação experimental.

Se a escrita remete a uma descrição que retoma a totalidade dos elementos da imagem, o significado se expressa pelo total da descrição. Os elementos que compõem a imagem podem ser ordenados em função do ato de interpretação do sujeito. Isto não exige precisão no relativo à ordem em que devem ser entendidos, nem por qual elemento se começa e por qual se termina. Por outro lado, se a escrita é entendida como forma de denominar o objeto (ou desenho que o representa) se estabelece um início de ordenação (certamente ainda não convencional, mas mais precisamente "motivado" pela imagem). Trata-se, como veremos, de uma correspondência, que ainda não é o estabelecimento da relação entre fragmentos gráficos por um lado e segmentações sonoras pelo outro, mas sim entre um símbolo escrito e certos objetos por outro.

Frente a esses exemplos, necessitamos reconsiderar todos os termos do problema das relações entre desenho e escrita. Qual será a linha de demarcação entre um e outra? Como são concebidas as relações? Como se concebem as características de ambos? Quais são os elementos que se colocam em correspondência? E, fundamentalmente, o que representa a escrita? Em princípio, podemos tirar algumas conclusões:

- Está claro que a escrita constitui, para esses sujeitos, um objeto substituto, de igual forma que o desenho. Porém, incluir a escrita na mesma denominação que o desenho não nos ajuda a compreender sua gênese.
- Portanto, o texto escrito sugere algo, é concebido como sendo intermediário de algo. Mas ainda resta por resolver o problema do que é que representa.

De acordo com os processos em jogo, propomos uma progressão genética que se pode definir nos seguintes termos:

1) Desenho e escrita estão indiferenciados. O texto é inteiramente "predizível "a partir da imagem. A escrita representa os mesmos elementos que o desenho. Desenho e texto constituem uma unidade indissociável.
2) Processo de diferenciação entre escrita e desenho. O texto é tratado como uma unidade, independentemente de suas características gráficas. A escrita representa ou o nome do objeto desenhado, ou uma oração associada à imagem; porém, em ambos os casos, atribui-se a interpretação ao texto como unidade.
3) Início de consideração de algumas das propriedades gráficas do texto. A escrita continua sendo "predizível" a partir da imagem.

4) Busca de uma correspondência termo a termo, entre fragmentos gráficos e segmentações sonoras.

Esta classificação das condutas trata de levar em conta todos os fatores que intervêm na "leitura com imagem". Por um lado, o processo de diferenciação entre desenho e escrita; por outro, a consideração das características gráficas e finalmente a relação entre a descontinuidade do texto e a possibilidade de segmentar o enunciado que lhe é atribuído.

1 – Indiferenciação entre desenho e texto

Os exemplos citados se encontram, obviamente, nesta categoria. Vejamos ainda mais um exemplo:

Roxana (4a CB)	*Lâmina 1*
Mostre-me onde tem o que ler.	Aqui (mostra desenho).
E aqui, o que dirá? (mostra o texto)	Um patinho.
Mostre-me.	(mostra o final do texto) um patinho.
Ou poderás dizer "o pato nada?"	Sim.
Mostre-me como diz.	O pato nada na água.
Por onde começas?	Por aqui (mostra desenho).
E aqui? (mostra texto)	Patinho nada na água.

Neste exemplo, como nos anteriormente citados, torna-se claro que o texto se prediz a partir da imagem. A predição orienta-se no sentido de uma certa relação entre símbolo escrito e objeto desenhado. Destes exemplos, vamos reter dois aspectos, que nos parecem os mais importantes. Por um lado, para todos esses sujeitos, é possível ler tanto no desenho como no texto. E, por outro lado, a maioria começa denominando o objeto desenhado, mas também aceita uma oração.

Também é interessante assinalar que os sujeitos mantêm a mesma resposta frente a diferentes estímulos. Há diferenças no texto: em alguns casos, trata-se de cursivas, em outros de imprensa; há diferenças quanto às características da imagem: umas representam um personagem estático, noutras há muitos elementos e uma sugestão de movimento. Para resumir, o típico deste tipo de conduta é supor que o texto representa aquilo que figura no desenho; em outras palavras, que o texto retém aquilo que o sujeito é capaz de separar do desenho, independentemente de suas formas diferenciais; entretanto ainda prescindindo das características do texto: descontinuidade dos traços gráficos, comprimento, etc.

2 – Diferenciação entre desenho e escrita

2a – *A escrita representa o nome do objeto desenhado*

Valeria (4a CM)	*Lâmina 1*
	Um pintinho.
Onde?	(mostra todo o texto).
Ou dirá "o pato está na água?"	Não. Pato só.
Gabriela (5a CM)	*Lâmina 4*
	Um cachorro.
O que dirá?	Cachorro.

Estes exemplos servir-nos-ão para introduzir-nos no segundo momento da gênese. A primeira diferença que encontramos entre estes e os anteriores é que aqui se começa a perceber uma diferenciação, através das respostas dos sujeitos, entre a referência a imagem e a referência ao texto. Valeria antecipa em função da imagem "um pintinho", mas ao rejeitar a sugestão do experimentador afirma: "não, pato só", no sentido de "somente pato". Ela própria, na lâmina 4, sustenta que no texto vão "os nomes". Gabriela, por sua vez, quando se refere ao desenho diz "um cachorro", mas quando se refere ao texto diz "cachorro". Qual é a diferença? Obviamente se "apagou" o artigo.

Parece-nos que a hipótese desses sujeitos nos dá uma pista para entender o processo: o texto retém somente um dos aspectos potencialmente representáveis, o nome do objeto, e deixa de lado outros elementos que possam se referir a ele. Se nos casos anteriores afirmávamos que havia uma correspondência direta entre símbolo escrito e objeto desenhado, essa correspondência se mantém. Porém, a novidade reside em que o texto se relaciona com o *nome* do objeto e não com o objeto (desenho) em si mesmo.

Qual o significado do "apagado" do artigo? É uma resposta particular a essa situação, ou será que constitui uma interpretação constante que a esse nível é aplicada a uma ampla série de estímulos? A criança espera encontrar o nome do objeto representado, qualquer que seja a realidade da anotação gráfica. Como temos visto, este tipo de conduta aparece também na situação "leitura de palavra".

O sinal gráfico também recebe a atribuição do nome da imagem, é um sinal-nome. Figura e texto estão ligados à enunciação do nome, consequentemente, o texto é tratado como se fosse uma unidade, sem levar em conta as propriedades particulares desse texto que o diferenciam de outro. O desenho é reconhecido graças à relação entre suas partes, mas a identificação verbal corresponde ao nome do todo e não de suas partes (um pato, por exemplo, tem cabeça, corpo, patas, mas em sua totalidade, *é um pato*). Mas como é a partir da identificação global da imagem que se decide a significação do texto, este é tratado como um todo impossível de ser decomposto, o nome é atribuído – consequentemente – a todo o

84 Ferreiro & Teberosky

texto e "lido" globalmente sem atender às particularidades da anotação gráfica (descontinuidade, comprimento, tipo de caracteres, etc.).

Ainda que as condutas que apresentamos agrupadas nesta etapa estejam bastante próximas das anteriores (ambas mostram uma dependência do texto com relação à imagem), já comportam um progresso no sentido de uma maior diferenciação: o nome não se confunde com o desenho. O "apagado" sistemático do artigo – explícito em muitos dos exemplos citados – parece-nos constituir a primeira indicação de que a escrita começa a diferenciar-se da imagem: o que se escreve são os nomes, a etiqueta verbal que corresponde ao objeto.

As respostas das crianças que mostraremos na continuação não são nada mais que o resultado de levar essa hipótese até as últimas consequências: cada imagem sugere um nome, cada nome será atribuído ao texto à margem de suas características gráficas.

Romina (4a CM, a quem já citamos)
Para a Lâmina 1 diz "pato", para a lâmina 2 responde: "sapo... não sei, é uma rã", para a lâmina 3: "peixinho" e para a lâmina 4: "cachorro" (rejeitando, nesta última lâmina, a proposta de uma oração e afirmando novamente que diz "cachorro").

Carolina (5a CM)
Responde: "patinho", "sapo", "barco", "cachorro", para cada uma das lâminas. Quando pergunta-se a ela "como te deste conta que diz sapo?" responde: "porque tem um sapo".

Sandro (6a CB)
Responde: "pato", "rã" (mostrando as duas linhas), "barco", "cachorro", dando, assim, um nome a cada lâmina.

Juan Pablo (6a CM)
Também diz: "pato", "sapo", "barco", "cachorro". Quando se pergunta: "como te deste conta que aqui diz pato?", afirma: "porque aqui tem um pato".

Seria inútil mostrar mais exemplos: é um tipo de respostas que se apresenta em diferentes idades e nos dois grupos sociais estudados. Carolina, tal qual Juan Pablo, justifica a enunciação do nome pela presença do exemplar na imagem: "porque aqui tem um sapo". É interessante fazer duas observações: os sujeitos deste nível rejeitam as propostas de oração, reiterando a hipótese de que somente os nomes estão escritos, enquanto que, na etapa anterior, essa mesma sugestão era aceita sem objeções. Em segundo lugar, as respostas são justificados pela presença do objeto desenhado; em níveis posteriores, como veremos, a simples presença do desenho não é suficiente para antecipar o texto.

Para tais crianças, as diferenças existentes entre os distintos tipos de anotações gráficas, as próprias propriedades do texto, não são relevantes. Isto é, não são estímulos "assimiláveis" ou "interpretáveis"; ao contrário, todas as situações são tratadas de forma igual. O texto, como já dissemos, é visto como uma unidade à qual se atribui outra unidade: o nome, unidade de significado.

2b – A escrita representa uma oração associada à imagem

Nos exemplos que veremos em continuação, parte-se da oração. Ela constitui, como o nome, um todo. Como no caso do nome, a oração é atribuída a todo o texto, com total independência das propriedades deste.

Favio (5a CB)
O que diz?
Onde?

Lâmina 1
O pato anda passeando pela água (mostra todo o texto).
Lâmina 3
O menino anda no bote.

Onde?

(mostra todo a texto).
Lâmina 4

E aqui?
Dirá cachorro?
Onde diz?

Não sei.
Não, diz o cachorro está correndo.
(mostra todo o texto).

Erik (5a CB)

Lâmina 3
Pela água andam os peixes

Onde?

(mostra todo o texto).

Mariano (6a CM)
O que diz?

Lâmina 3
O menino está no barco (mostra todo o texto).

Nestes três exemplos citados, a oração é localizada em todo o texto. Mas além disso, e isso nos parece importante, a emissão vocal se faz de uma vez, sem cortes. Estes dois fatos mostram que o mecanismo posto em jogo pelos sujeitos é semelhante ao dos casos de um só nome. A criança realiza o estabelecimento de uma correspondência global entre a emissão, que a imagem sugere, e o texto. Unidade léxica, nos exemplos precedentes, unidade sintática, no caso das orações, são nada mais que diferentes pontos de partida.[3]

Entre o conceito de que somente um nome está escrito e aquele que supõe que o escrito é uma oração, existem variantes intermediárias, oscilantes entre um e outro tipo de resposta. Consistem na enunciação do nome do personagem desenhado, sem artigo, mais a soma de um "complemento" a esse nome, o que resulta, na maioria dos casos, uma oração completa, mas agramatical, pela falta do artigo no sujeito da oração. Além de "apagar" o artigo, alguns dos sujeitos fazem uma pausa entre o primeiro nome enunciado e o complemento que logo se acrescenta. Com respeito à localização no texto, esta é incerta: ou mostram todo o texto, ou alguma parte de maneira vaga e incerta. Temos aqui mais alguns exemplos:

Mariana (4a CM)
E aqui? O que diz?
Onde?

Lâmina 3
Menino está remando.
(mostra todo o texto da direita para a esquerda).

86 Ferreiro & Teberosky

Machí (5a CM)	*Lâmina 4*
	Cachorro correndo.
Onde diz?	(mostra todo o texto, da esquerda para a direita, de maneira vaga, sem precisão).
Cynthia (5a CM)	*Lâmina 3*
E aqui, o que diz?	Menino pescando.
Carolina (5a CM)	*Lâmina 3*
	Menino... com um veleiro para a praia... para a selva.
Como era? Menino...	Levando um barco para a selva.
Pablo (5a CM)	*Lâmina 1*
	Pato.
Onde?	(mostra todo o texto).
Ou dirá "o pato está na água?"	Patinho, está na água (mostra todo o texto).
	Lâmina 3
	Menino está no bote (mostra todo).
	Lâmina 4
	Cachorro saiu a passear (mostra todo).

As respostas mostram uma clara vacilação entre duas hipóteses: a do "nome" conserva o "apagar" do artigo; da hipótese de oração, o fato de que o nome não é suficiente. Por dar conta de ambas, ficam na metade do "caminho". É como se inicialmente se referissem a uma – daí o nome sem artigo – mas imediatamente devem completar seu enunciado em função da outra hipótese possível. Talvez também este completamente deva-se à consideração do comprimento do texto. Estes mesmos sujeitos, na situação "leitura de palavra" acompanhada de imagem, nunca davam orações. Por que a dão, nestes casos? Se a imagem fosse o que define, teríamos de encontrar diferenças nas respostas em relação com a diferença entre imagens estáticas (1 e 2) e imagens que sugerem ação (3 e 4). Se bem que se apresentam com maior frequência na lâmina 3, aparecem também na lâmina 1 e na 4.

O exemplo de Pablo é muito interessante, porque começa propondo o nome do objeto; porém, logo aceita a sugestão do experimentador, reformulando-a nos termos da sua própria hipótese: "apaga" o artigo, fazendo com que o enunciado final seja compatível com as duas hipóteses, com o nome e a oração. Tínhamos visto que os casos representativos do nível "somente está escrito o nome do objeto representado" rejeitam a proposta de oração. Nestes casos, em troca, a aceitam integrando uma e outra. O fato de assinalar todo o texto sem precisão ou sem a indicação em particular de alguma parte do texto gráfico indica também que, da mesma forma que nas categorias precedentes; trata-se de uma unidade concebida na sua totalidade e atribuída globalmente.

Carolina é também um exemplo interessante. Nas lâminas 1 e 4, responde com o nome do objeto desenhado; na lâmina 2, dá dois nomes, um para cada linha; na 3, diz nome mais complemento. Este caso nos introduz já na problemática do nível seguinte. A que podem ser atribuídas as diferenças em suas respostas? O que temos visto em todos os exemplos citados é a dificuldade de considerar o texto em suas partes constitutivas. Carolina mostra, por sua vez, um início de estimação das propriedades do texto. Enquanto houver um só elemento no desenho e uma só linha no texto (como nas lâminas 1 e 4), não haverá problemas. Porém, quando aparecem mais fragmentos (em termos de linhas como na lâmina 2, ou de pedaços, além de elementos nomeáveis no desenho, como na lâmina 3), torna-se necessária uma diferenciação.

3 – Início da consideração das propriedades gráficas do texto

Esta categoria de respostas é, sem dúvida, a mais original de todas. Nas anteriores, conforme vimos, a descontinuidade do texto não impunha, por si só, a segmentação do enunciado. Todas as situações eram tratadas de igual forma. Entretanto, as propriedades até agora negadas passam a ser estimadas posteriormente. Como se concebem, então, as diferenças gráficas do texto? A primeira característica retida é a presença de duas linhas na anotação gráfica de "o sapinho saiu a passear" (lâmina 2). A outra é a quantidade de fragmentos de uma linha, a condição de que haja muitos elementos nomeáveis na imagem (como no caso da lâmina 3).

É necessário esclarecer que, em nível da *conceitualização da escrita,* as hipóteses dos sujeitos que pertencem a essa terceira categoria são as mesmas que as anteriores. Com efeito, a escrita representa ou o nome do objeto desenhado, ou uma oração associada à imagem. O que a diferencia da segunda categoria de respostas é, basicamente, a consideração das propriedades gráficas do texto. Há, então, continuidade em nível da conceitualização, mas diferença em nível da consideração das propriedades formais do texto. Portanto, manteremos a classificação anterior: em primeiro lugar, trataremos dos exemplos de "nome" e, em segundo, os exemplos de "oração".

3a – A escrita representa os nomes dos objetos desenhados

Ocuparemo-nos, em primeira instância, da consideração de uma das características retidas: presença de duas linhas no texto.

Como conciliar a hipótese "um nome" com a apreciação quantitativa de duas linhas? Vejamos as tentativas de solução:

Sandro (6 CB)

Lâmina 2
Sapo (mostra a primeira linha).
Sapo (mostra a segunda linha).
Sapo (sem mostrar).

María (6a CB)	Saapooo – (mostra a primeira linha,
Onde?	alongando a emissão de voz).
	Sapo (mostra a segunda, emissão breve).
María Eugenia (4a CM)	Diz:
	Sã- (mostra primeira linha).
	– po (mostra a segunda).
Jorge Luis (4a CM)	responde:
	Tem um sapo e não sei.
O que poderá dizer?	Sapo (mostra a primeira linha).
	Sapo pequeninho (mostra a
	segunda linha).
Carolina (5a CM)	diz:
	Sapo (mostra a primeira linha).
E aqui? (segunda)	Não sei, porque não sei o que é
	(referindo-se ao desenho).
Gladys (6a CB)	responde:
	Sapo (mostra a primeira linha).
	Flores (mostra a segunda linha).

Estes seis exemplos são muito ilustrativos, tanto do ponto de vista da confirmação da suposição "nome" do objeto como das soluções oferecidas ao problema de maior quantidade de linhas. Com efeito, se o nome se atribui ao texto, localizando-o na primeira linha, "sobra" a segunda.

Para Sandro, María, María Eugenia e Jorge Luis, há um mesmo nome escrito, ainda que haja duas linhas; por sua vez, para Carolina e Gladys, a solução é de outro tipo: havendo duas linhas, supõe-se dois nomes. Porém, se bem que Gladys possa solucionar o conflito, Carolina não encontra na imagem nada mais para nomear. Vejamos em detalhe cada um dos exemplos: Sandro repete o mesmo para uma e outra linha, fazendo corresponder duas vezes a mesma atribuição para ter em conta a organização espacial do texto. María, por sua vez, que considera o comprimento espacial das linhas, a transforma em alongamento da emissão para a superior e encurtamento para a inferior. María Eugenia também produz uma diferenciação fônica; porém, esta vez, através de uma segmentação silábica (e já veremos quão importante é o recurso da segmentação). É particularmente interessante a solução que oferece Jorge Luis. Ele também outorga a mesma interpretação para as duas linhas, mas diferenciando-a em função de uma das características do texto; como se acreditasse que estivesse na direta relação com o que representa: comprimento com tamanho na imagem (fato, por outro lado, coerente com a suposição de que algumas das qualidades do referente apareçam no texto). Este último exemplo une-se com as propostas de Carolina e Gladys: ambas creem que cada uma das linhas representa distintos elementos da imagem.

Vemos que a descontinuidade das linhas se fez evidente: para cada linha, uma resposta. Porém, a natureza das respostas varia: para uns, duas repetições sucessivas do mesmo nome (todavia, não há uma clara concepção da necessária conservação dos caracteres gráficos para um significado idêntico); para outros, diferenciação fonética que não afeta o significado; para o restante dos nomes, um para cada linha. Apesar de que os sujeitos desta etapa não levam em conta a quantidade de unidades menores do texto, já podem considerar as unidades maiores – quantidade de linhas. É evidente que estas respostas representam um progresso com respeito às precedentes, nas quais aparecia claramente que os sujeitos atribuíam um só significado para todos os casos, a custo de negar as diferenças. As crianças que acabamos de citar enfrentam o conflito entre a unidade de significado e a diversidade das linhas. Como conciliar ambos? Justamente é por falta de coordenação entre a unidade de significado e a descontinuidade na notação gráfica que nossos sujeitos oscilam entre dar conta de uma ou de outra, mas não colocam as duas ao mesmo tempo. Ou bem se conserva o significado (modificando certas características da emissão, que não o afetam), ou bem se introduzem novos significados atendendo à descontinuidade gráfica. O resultado, como acabamos de ver, produz ou transformações sonoras de uma mesma palavra, ou nomes justapostos.

Torna-se claro que a diversidade gráfica aparece como perturbadora no que que diz respeito às hipóteses de "nome do objeto desenhado". As respostas das crianças não são mais do que ensaios de superação do conflito, ensaios que não podem chegar a uma solução estável. Para conservar a unidade significativa, seria necessário integrar os nomes justapostos em unidades maiores (isto é, enlaçá-los em unidades temáticas); para transformar a descontinuidade gráfica em descontinuidade sonora, é necessário apelar para algum tipo de segmentação (María Eugenia é o primeiro exemplo deste tipo que encontramos).

Vejamos agora as respostas frente à presença de muitos elementos desenhados. Esta é uma situação privilegiada, na qual os sujeitos deste nível podem levar em conta as fragmentações do texto dentro de uma mesma linha. A hipótese "nome do objeto desenhado" se mantém; porém, a novidade consiste em atribuir tantos nomes a cada um dos fragmentos do texto quantos elementos possam ser isolados na imagem. Este esforço de estabelecimento da correspondência entre fragmentos gráficos e nomes de objetos desenhados provoca, muitas vezes, respostas, à primeira vista, surpreendentes.

Vejamos dois exemplos:

Leonardo (5a CB)

Lâmina 3
Peixe, barco, menino (mostra da direita para a esquerda, sem precisar).

Onde? Vamos ver...

Peixe (mostra o *rio*), bar-co (mostra *no*) e menino (mostra *rema*) ... e... árvore (mostra *Raúl*).

Ou dirá "O menino rema no rio?"

Menino rema no rio (mostra da direita para a esquerda *rio no*), peixe (mostra *rema*) e árvore (mostra Raúl)

90 Ferreiro & Teberosky

Valeria (4a CB)	*Lâmina 3* Peixe.
Onde?	(mostra *Raúl*).
E aqui? (*rema*)	Água.
Algo mais?	Sim, peixe (mostra *em*), menino (mostra o, *barco (mostra *rio*).
Ou dirá "o menino rema no rio?"	Não.
O que diz?	Água (em *Raúl*), peixe (em *rema*), menino (em *em*), barco (em o), árvore (em *rio*).

Quando caracterizamos esta etapa como "consideração das características do texto", referíamo-nos a *algumas características*. Quais são as mais relevantes? Tanto na lâmina 2 como na 3, existe uma estimativa quantitativa do texto. No primeiro caso, em termos de linhas, e no segundo, em termos de pedaços. Nos dois exemplos citados, os sujeitos buscam na imagem, na proximidade espacial do texto – e já veremos que esse fator de proximidade desempenha um papel importante – os elementos nomeáveis. Detêm a busca quando termina o texto. Quer dizer que há uma consideração das propriedades gráficas enquanto quantidade de fragmentos. Valeria, por exemplo, nomeia tantos objetos quantos pedaços encontrar no texto. Leonardo oferece-nos outro caso de silabação, como María Eugenia, antes citada; porém, mais interessante, porque cria sílabas quando tem dois fragmentos demasiado pequenos que junta do ponto de vista da significação e separa do ponto de vista da emissão. Evidentemente, é necessário que na imagem haja elementos nomeáveis. Porém, quando os sujeitos fazem uma estimativa quantitativa dos pedaços gráficos, ainda que sem esses elementos na imagem, encontram soluções pertinentes. Vejamos o que fazem estas mesmas crianças diante da lâmina 2:

Leonardo O que diz?	Sapo (mostra sapinho).
E aqui? (mostra-se o resto)	Flores.
Vamos ver.	Flores (mostra *a*), sapo (mostra *sapinho*), f lores (mostra *saiu*), flores (mostra *de*), sapo (mostra *passeio*).
Valeria	Sapo
Onde?	(mostra o).
E aqui? (em *sapinho*)	Flor.
E aqui? (*saiu*)	Outra flor.
E aqui? (segunda linha)	Estas flores (mostra as flores da imagem que ainda não havia considerado).

---

*N. de T. No espanhol, não existe a contração "no" (em + o), que corresponde a *en el*. Mantivemos desdobrado porque a criança utiliza-se das duas notações gráficas.

Estas são considerações típicas do conflito entre as hipóteses do sujeito e a realidade das anotações gráficas. Neste nível, a criança já é capaz de levar em conta algumas propriedades do texto. Entretanto, as diferenças gráficas entre os fragmentos são ainda ignoradas; em consequência, o mesmo nome pode estar localizado em distintos lugares, e diferentes caracteres gráficos podem receber a mesma atribuição.

Voltando à situação da lâmina 3, o momento mais interessante nessa etapa é quando o sujeito, tentando dar conta da multiplicidade do desenho, começa a perceber as fragmentações do texto. A partir do momento em que se tenta fazer corresponder um nome a cada fragmento, surge um problema novo: Qual nome para qual fragmento? Nas respostas até agora citadas, esse problema se resolve de acordo com a ordem de enunciação. Porém, há casos de utilização da posição da imagem, localizando cada nome debaixo do desenho correspondente.

Aqui estão alguns exemplos:

José (4a CB)	*Lâmina 3*
	Bote (mostra *no rio*).
E aqui? (resto)	Árvore. Bote... árvore (mostra o texto
	da direita para a esquerda).
Atilio (5 a CB)	*Lâmina 3*
	Peixinho (mostra *Raúl*).
	Menino (mostra *rio*).
Algo mais?	Lancha e sol (mostra o centro do texto).

Os dois sujeitos colocam as atribuições na parte do texto mais próxima, espacialmente ao desenho. José trabalha da direita para a esquerda, antecipando os nomes para um texto que oferece cinco fragmentos. A solução, para ele, consiste em juntar os três pedaços menores e os dois maiores, resultando um partir ao meio equitativo entre suas duas metades. Atllio utiliza a ordem espacial com respeito à imagem, tratando de colocar a atribuição no texto exatamente debaixo do desenho; o resultado não é linear. Ele antecipa quatro nomes para cinco fragmentos, finalizando por localizar um dos nomes nos dois pedaços menores (*en el*). (Agrupar os fragmentos menores, como se se tratasse de um só, é um recurso que Leonardo também usa.)

Para resumir, o que caracteriza essa etapa é que se atribuem ao texto vários nomes, mas levando em conta certas características gráficas. A hipótese "nome do objeto" não se abandona, mas sim se acomoda à realidade da fragmentação. Haverá tantos nomes quanto partes do texto. O resultado é uma justaposição de elementos da mesma categoria: neste caso, nomes justapostos. Se bem que o texto tenha se diferenciado da imagem, continua sendo em certa medida tributário dela. O que se supõe, representado na escrita, são os nomes, mas os nomes dos objetos desenhados e não outros. Além disso, somente os nomes; fica excluído qualquer outro tipo de enunciado. Já vimos muitos exemplos de repúdio de ora-

92 Ferreiro & Teberosky

ções. Leonardo, apesar de não rejeitar a oração, retorna ao sistema de nomes justapostos. Ler, para os sujeitos de qualquer dessas etapas, significa colocar em correspondência dois sistemas, diferentes um do outro, ainda que com relações muito estreitas. Inicialmente, a correspondência é uma comparação global entre desenho e escrita, sem levar em conta as particularidades do texto. Posteriormente, estas começam a aparecer, e já uma comparação global não é suficiente. A linguagem intervém como intermediária entre um sistema e outro, mas não como elemento independente. A escrita representa os nomes dos objetos desenhados. Os nomes, por certo, fazem parte da linguagem, mas não pelo fato de que a criança suponha ser a *escrita* uma escrita de nomes, o que podemos concluir que concebe a mesma como representação da linguagem.

A melhor correspondência possível a este nível se reduz a uma relação quantitativa entre "unidades" diretamente perceptíveis: os pedaços gráficos com os elementos da imagem através de seus nomes. Vejamos, o texto possui uma ordem linear. As partes estão ordenadas. Qual é a significação dessa ordem e como descobri-la? Nesta etapa, a ordem linear do texto pode ser posta em correspondência com a imagem sob a condição de que os elementos desenhados se prestem a um ordenamento linear. Esta solução é a que encontram Valeria e Leonardo, a de "ordenar" os desenhos segundo a ordem do texto. (Mesmo quando a orientação convencional da escrita ainda não esteja adquirida.)

3b – A escrita representa orações associadas à imagem

Que tipo de solução podem oferecer à realidade da fragmentação as crianças que partem de uma oração? Vejamos as possibilidades:

Favio (5a CB)

Lâmina 2
A rã está passeando (mostra segunda linha).
A rã está olhando a flor (mostra primeira linha).
Esta (mostra segunda linha) tem que ser igual no comprimento a esta (mostra primeira linha, referindo-se, evidentemente, à diferença de comprimento entre as linhas).

Gustavo (5a CM)

Lâmina 3
Aqui diz "o menino rema e os peixinhos andam pela água".

Tudo junto, como era?

O menino rema. . (mostra *no rio*) o botezinho... não, os peixinhos estão embaixo da água (mostra o resto do texto).

Estas respostas são tão interessantes como as anteriores e sugerem processos semelhantes. Está claro que as diferenças podem ser explicadas em função da unidade que se elege como ponto de partida. Quando se começa atribuindo "nomes", os fragmentos gráficos recebem tantas unidades-nomes quantas sejam necessárias. Por outro lado, partindo-se de uma unidade-oração, enunciam-se duas orações, fazendo uma localização sucessiva das mesmas nas duas linhas do texto (Favio) ou bem se divide o texto em dois, fazendo corresponder uma oração a cada parte (Gustavo). Em ambos os casos, os dois sujeitos tendem a manter a integridade da unidade eleita. O exemplo de Favio, por outro lado, é curioso, porque, ao atribuir duas orações – unidades do mesmo valor – exige igualdade no comprimento das linhas. É evidente, portanto, que esta diferença no comprimento "atrapalha" a sua hipótese de igualdade na atribuição.

É lícito novamente se perguntar: desenho e escrita estão diferenciados? Sim e não. Sim, pensando em que suas formas não se confundem. Quando a essas crianças se pergunta "onde tem algo para ler?", todas são capazes, sem equívocos, de mostrar o texto, podendo, além disso, diferenciar um "ato de ler" de um "ato de olhar". Entretanto, a relação entre desenho e escrita é concebida de maneira tão direta que se esperam ver representados os mesmos elementos num e noutro sistema de simbolização. Mas tanto o desenho como a escrita apelam para um componente interpretativo. Supõem os sujeitos que a interpretação que se faz sobre o desenho possa ser atribuída totalmente ao texto? Os fatos nos levam a sustentar a hipótese anunciada anteriormente: trata-se, do ponto de vista da criança, de dois níveis distintos, um é o da realidade efetiva do que está desenhado e outro, o que sugere o desenho; uma coisa é o que aparece e outra o que "quer dizer". Consequentemente, o texto poderia chegar a ser considerado em seus dois aspectos: o que está escrito e o que pode ser interpretado a partir do escrito. Os dados que exporemos em Capítulos posteriores abonam esta hipótese, assim como os novos exemplos provenientes da situação que estamos analisando.

3c – Diferenciação entre "o que está escrito" e "o que se pode ler"

Nós adultos entendemos que tudo o que dizemos quando lemos está escrito. Porém, até que ponto essa suposição é compartilhada pelas crianças? É de notar que as respostas deste nível se parecem às anteriores (localizadas principalmente, na 1ª parte), porém, a novidade reside em que localizam no texto somente os nomes e logo procedem a uma leitura que inclui esses nomes como elementos integrantes de uma oração. Existem duas variantes desse tipo de respostas:

- o sujeito parte de um ou dois nomes que localiza no texto e logo lê uma oração.
- O sujeito antecipa uma oração, mas localiza no texto somente um ou dois nomes.

94 Ferreiro & Teberosky

Este novo tipo de respostas resulta sumamente instrutivo. Elas se localizam entre as hipóteses nítidas de que somente o nome está escrito e as respostas que oferecem orações. Nem nossa técnica, nem os estímulos apresentados variaram no nível mínimo e, no entanto, as crianças entendem de forma distinta a pergunta "aqui, o que diz?". Passemos aos exemplos:

Roxana (5a CB)
O que diz aqui?

Lâmina 2
Sa- (mostra segunda linha)
– po (mostra primeira linha, excluindo um pedaço da segunda linha, *saiu,* porque lhe incomoda a diferença de comprimento).

(mostra o pedaço que havia excluído, *saiu*) E aqui?
Diz sapo-flor?
Vamos ver.

Flor.
Não. Diz: o sapo está com as flores.
Saapo (mostra segunda e primeira linha, sempre excluindo um pedaço)
Floore (s) – (mostrei *saiu*).

Não me disseste que dizia "o sapo está com as flores?"
Erik (5a CB)
O que diz aqui?
Onde?
Como te deste conta?
Então, onde diz pato?

O que diz?

sim.
Lâmina 1
Pato.
(mostra todo o texto).
Porque o pato está nadando.
Aqui (mostra *nada*) e aqui nágua (mostra *o pato*).
Pato está na água.
O pato esta metido na água.

Diego (6a CM)
E aqui?

Lâmina 1
O pato, o pato se vai por um arroio.
Aqui (mostra *pato*) diz pato.

E aqui? (mostra *nada*)
Então, tudo junto?

Arroio.
O pato cai no arroio.

Escolhemos somente alguns exemplos para não cansar o leitor, mas esse tipo de reações é bastante frequente entre as crianças. Uma coisa é o que figura escrito; outra, o que se pode ler a partir do escrito. Pode-se começar antecipando o nome, como é o caso de Erik e logo, em função de uma justificativa pela imagem, localizar o segundo nome; mas, segundo ele, o que se pode ler é uma oração. Observe-se que, nos dois últimos exemplos citados, as crianças oferecem distintas versões de leituras finais. Erik diz primeiro "o pato está na água" e depois "o pato está metido na água". Diego primeiro diz "o pato se vai por um arroio" e logo "o pato cai no arroio". Este tipo de respostas mostra uma nova

Psicogênese da Língua Escrita **95**

maneira de diferenciação: por um lado o que o texto diz e por outro o que se pode interpretar, dando esta última resultados variáveis. Dito de outra forma, a escrita representa os nomes, mas não a relação entre eles; com esses nomes, o sujeito lê uma oração, colocando a relação como componente interpretativo, a qual não necessariamente aparece escrita.

4 – A busca de uma correspondência termo a termo, entre fragmentos gráficos e segmentações sonoras

O passo decisivo que conduz a uma concepção distinta da escrita é, evidentemente, a possibilidade de efetuar um "recorte" no enunciado que corresponda à fragmentação gráfica. Temos insistido previamente sobre a importância de localizar-se no tipo de unidade linguística da qual a criança parte. O "recorte" dará diferentes resultados conforme se parta da palavra ou da oração. Seguindo a ordem que já tínhamos estabelecido, comecemos por analisar as respostas das crianças que atribuem nomes à escrita. Antes de entrar na análise dos fatos, é necessário advertir que a hipótese silábica do sujeito se relaciona primariamente com a sua concepção da escrita, mais que com a realidade da notação. Dizer que a criança nesta etapa pode decompor um nome em sílabas não significa que atribua uma representação convencional e estável a cada sílaba. Não importa qual seja o detalhe da notação, senão o mecanismo que põe em jogo.

4a – Correspondência entre segmentos silábicos do nome e fragmentos gráficos

Segmentar o nome em seus elementos formadores leva a totalidade dos sujeitos examinados a uma divisão em sílabas. O método utilizado consiste em fazer corresponder uma sílaba a cada fragmento escrito. Este método de estabelecimento da correspondência continuará evoluindo na direção do estabelecimento de regras que impliquem restrições, ordem, etc. Mas, além d isso, a silabação tem antecessores em condutas que correspondem a níveis anteriores ao que estamos analisando. Apresentaremos o detalhe da história da silabação para compreender o sentido de sua evolução.

Vejamos os primeiros casos de recorte silábico que caracterizaremos como silabação sem correspondência.

Marisela (4a CM)   *Lâmina 2*
O que diz?   O sapinho.
Vamos ver, como?   O sa-pi-nho.
José (4a CB)   *Lâmina 2*
                        Flo-re (s)
Onde?   (mostra *saiu*).

Ximena (4a CM)

Onde?

Lâmina 4[*]
ca-rro[**]
(mostra todo o texto).

O comum, nestes três exemplos, é o recurso da silabação, mas sem correspondência com os fragmentos gráficos. Estas reações são consideradas mais como índices de um "ato de leitura" do que como tentativas de leitura efetiva, correspondendo aos níveis iniciais. O que a criança faz é produzir um enunciado diferente do que poderia produzir numa situação de fala natural. É um dos modos de referência à leitura como tal; a silabação sem correspondência fica como uma simples "imitação" da forma do "ato de leitura", independentemente das características objetivas do texto. A prova de que a silabação não é um instrumento de interpretação dos fragmentos gráficos é o fato de separar a emissão do assinalamento. Com efeito, quando lhes é perguntado "onde", as crianças mostram o texto, mas sem repetir a emissão simultaneamente com o assinalamento. Ximena diz "ca-chor-ro" e logo indica todo o texto sem falar. José faz o mesmo. Para esses sujeitos, a forma em sílabas da emissão não é o resultado de um relacionar-se com as qualidades objetivas do texto. São duas ações diferentes: uma, "ler" o texto globalmente – ainda que esta leitura seja silabada – e outra, indicar a localização do que se leu. Dito de outra maneira, a silabação não é ainda um instrumento de compreensão da escrita; para que chegue a sê-lo, é necessário passar da correspondência global à correspondência termo a termo. O começo do colocar em correspondência entre sílabas e texto se caracteriza por uma silabação com correspondência para os extremos do texto (inicial e final).

Javier (4a CB)

E aqui? (segunda linha)
Tu dizes sa ... po?
E aqui?

Rosario (5a CB)
O que diz?

Lâmina 2
Sa... po (mostra a primeira linha, enquanto percorre com o dedo da esquerda à direita, fazendo coincidir a primeira sílaba com o pedaço à esquerda e a última com o da direita).
(Não responde).
Não, sapo.
Sa...po (repete procedimento anterior).
Lâmina 3
Barco, bar ... co (fazendo coincidir a emissão com o ato de assinalar da esquerda para a direita).

---

[*]N. de T. Refere-se a imagens de um cachorro, termo substituído aqui por *carro*.

[**]N. de T. Substituímos a palavra *perro* do original espanhol por *carro* porque a sua tradução para o português: cachorro nos levaria a uma palavra trissílaba, cuja divisão silábica é mais complexa (cachor-ro). O mesmo nos exemplos posteriores com a palavra *perro*.

Psicogênese da Língua Escrita **97**

Vamos ver.	Baarcooo (enquanto percorre com o dedo o texto, faz durar sua emissão).
Walter (5a CB)	*Lâmina 1*
	Pato.
Vamos ver.	Paaátoó (silabação, mas sem cortes muito marcados, procede a assinalar o texto).

Estes três casos se diferenciam dos precedentes em que ao ato de assinalar se faz corresponder simultaneamente a emissão verbal, alongando a duração da palavra até coincidir com os extremos espaciais do texto. Não obstante, é interessante notar que não existe ainda uma relação entre pedaços gráficos e segmentos sonoros, exceto para os extremos. Colocam-se em correspondência os limites do texto com os limites da emissão, ficando ainda por resolver as correspondências internas a esses limites. Resultado disso é que a segmentação da palavra não é de tipo uniforme, senão sílabas alongados ou encurtadas, em função das necessidades de coincidência com o ato de assinalar.

Duas questões surgem a propósito dos cortes gráficos: a possibilidade de efetuar um "recorte" no enunciado e a consideração da quantidade de partes. A silabação é um dos métodos para recortar a emissão, mas ainda sem relação com as partes do texto.

Os exemplos que apresentamos a seguir correspondem já ao nível 4 e mostram as soluções para ambos os problemas: recorte e correspondência com todas as partes. Inclusive quando existem diferenças entre quantidade de pedaços gráficos e recortes silábicos, dois recursos são possíveis: seja repetir algum segmento da emissão, seja assinalar – agrupados – fragmentos gráficos de modo que os façam coincidir com os recortes silábicos. Acomodar a emissão ao texto ou acomodar o texto à emissão são as duas faces de uma mesma tentativa: superar o conflito que representa a diferença quantitativa entre os termos a relacionar.

Martín (5a CM)	*Lâmina 3*
O que diz aqui?	Pei-xes. (em espanhol *pes-ca-dos*)
Onde?	*Pes-* (mostra *Raúl rema*) ca- (mostra *no*) em espanhol *en el,*) -dos (mostra rio).
	Lâmina 2
O que diz?	Sapo.
Vamos ver...	Sa-sa-po (fazendo correspondência com os três pedaços da primeira linha).

Este exemplo é muito ilustrativo de como numa mesma criança podem acontecer os dois tipo de respostas. A solução encontrada por Martín para cobrir as três partes de *o sapinho saiu* é muito frequente. Uma variante consiste em repetir a vogal quando o nome atribuído ao texto tem somente duas partes (por exemplo, pa-a-to ou ca-arro).

98 Ferreiro & Teberosky

Dentro dessa categoria, também consideraremos aquelas crianças que, respeitando as propriedades do texto, levam ainda em conta o comprimento as partes que o compõem. Com efeito, para elas, todas as partes do texto não têm o mesmo valor, mas se estabelecem restrições referentes aos fragmentos de escrita de somente duas letras, considerados como demasiado pequenos (não têm número suficiente de letras e, portanto, não são considerados como sendo "para ler"). Ou esses fragmentos não recebem atribuição específica, ou são acoplados à unidade maior que lhes sucede. Assim, por exemplo, María Paula (4a CM) diz, para a lâmina 1: "pa-to" (localizando a primeira sílaba em *o pato* e a segunda em *nada*). Rosario (5a CB), citada anteriormente como um exemplo de coincidência para os extremos, diz: "pa...to", e quando lhe é solicitada a localização no texto, mostra somente os fragmentos maiores (*pato e nada*), deixando de lado o fragmento menor (*o*).

Todos esses exemplos mostram claramente a possibilidade de as crianças efetuarem uma segmentação no enunciado que dê conta da fragmentação gráfica. Todavia, a consideração dos pedaços gráficos em termos quantitativos aparecia também em condutas do tipo 3, fundamentalmente do tipo 3a (nomes justapostos). Qual é a diferença entre os dois tipos de condutas? De acordo com o que pensamos, a diferença reside em que, ao efetuar um "recorte silábico", os pedaços do texto são considerados como parte de uma unidade significativa (por exemplo Martín) e não como unidades descontínuas isoláveis em si mesmas (por exemplo Leonardo ou Valeria, do nível 3a). O recurso silábico mostra o começo de equilíbrio entre integridade significativa e a descontinuidade gráfica.

4b – Correspondência entre segmentos da oração e fragmentos gráficos

Passemos agora a analisar as respostas que atribuem ao texto uma oração. O problema da segmentação do enunciado e a necessidade de correspondência subsistem e, desta vez, no que diz respeito à oração.

As respostas obtidas podem ser classificadas da seguinte maneira:

*   *Localização do nome e logo de toda a oração:* a segmentação a que chegam algumas crianças consiste em localizar o nome, por um lado, e a oração completa, de forma separada, pelo outro. O curioso desse tipo de respostas é o fato de conceber, simultaneamente, as duas formas de conceitualização. É evidente, analisando esses exemplos, que o nome e a oração são tratados como duas unidades.

Rosário (5a CB), para a lâmina 2, responde:

...	Sa-pi-nho.
Onde?	(mostra a primeira linha).
(mostra-se a segunda linha) E aqui?	O sapinho pula.

Vamos ver...	Sa-pi-nho (fazendo correspondência com os três fragmentos da primeira linha).
E pula?	...
Gustavo (5a CM), para a lâmina 4, responde:	
	Car-ro ... (mostra CORRE). Aqui não sei (mostra O CA RRO). Aqui carro (mostra CORRE) e aqui, o carro que corre (mostra O CARRO).

Estes casos são bem representativos do método acima descrito. De um lado o nome, e de outro a oração. Este tipo de respostas resulta da dificuldade dos sujeitos de encarar a segmentação da oração. O nome pode ser isolado, sob condição de localizá-lo fora da oração.

- *Atribuição de uma oração, segmentação em dois:* este nível supera as limitações do anterior, dado que agora é possível dividir a unidade. O resultado é, então, uma divisão em dois. Apresentamos os seguintes exemplos:

Javier (4a CB), para a lâmina 4, responde:	
	O cachorro quer comer.[*]
Onde?	Cachorro (mostra CORRE) quer comer (mostra O CACHORRO).
E tudo junto?	O cachorro (CORRE) quer comer (O CACHORRO).
Diego (6a CM), para a lâmina 4, responde:	
	Cachorro correndo.
Onde diz?	O cachorro (mostra O CACHORRO) está correndo (mostra CORRE).

O procedimento em ambos os casos é o mesmo (ainda que a ordem de leitura varie) e consiste em localizar uma parte do enunciado num pedaço do texto, e a outra no restante. O resultado é uma divisão gramatical em sujeito é predicado.

- *Atribuição de uma oração, segmentação em três:* este tipo de respostas, com divisão do enunciado em três segmentos, encontramos somente na lâmina 3, devido às características do texto neste caso. Com efeito, não poderíamos tê-la achado na lâmina 1 nem na lâmina 4 (não houve nenhum

---

[*]N. de T. Neste exemplo e nos seguintes, optamos por manter o termo cachorro (do original em espanhol: *perro*) porque a criança se refere às ações ligadas ao significado da palavra.

exemplo para a 2), por causa da dificuldade de considerar um fragmento de duas letras como sendo para ler (o artigo, em sua versão escrita). As lâminas 1 e 4 apresentam três pedaços; no entanto, um deles é demasiado pequeno pare receber atribuição. Já o texto da lâmina 3 tem cinco fragmentos e, ainda que dois sejam pequenos, as soluções de agrupar surgem para superar o conflito. Restam então quatro, ou, em todo caso, três fragmentos a considerar.

É oportuno voltar sobre o problema do "recorte" do enunciado. Com efeito, segmentar uma unidade é conceber as partes internas dessa unidade. Quando se trata de um enunciado oral, quais são as partes que podem ser recortadas? Ou, em outras palavras, quais são os elementos do enunciado que têm uma representação escrita? Temos visto nas respostas precedentes que o recorte possível correspondia – a nível sintático – a uma divisão em sujeito e predicado. Recortar o enunciado, em três partes, equivale a conceber representáveis três elementos: o sujeito, o verbo e o objeto gramaticais. Porém, reconhecer partes, que juntas formam o todo, não supõe considerar essas partes ordenadas, elas podem ser atribuídas a qualquer pedaço gráfico.

Vejamos o seguinte exemplo, que corresponde a esse nível: *María Isabel* (6a CM) responde para a lâmina 3:

	Peixes.
Onde?	Aqui (mostra *rema*).
Como te deste conta?	Porque estava o eme (mostra *m* em *rema*)
E aqui? (*no rio*)	Menino.
Onde?	Me-ni-no (faz correspondência com os três pedaços gráficos).[*]
E aqui? (*Raúl*)	Pesca.
Tudo junto?	Não, aqui menino (mostra *rema*) *aqui* diz pesca (mostra *Raúl*) e aqui diz peixes (mostra *no rio*).
(repete-se a atribuição da menina, mostra-se simultaneamente da esquerda para a direita)	
Pesca menino peixes?	Não, o menino pesca peixes.
Vamos ver...	O menino (Raúl) *pesca* (*rema*) pei-xes (*no rio*).

María Isabel começa atribuindo dois nomes, "peixes" e "menino", e logo o verbo "pesca". Este procedimento não é novidade; o encontramos também no

---

[*]N. de T. No original espanhol, o termo é *nene*, e a separão realizada por María Isabel foi NE-NE-E, o que implica um artifício não reproduzível no português *menino*.

Psicogênese da Língua Escrita **101**

grupo de crianças que concebia somente os nomes e acrescentava a relação como componente interpretativo. María Isabel começa de forma similar: primeiro os nomes. Este fato nos leva a admitir uma continuidade nos procedimentos. Porém, o progresso nessa etapa é conceber a relação na forma escrita; e, o que é muito importante, independentemente dos termos com os quais se relaciona. Entretanto, esses elementos isoláveis ainda não estão ordenados. Com efeito, pareceria que a dificuldade consiste em levar em conta, simultaneamente, a segmentação do enunciado, a ordem das partes e as propriedades do texto. O sujeito começa propondo atribuições que dariam como resultado – se fosse seguida a ordem convencional de leitura – o seguinte enunciado: "pesca peixes menino", logo se corrige e propõe: "pesca menino peixes". Somente quando passa ao terreno oral, através da intervenção do experimentador, aparecem as restrições que a levam a uma ordem correta: "o menino pesca peixes". Deste modo, chega a resolver, ao mesmo tempo, a segmentação do enunciado (três "elementos" representados), a ordem (atribuição da esquerda para a direita) e a consideração das propriedades do texto (três cortes para os fragmentos maiores e cortes silábicos para os menores).

5 – Progressão evolutiva dos resultados obtidos

Para resumir, as respostas das crianças que agrupamos nestes quatro níveis poderiam caracterizar-se da seguinte maneira:

- Desenho e escrita estão indiferenciados, pois ambos constituem uma unidade. É possível passar de um ao outro, visto que são concebidos como formas distintas de representar um mesmo significado. O texto se relaciona diretamente com o desenho.
- Posteriormente, a escrita se diferencia da imagem. Atribui-se ao texto o enunciado verbal associado à imagem, o que não é analisado segundo a sequência dos segmentos que o compõem, senão atribuído globalmente, independentemente da fragmentação gráfica. Este tipo de respostas oferece duas variantes: ou está representado o nome do objeto, ou uma oração relacionada com a imagem. Uma solução alternativa, oscilante entre uma e outra hipótese, consiste em atribuir ao nome, sem artigo, mais um " complemento" a esse mesmo nome.
- Quando se consideram as propriedades do texto, cada uma das partes recebe a atribuição de unidades pertencentes à mesma categoria (sejam nomes ou oração). A opção intermediária entre nomes justapostos e orações justapostas é a de atribuir ao texto somente os nomes e ler uma oração, mas respeitando a distinção entre "o que está escrito" e "o que se pode ler".
- Finalmente, os fragmentos gráficos são colocados em correspondência com segmentos do enunciado. Quando um nome é atribuído ao texto, o

resultado da segmentação é um "recorte silábico". Quando se atribui uma oração, os "recortes" são sintáticos (sujeito-predicado, sujeito-verbo-objeto).

- Em todos os níveis, o significado do texto pode ser prognosticado a partir da imagem; porém, enquanto que nos níveis iniciais a predição é total, nos finais se necessitam índices que sirvam para verificar o antecipado.
- Nos casos de diferenciação entre "o que está escrito" e "o que se pode ler", o que antecipa é o tema, mas não o próprio texto, que resulta de uma interpretação partir dos elementos temáticos escritos.
- Por último, graças à consideração das propriedades do texto em termos de fragmentação, comprimento e letras com valor índice, chega-se a uma leitura de todos os pedaços gráficos. Somente três crianças, dentro do total da amostragem (uma de 5 e duas de 6 anos), chegam a uma leitura correta quando se trata de caracteres em imprensa maiúscula. Entretanto, alguns dos problemas a que aludimos ainda subsistem. Citaremos um exemplo para mostrar como o conflito a respeito do comprimento das partes escritas e da segmentação do enunciado perdura, apesar de "saber ler".

Martín (6a CM) responde para a lâmina 4:

O que diz?	O-ca-rro-co-rre (decifrando o texto e recortando silabicamente o que lê).
Onde, carro?	Aqui (mostra CARRO).
Onde cor-r-e?	Aqui (mostra CORRE).
E aqui? (O)	O carro.

Se consideramos os diferentes tipos de respostas em termos comparativos entre uma situação e outra, podemos observar que existe uma coerência entre ambas. Os sujeitos que dão respostas mais avançadas para uma das situações também as dão para a outra. Inversamente, as respostas menos evoluídas são coincidentes nas duas situações. Com efeito, os sujeitos que dão respostas do tipo 4, ou combinação de respostas do tipo 3 e 4, para a situação "leitura de oração", dão respostas do tipo c, exclusivamente, para a situação "leitura de palavras". Enquanto que na situação "leitura de oração" podem fazer corresponder segmentos sonoros aos fragmentos gráficos, na "de palavra" ou consideram o comprimento do texto, ou buscam letras com valor de índice, para confirmar a antecipação em função da imagem. (Isto é assim para 14 sujeitos: 7 de 6 anos; 4 de 5 anos e 3 de 4 anos.)

Os sujeitos que produzem respostas do tipo 3, ou alternativamente respostas do tipo 2 e 3, para a situação "leitura de oração", dão respostas do tipo *a* e *b* para "leitura de palavras". Isto é, oscilam entre considerar o texto como "etiqueta" do desenho ou dar uma oração que descreva a imagem. Para interpretar esse fato é necessário recordar que as respostas do tipo 3 (mais especificamente as do tipo 3c) caracterizam-se pela discriminação entre "está escrito" e "pode-se ler". É possível que as orações sejam devidas a critérios que correspondam ao conceito de "se pode ler", enquanto que as "etiquetas" se expliquem em função de "está escrito". Porém, é necessário esclarecer que as respostas de orações para a situação "leitura de palavras" aparecem, geralmente, como aceitação de uma contrassugestão do experimentador. Por outro lado, já tínhamos constatado que essa oscilação entre nome e oração é típica das respostas 2 e 3. (Isto é assim para 26 sujeitos: 14 deles dão respostas do tipo b para "leitura de palavras", seis de 6 anos; três de 5 anos e cinco de 4 anos. Doze sujeitos dão respostas do tipo *a* e *b* em "leitura de palavras", dois de 6 anos; oito de 5 anos e dois de 4 anos.)

Já os sujeitos que dão respostas do tipo 2a em "leitura de oração", isto é, pensam que o escrito é o nome do objeto desenhado, dão respostas do tipo *b* em "leitura de palavras". (isto é assim para 10 sujeitos: cinco de 6 anos e cinco de 5 anos.) Finalmente, os sujeitos classificados na categoria 1 de "leitura de oração" estão na categoria a para "leitura de palavras". Isto é, a passagem fluente entre desenho e texto aparece nas duas situações. (Isto é assim para 9 sujeitos: dois de 6 anos; um de 5 anos e seis de 4 anos.)

Se consideramos a relação sob outro ponto de vista, todos os sujeitos que dão respostas do tipo *c* para "leitura de palavras" provêm da categoria 3 ou 4 alternadas, da situação "leitura de oração". Os sujeitos que dão respostas do tipo *b* para "leitura de palavras" localizam-se nas categorias 2 ou 3 de "leitura de oração", exceto cinco sujeitos que chegaram a respostas do tipo 4 nesta mesma situação.

Por último, os sujeitos que se localizam em *a* para "leitura de palavras" provêm das categorias 2 e 3 alternadas e 1 em "leitura de oração".

O interesse dessa comparação reside em comprovar que existe uma clara relação entre as respostas às nossas duas situações experimentais, porque:

- a consideração das propriedades formais da escrita e a correspondência com segmentos sonoros é o momento final da gênese aqui estabelecida;
- a confusão entre texto e imagem se dá, quaisquer que sejam os estímulos apresentados, e constitui um momento inicial, ao menos na nossa progressão;
- a concepção da escrita como "etiqueta" do desenho constitui um momento importante na conceitualização da criança, ainda que possa coexistir com outro tipo de conduta, mais ou menos avançada; com efeito, a conduta "etiquetagem" pode se dar independentemente da consideração das propriedades do texto, ou coincidir com o começo dessa consideração;
- as oscilações próprias das respostas de tipo 2 e 3 mostram as diferentes centralizações do sujeito, conforme leve em conta "o que está escrito", "o que se pode ler" e a consideração das características da notação gráfica.

Se consideramos a distribuição das respostas em nossa amostragem experimental, vemos que existe uma grande concentração nas de tipo 2 e 3 de "leitura de oração" e no tipo *b* de "leitura de palavras", o que pareceria indicar que estas são as respostas típicas da etapa de 4 a 6 anos. A menor porcentagem nas respostas tipo 1 e tipo *a* poderia ser interpretada como um obstáculo de níveis anteriores; enquanto que as respostas do tipo 4 e *c* anunciariam os níveis seguintes.

Vamos consideram agora a *distribuição das respostas por lâminas*. Levando em consideração os diferentes tipos de respostas à situação "leitura de oração", constatamos que há uma concentração das respostas do tipo 2 nas lâminas 1 e 4, e das respostas do tipo 3 nas lâminas 2 e 3; enquanto que a maior frequência da resposta 4 corresponde à lâmina 4. As respostas de tipo 1 permanecem mais ou menos constantes nos diferentes tipos de lâminas.

Esta distribuição está relacionada com os seguintes fatores:

- A propriedade do texto que resulta mais evidente na nossa situação experimental é a separação em duas linhas. Os 56,36% de respostas de tipo 3 correspondem à lâmina 2 (*sapinho saiu de passeio*).
- Quando na imagem se apresentam muitos elementos, há a tendência de se considerar o texto em termos de sua fragmentação, a fim de conciliar a quantidade de objetos desenhados na imagem com a quantidade de pedaços gráficos no texto. Daí, os 42,30% de respostas do tipo 3 para a lâmina 3 (*Raúl rema no rio*).
- No entanto, se a imagem apresenta um só objeto ao qual a escrita se refira, as possibilidades de considerar o texto em suas partes são menores. Há maiores dificuldades para fazer corresponder quantidade de fragmentos com elementos representados no desenho. É o caso concreto das lâminas 1 e 4 (*o pato nada*, O CACHORRO CORRE).[*]
- Se os sujeitos são capazes de conseguir uma correspondência entre segmentos sonoros e fragmentos gráficos, não interessa tanto a presença ou ausência de elementos na imagem, visto que, ainda que em nível da conceitualização da escrita o representado está em relação com o desenho, são as formas de segmentar o enunciado o que se põe em correspondência com os pedaços do texto. A maior porcentagem que se registra na lâmina 4, a respeito do nível 4, se explica pela presença de determinado tipo de grafismo (maiúscula de imprensa), mais familiar aos sujeitos de 6 anos de classe média. São esses sujeitos os que chegam majoritariamente a condutas do tipo 4.
- Igualmente, podemos constatar uma constância de distribuição das condutas 4 com respeito às lâminas 1, 2 e 3.
- Esta constância também se mantém nas condutas do tipo 1, em relação aos distintos tipos de lâminas, com um ligeiro aumento para a lâmina 3, explicável pelo tipo de desenho de características figurativas mais complicadas.

---

[*]N. de T. Em alguns lugares assinalados do texto em português, referido como O CARRO CORRE.

Ainda que a frequência das respostas seja variável em relação aos distintos tipos de lâminas, todos os tipos de respostas estão representados nas quatro lâminas. Daí podemos concluir que, se bem seja certo que existem características do texto e da imagem que influirão nas respostas, também é certo que muitas respostas se dão com total independência de ambos (imagem e texto). Este fato nos parece importante porque demonstra que as respostas estão mais diretamente relacionadas com a conceitualização da criança do que com as características do estímulo apresentado.

4 – A LEITURA NA CRIANÇA ESCOLARIZADA

Os dados expostos neste Capítulo (em conjunto com a totalidade dos dados) apoiam nossa afirmação de que as crianças possuem conceitualizações sobre a natureza da escrita muito antes da intervenção de um ensino sistemático. Porém, além disso, essas conceitualizações não são arbitrárias, mas sim possuem uma lógica interna que as torna explicáveis e compreensíveis sob um ponto de vista psicogenético. Nossa hipótese é que os processos de conceitualização – independentes da situação escolar – determinarão em grande medida os resultados finais da aprendizagem escolar. Estes serão diferentes para um sujeito que ao começar sua escolarização esteja localizado no nível 1 da gênese aqui estabelecido, que para outro situado no nível 3 ou 4. Evidentemente, este último é o que está em melhores condições para receber o ensino sistemático; enquanto que, para o primeiro, será mais difícil conciliar as propostas adultas com suas hipóteses sobre a escrita.

As concepções de uma criança de 4 anos se orientam no sentido de uma predição do significado do escrito, a partir do desenho (ou da informação adulta, em outras situações). Essas predições vão se adequando cada vez mais à realidade da notação gráfica, até que finalmente o texto, utilizado como fonte de informação, dá índices para a verificação das predições cognitivas. Se falamos de instrução sistemática, abstraindo das formas metodológicas concretas, é porque cremos que nenhuma delas leva em conta os processos naturais da conceitualização, ainda que algumas os respeitem mais, enquanto que outras impõem as concepções adultas desde o começo. Porém, além dos fatores relativos ao nível de conceitualização, existem outros determinados pela procedência social das crianças. A influência do fator social está em relação direta com o contato com o objeto cultural "escrita". É evidente que a presença de livros, escritores e leitores é maior na classe média do que na classe baixa. Também é claro que quase todas as crianças de classe média frequentam jardins de infância, enquanto que as provenientes de classes sociais mais desfavorecidas possuem menos oportunidades de se questionar e pensar sobre o escrito. Se reunimos todos os fatores de incidência negativa – nível de conceitualização, metodologias e classe social – as probabilidades de – obter êxito na aprendizagem da língua escrita são, obviamente, muito poucas. É um fato amplamente conhecido que existe uma alta taxa de fracassos escolares e que esses fracassos se produzem, sobretudo, nos primeiros anos de escolaridade.

Com o fim de analisar melhor a causa desses fracassos, propusemo-nos a seguir um grupo de crianças de um meio social muito pobre, desde o começo até o final da escolarização do ensino fundamental. Nosso objetivo foi o de estudar tanto os processos cognitivos postos em jogo como as hipóteses elaboradas à medida que o ensino avançava. Para isso, interrogamos as crianças no começo, no meio e no final do ano escolar.[4]

A situação experimental utilizada para este fim incluía, entre outros, o problema da relação entre texto e imagem. Utilizando uma técnica semelhante à anteriormente descrita, introduzimos variações mais complexas, já que muitas das crianças se encontravam num momento avançado da aprendizagem. *No início* do ano, apresentamos a situação "leitura de palavras", idêntica para escolarizados e pré-escolares. Por volta da *metade* do ano, interrogamos com duas das lâminas da situação "leitura de orações": a Lâmina 1 (*o pato nada*) e a lâmina 2 (*o sapinho saiu de passeio*); introduzindo como elemento novo mais duas lâminas, compostas pela mesma imagem e diferente texto. Os dois textos apresentados foram: "*é um lindo dia*" e "*a menina está sentada*", ambos escritos em cursiva. A imagem (igual para os dois textos) apresentava duas crianças (um menino e uma menina) sentadas num banco de praça, ao lado de uma árvore.

No final do ano, apresentamos duas lâminas novas, diferentes das anteriores, ambas escritas em cursiva. Os pares imagem-texto foram os seguintes:

- Imagem: figura de um pato que está pisando um pau. Texto: *a pata pisa o pau.*
- Imagem: um macaco, pendurado no galho de uma árvore, comendo uma banana. Texto: *a mão do macaco tem dedos.*

Ainda que os quatro textos novos eram pertinentes com as imagens, comportavam maiores dificuldades, já que a criança não encontraria facilmente a palavra antecipada em função da imagem, ou bem a encontraria num lugar não previsto.

Analisaremos, em primeira instância, as respostas correspondentes à situação "leitura de palavras". Recordemos que essa situação apresentou-se unicamente no início do ano escolar.

A – Leitura de palavras

Os tipos de respostas obtidos podem ser classificados segundo os mesmos critérios utilizados para as crianças pré-escolares, ainda que a distribuição quantitativa não seja a mesma. Isto é, um grupo de crianças oferece respostas de confusão entre imagem e texto: outro concebe o texto como "etiqueta" do desenho; e, por último, o terceiro grupo considera as propriedades do texto para confirmar a antecipação feita sobre a imagem.

A distribuição quantitativa das respostas é a seguinte: 10% se localizam no nível *a*, 66,66% no nível *b*, e 23,33% no nível *c*. Ou seja, de uma maneira geral, a criança que começa a escolaridade possui critérios de conceitualização da escrita que respondem a alguns dos três níveis analisados.

É importante assinalar, entretanto, que aparecem mais condutas de dúvida a respeito da antecipação do significado do texto em função da imagem. A razão destas dúvidas deve-se, por um lado, à relação entre texto e imagem ser concebida de maneira diferente. Os sujeitos antecipam o texto, mas esclarecem que o fizeram em função da imagem, como se não estivessem totalmente seguros do que anteciparam. María Laura, por exemplo, depois de dar nomes para todas as palavras escritas, esclarece: "capaz que é o desenho". (*Capaz*: argentinismo equivalente a "talvez", ou "é possível".) Outro dos motivos de dúvida provém do próprio texto, ou seja, dos índices que o texto fornece para confirmar uma antecipação. Walter, por exemplo, antecipa "urso" em *brinquedo*; porém, logo se corrige: "não, não diz urso porque o *o* não está lá".* Este tipo de conduta também encontramos entre os pré-escolares. Este é o momento em que a criança passa de buscar significado na imagem a buscá-lo (ou confirmá-lo) no texto. Vejamos agora o que ocorre quando o ensino está adiantado.

B – Leitura de orações

Depois de ter tentado diversas maneiras de classificar as respostas obtidas, conseguimos, finalmente, uma forma de classificação que nos parece adequada, porque permite levar em conta, ao mesmo tempo, a resposta final tanto como o processo que conduziu a ela. Esta é a classificação que adotamos (a cada passo, por certo, daremos os exemplos correspondentes para que os critérios usados possam ser compreendidos).

1 – Divórcio entre decifrado e sentido

a) *Sentido sem decifrado:* a criança busca o sentido do texto a partir da imagem e responde com um nome ou vários nomes justapostos e, ocasionalmente, com uma oração. Em alguns casos – que são, certamente, os mais interessantes – a criança trata de levar em conta algumas propriedades do texto, fazendo corresponder aos cortes reconhecidos no texto (lacunas entre as palavras) os cortes efetivos na sua emissão. Esses cortes na emissão podem corresponder a pausas entre palavras (quando a resposta consiste em vários nomes justapostos), ou pausas entre as sílabas de uma palavra (quando a resposta consiste em um só nome). No momento de dar sua resposta, estas crianças vão indicando com o dedo

---

*N. de T. No original *oso* (urso) *e juguete* (brinquedo).

as partes do texto, enquanto fazem corresponder, a cada uma, uma emissão sonora. Assim, por exemplo, para o texto o *pato nada*, três crianças diferentes dão estas leituras:

"pato, água, flor"
"pa-ti-nho"
"pa-m-to" (o som *m* é introduzido como um som "neutro", com a boca fechada, para conseguir um recorte em três partes).

Como vemos, este tipo de resposta não difere das que temos obtido das crianças pré-escolares (cf. partes- 3 e 4). Sem recorrer ao decifrado, a criança prediz o sentido do texto a partir da imagem e consegue, no melhor dos casos, considerar algumas das propriedades quantitativas do texto (a quantidade de fragmentos que este apresenta).

b) *Decifrado sem sentido:* a criança não busca o sentido nem na imagem nem no texto. Limita-se a decifrar elementos isolados, seja identificando letras soltas, seja construindo sílabas sem sentido, vagamente sustentadas pelo texto. Vejamos exemplos dessas duas variantes:

(Texto: *é um lindo dia*) "e, s, u, n, la, l, i, lan, lad, i, la a".
(Texto: *a menina está sentada*) "ei, se, los, es, is, lo, so".*

Por certo que as crianças que procedem a esse tipo de leitura são incapazes de dizer-nos o que quer dizer aquilo que leram. Puro decifrado inteiramente esvaziado de sentido, que se esgota em si mesmo. Nenhuma das crianças pré--escolares apresentou um tipo similar de conduta. Este é, sem dúvida, um produto da escolarização, e voltaremos a refletir sobre ele.

c) *Tentativa de relação entre decifrado e sentido* (o que constitui, a bem da verdade, um intermediário entre as categorias de resposta 1 e 2): a criança busca o sentido em função da imagem, mas logo justifica sua resposta, buscando no texto índices que lhe permitam sustentar sua interpretação. Em geral, antecipa um único nome, provavelmente em razão da dificuldade para encontrar os índices de apoio. Os dois exemplos que seguem correspondem a duas crianças diferentes:

(Texto: *o sapinho saiu de passeio*) "sa-po porque está o "o", mostrando o *o de sapinho*.
(Texto: *a pata pisou o pau*) "pa-to, porque está o "t", mostranto o *t* de *pata*.

---

*N. de T. As letras citadas isoladamente para ambas as frases não foram traduzidas. Estão transcritas exatamente como no original espanhol. Para melhor compreensão do leitor, as frases originais são: *es un lindo dia, e la nona está sentada.*

Psicogênese da Língua Escrita **109**

Este tipo de resposta já nos é conhecido, porque o temos encontrado em crianças pré-escolares, e nos remetemos à análise que previamente fizemos (cf. parte II 1. 2. c).

2 – Conflito entre decifrado e sentido

a) *Primazia do decifrado:* a criança é capaz de antecipar o sentido do texto a partir da imagem, mas sabe também que o texto não é inteiramente previsível a partir da imagem. Opta, então, pelo decifrado para encontrar o sentido preciso; porém , ao fazê-lo, perde o sentido, ao ficar presa nas exigências de um decifrado exato. Nos casos extremos, são as crianças que parecem ler corretamente, já que não cometem erros no decifrado, mas que não têm a menor ideia do sentido do texto. Vejamos dois exemplos frente ao mesmo texto (*é um lindo dia*):

"é um-em-lí-o-di-da"
"é um li-n-d-do d- í-a"

Quando perguntamos a essas crianças o que quer dizer o que acabam de decifrar, respondem-nos "não sei". Estamos frente a outro produto tipicamente escolar.

b) *Primazia do sentido:* o ponto de partida é semelhante ao anterior (2.a), mas neste caso a criança permanece centrada na busca do sentido. A resposta final consiste numa oração ou numa frase nominal complexa, resultantes de uma integração – em graus variáveis – de elementos obtidos através do decifrado. Em geral, há eliminação e/ou substituição dos fragmentos decifrados; porém, impossíveis de integrar em um todo coerente. É importante observar, com respeito à subcategoria seguinte (2.c), que essas crianças não distinguem entre o que o texto "diz" (textualmente) e o que o texto "quer dizer" (interpretação consecutiva). Eis um exemplo ilustrativo:

Texto: *(la mano del mono tiene dedos):* "*la ma-no del mo-no, la mano del mono tiene, ti-ne de-do dedo; la mono del mo... ti-ne-dos.. tinedos.. tinedo. La mano del mono tinedos.*" (*A mão do macaco tem dedos* é o texto a partir do qual se estabelece a leitura citada, cujo resultado na frase final quer dizer: A mão do macaco *tinedos*).

Diante da pergunta do experimentador: "0 que quer isso dizer", a criança responde: *"Tinedo es el nombre del mono* – (Tinedo é o nome do macaco).*

---

*N. de T. Neste exemplo, mais uma vez, consideramos necessário manter o texto em espanhol por não haver, na tradução direta, equivalências precisas.

c) *Oscilações entre o decifrado e o sentido:* no caso das variantes 2.a e 2.b que acabamos de ver, é preciso indicar que uma mesma criança podia passar de uma a outra, na mesma sessão, com somente uma troca de texto. Nesta variante 2.c, as oscilações entre o decifrado e o sentido têm lugar por motivo de um mesmo texto; a criança trata de superar a situação conflitiva, mas não consegue integrar verdadeiramente o sentido e o decifrado. Suas tentativas de conciliação, sempre falhas, conduzem a resultados variáveis.

- Por exemplo, a criança pode começar decifrando e buscando o sentido; entretanto, logo cai no decifrado puro, o que resulta, finalmente, numa parte de texto decifrada e compreensível, e outra decifrada, mas incompreensível. Por exemplo: "a mão do macaco "di-de-dos" (para o texto *a mão do macaco tem dedos*), sem que a criança possa dar interpretação alguma no final do texto.

- Noutros casos, a criança consegue resolver o conflito, acrescentando sentido; porém, conservando a distinção entre o que o texto diz (textualmente) e o que o texto "quer dizer" (interpretação consecutiva); como exemplo, usaremos fragmentos de um longo protocolo de uma mesma criança (texto igual ao do exemplo anterior):

O que quer dizer?	*La Mono de di-ne de-do –* A macaco *de d-em* de-do. Que o macaco está descascando uma banana. (Fazendo uma interpretação sobre a imagem.) *La Mono del moto ti-ne de-do; no! motoneta*[*]
(Sugere tentar novamente)	(A macaco do moto t-em de-do, não! motocicleta.)
O que quer dizer?	O macaco está andando de motocicleta. (Desta vez, independente da imagem.)
O que diz aqui? (*dedos*)	D-e-do-s, a macaco... do motocicleta D-em de-do-s.
O que quer dizer?	Um macaco que está dizendo pros passarinho(s) não cantá(r). (Esta interpretação não deriva da imagem, e sim da interpretação de *dedos* como "de-do-s" e, daí, ao gesto de si-

---

[*]N. de T. Neste exemplo, mais uma vez, consideramos necessário manter o texto em espanhol por não haver, na tradução direta, equivalências precisas.

lêncio que consiste em colocar o dedo indicador diante da boca fechada, enquanto emite um som próximo ao do s.)

- Finalmente, observamos conflitos centrados no acordo gramatical entre artigo e nome: o nome é antecipado em função da imagem e o artigo é decifrado; a antecipação do nome se apoia sobre múltiplos indícios sobre o texto, mas não deriva dele e sim da imagem, enquanto que o artigo é lido por decifração. A criança se encontra diante de um resultado contraditório; porém, outorga a mesma confiança dada ao seu decifrado, à sua antecipação, e não consegue modificar o resultado final, embora sendo consciente da incongruência deste, como o demonstra o exemplo a seguir:

(Texto: *a pata pisa o pau*)

	a ... pato ... pisa ... o pa-u.
Como é, então?	A ... pato ... pisa o pa-u.
Tu dizes assim?	Não, o pato.
E aqui?	A pato pisa o pau.

3 – Coordenação entre decifrado e sentido

Nesta categoria, localizamos os casos que chegam a uma resposta correta, não significando, porém, que essa resposta seja obtida de imediato. Pelo contrário, a criança costuma passar por um longo processo antes de chegar ao resultado final, de tal modo que encontramos todos os intermediários entre os processos lentos de coordenação, as autocorreções imediatas e a leitura correta na primeira tentativa. O definitivo, para situar uma resposta nesta categoria, é a criança chegar(a) coordenar o decifrado com a busca de sentido sem renunciar a um às custas do outro. As variantes mais interessantes que temos observado são as seguintes:

- a) Eliminação e reintegração de um fragmento de texto, sob a condição de que tanto a eliminação como a reintegração deem como resultado orações aceitáveis. Exemplo:

(Texto: *o sapinho saiu de passeio*)

	sapo sa-i pa-sseia.
	sapo passeia.
que diz, então?	o sapo sa-iu pa-sse-io; o sapo sa-iu de
que diz aqui? (saiu)	pa-sse-io.

(Aqui, como em todos os casos da leitura com silabação, tivemos a precaução de verificar se a criança compreendia o que estava lendo. A leitura de *sapinho*

112 Ferreiro & Teberosky

como "sa-sa-po" é uma tentativa de fazer com que o comprimento da emissão corresponda ao comprimento da palavra escrita, mas a interpretação da criança corresponde a "sapo", simplesmente.)

    b)   Integração, em função do sentido da oração, de uma parte do texto não reconhecida durante o decifrado inicial.

Exemplo:

Texto: *La mano del mono tiene dedos* (*a mão do macaco tem dedos*)

> *La mano dell moono ti-ene, enne deedos.* (A mão doo maacaco te-em, eem, deedos). La ma-no dell mo-no; deedos. (A m-ão doo ma-ca-co eem deedos)

O que dirá aqui? (*tiene*) (tem)   (Pensa um pouco e sem um novo decifrado exclama:) Tiene! (tem)

Como é tudo junto?   *La mano del mono tiene dedos* (A mão do macaco tem dedos.)[*]

    c)   Correção da leitura em função da emissão de juízos de gramaticalidade. O procedimento inicial é similar ao dos últimos exemplos citados em 2.c, mas a criança chega a modificar sua leitura, recorrendo à sua própria gramática interna. Assim, por exemplo, passará de "*le palo*" (o pau) para "*el palo* " ou de "as patas pisa" para "as patas pisam" (gramatical, mas frente a um texto, sem marcas de plural) e finalmente para "a pata pisa".

Se consideramos agora a evolução de cada uma das crianças de nossa amostragem no decorrer do ano, em função das categorias que acabamos de descrever, comprovamos que:

- Todas aquelas crianças que, ao longo de um ano, se mantiveram em condutas do tipo l (divórcio entre decifrado e sentido) são crianças que também durante todo o curso do ano permanecem em nível cognoscitivo pré-operatório,[5] exceto uma. (No total, 5 crianças.)
- Todas aquelas que, por volta da metade do ano escolar, dão respostas do tipo 3 (coordenação entre decifrado e sentido) estão ao mesmo tempo em nível intermediário ou em nível francamente operatório. (No total, 3 crianças.)
- Todas aquelas que chegam a dar respostas do tipo 3, no final do ano escolar, estão nesse momento em nível intermediário ou em nível francamente operatório, exceto uma. (No total, 15 crianças.)

---

[*]N. de T. Mantivemos o espanhol colocando entre parênteses possíveis equivalência em português.

Psicogênese da Língua Escrita **113**

- Todas aquelas que chegam a dar respostas do tipo 3 passaram previamente por respostas do tipo 2, exceto uma. (No total, 14 crianças; recordemos que o tipo 2 é o conflito entre o decifrado e o sentido.) Além disso, dentro das respostas do tipo 2, pareceria necessária a passagem pelo tipo 2.c (oscilações entre o decifrado e o sentido durante um mesmo ato de leitura), antes de chegar a respostas de tipo 3. Isto é assim para 11 das 13 crianças em questão.
- Essa diferença entre as respostas do tipo 2.a e 2.b, por um lado, e 2.c, pelo outro, volta a ser encontrada nos sujeitos que permanecem, desde a metade até o fim do ano escolar, com condutas de tipo 2. Se aceitamos, como os fatos pareciam indicá-lo, que as condutas 2.c constituem um avanço com respeito a condutas 2.a e 2.b, vemos que essas crianças, ainda permanecendo em condutas do tipo 2, progridem no interior desta categoria, já que dão respostas de tipo 2.a e/ou 2.b até a metade do ano escolar, mas dão respostas de tipo 2.c até o final do ano escolar.
- Essa mesma progressão se verifica na passagem das condutas de tipo 1 às condutas de tipo 2: aquelas que, do começo até metade do ano, passam das condutas de tipo 1 às condutas de tipo 2 dão unicamente respostas 2.a ou 2.b

A conclusão dessas observações é a seguinte: a classificação das respostas obtidas representa um ordenamento genético das respostas. Não pretendemos com isso que, na evolução psicogenética, todas as crianças passam por essas etapas, mas sim que, no caso das crianças que estudamos e que foram submetidas a um ensino de leitura que põe em primeiro plano, e como condição prévia, o decifrado, o progresso – nos casos em que se dá – segue a progresso de condutas analisadas.

Se compararmos tais dados com os obtidos com crianças pré-escolares, há uma conclusão que se impõe: o divórcio entre o decifrado e o sentido, tanto como a renúncia ao sentido em detrimento do decifrado, são produtos escolares, são a consequência de uma abordagem da leitura que força a criança a esquecer o sentido até ter compreendido a mecânica do decifrado. Por si mesma, a criança não está de forma alguma tentada a proceder a uma tal dissociação. Antes de entrar na escola, todos, qualquer que seja seu nível de leitura – avaliado conforme as normas adultas – partem da suposição de que o texto pode ser veiculado por uma linguagem oral, e, com relação a essa linguagem oral, a criança aplica a totalidade de seu saber linguístico: eliminará tanto as construções agramaticais como as construções privadas de sentido.

Assim, apesar desse divórcio inicial que pareceria ter todas as características de um produto artificial, não fica dúvida de que a progressão se realiza quando a criança tenta, penosa e dificilmente, vincular a técnica do decifrado que está aprendendo com seu próprio conhecimento linguístico, o qual lhe permite efetuar tanto correções como previsões sobre o texto. A passagem – aparentemente obrigatória, segundo o que temos visto – pelo conflito antes de chegar a uma verdadeira coordenação sugere um tipo de evolução semelhante à observada no caso de outras construções cognoscitivas (cf. Inhelder, Sinclair e Bovet, 1975).

Um ponto muito importante a ser destacado é que, apesar de a prática escolar não reforçar em absoluto as antecipações nem as autocorreções (as primeiras, porque são identificadas com um simples "adivinhar" ao acaso, e as segundas, porque é o docente quem corrige, sem dar o tempo necessário para que a criança perceba a incongruência e trate de saber onde localizá-la), quando há progresso, este é sempre relativo à necessidade de superar uma situação conflitiva. Por um lado os resultados contraditórios aos quais leva o decifrado, por outro as antecipações significativas e os juízos de gramaticalidade do sujeito, constituem uma perturbação, a qual somente se pode superar tratando de coordená-los entre si. A isso chegam aqueles que, apesar da prática escolar, não renunciaram a encontrar um sentido no texto (e um sentido linguisticamente transmissível). Porém, os outros ficaram no divórcio inicial, sem obter a ajuda que a escola deveria oferecer-lhes.

NOTAS

1. As técnicas que usamos atualmente são muito menos sugestivas.
2. Novas investigações que estamos realizando mostram que – a esse nível – um mesmo texto, deslocado debaixo de diferentes imagens, muda de significação em função da imagem. Assim, por exemplo, o texto LEÃO, localizado debaixo de uma girafa, dirá girafa, etc.
3. Estes distintos pontos de partida podem se dever às distintas interpretações atribuíveis à mesma pergunta "o que diz aqui?". Com efeito, esta proposta pode ser interpretada como "que é o que está escrito?" ou como "o que se pode ler?". Na medida em que a escrita não seja concebida como uma representação da linguagem em si mesma, essa distinção é muito importante (mais ainda, fundamental, como o demonstraremos no Capítulo 4). Atualmente supomos, em função desses resultados, que os que interpretaram a pergunta "o que diz aqui?" como "o que está escrito?" propõem somente o nome, enquanto que os que interpretaram "o que diz aqui?" como "o que se pode ler?" propõem uma oração. Obviamente, a técnica utilizada para o interrogatório não permite fundamentar firmemente essa interpretação, que, não obstante, é congruente com os casos que analisaremos mais adiante.
4. É óbvio que não desconhecemos a presença de fatores exógenos à instituição escolar que incidem nos fracassos; mas acreditamos que existem, além desses, – e em direta relação com estes – fatores do tipo endógeno que provêm tanto da concepção da aprendizagem como dos objetivos que a escola tem o propósito de atingir.
5. Avaliamos o nível operatório com a prova de "invariância numérica". Utilizamos sistematicamente esta prova com as crianças escolarizadas e, ocasionalmente, com os pré-escolares.

Leitura sem Imagem: a Interpretação dos Fragmentos de um Texto

CAPÍTULO 4

1 – AS SEPARAÇÕES ENTRE PALAVRAS DA NOSSA ESCRITA

Neste Capítulo, trataremos de dois problemas diferentes; no entanto estreitamente vinculados entre si. Um deles consiste em indagar as possibilidades da criança para trabalhar com um texto escrito quando este não se apresenta acompanhado de uma imagem (como vimos no Capítulo anterior), mas sim por um enunciado verbal do adulto (que o lê em voz alta para transmitir à criança essa informação). Nossa pergunta é: Diante de um texto lido, poderá a criança operar simultaneamente com as "partes" do enunciado e com as partes do texto para colocar ambos em correspondência? Dito de outra maneira, poderá a criança, a partir da leitura de uma oração escrita, fazer corresponder as palavras do enunciado oral com os recortes do texto (com as palavras escritas)? O problema parece quase banal, mas, como veremos, é de uma extraordinária complexidade e de uma insuspeitada riqueza.

O outro problema estreitamente ligado é o seguinte: na escrita que estamos habituados a praticar, além das letras e dos sinais de pontuação, fazemos uso de outro elemento gráfico, que consiste em deixar espaços em branco entre grupos de letras. Esses grupos de letras separados por espaços em branco correspondem a cada uma das palavras emitidas. Parece muito simples; no entanto, não o é.

É preciso recordar que a escrita adota uma definição de "palavra" – ao decidir quando corresponde escrever "junto" ou "separado" – e que essa definição não se origina de uma definição linguística. Por exemplo, em diferentes regiões da comunidade de fala espanhola, o dia que antecede o de *ayer* (ontem) se escreverá como *anteayer (anteontem), antier* ou *antes de ayer,* e se comporá, portanto, de uma só palavra escrita ou de três palavras escritas, sem que haja troca alguma no significado atribuído. A escrita decide que *guárdamelo* (guarde-me o) é uma só palavra; porém, *me lo guardas** são três palavras. Para repetir uma ação, digo que tenho que *hacer lo mismo* (fazer o mesmo) ou *hacerlo de nuevo* (fazê-lo de novo), e os recortes escritos não serão idênticos, ainda que as pausas de locução situem-se nos mesmos pontos. (Isto está longe de ser um fenômeno particular ao castelhano: como saber, por exemplo, que *himself,* em inglês, é uma só palavra escrita, sendo que *him e self,* na realidade, constituem duas palavras?)

Os espaços em branco entre as palavras não correspondem, pois, a pausas reais, na locução, mas separam entre si elementos de um caráter sumamente abstrato, resistentes a uma definição linguística precisa, que a própria escrita definirá à sua maneira: as palavras.

Na linguística contemporânea, o termo "palavra" cedeu seu lugar a outros termos técnicos como "morfema", "monema" ou "lexema". Ainda que a unidade palavra tenha um *status* intuitivo que parece claro ao locutor, essa unidade resiste notavelmente a uma análise linguística rigorosa. F. de Saussure evitou considerar a palavra como unidade concreta da língua, por se tratar de um elemento complexo e dúbio: "para se convencer, basta pensar em 'cavalo' (*cheval*) e no seu plural 'cavalos' (chevaux). Habitualmente, diz-se que são duas formas da mesma palavra; entretanto, tomadas na sua totalidade, são duas coisas bem diferentes, tanto pelo sentido como pelos sons". Se tomamos a definição "intuitiva" de palavra como a associação de um sentido a um *pattern* sonoro específico, encontramo-nos de imediato com várias dificuldades: pelo lado do sentido, torna-se claro que as distintas classes de palavras (substantivos, verbos, artigos, preposições, etc.) veiculam sentidos muito diferentes. Por outro lado, unidades menores que as palavras contribuem para transmitir diferentes sentidos (como o -*s* do plural). Pelo lado do *pattern* sonoro, as dificuldades também abundam. Se consideramos o problema dos verbos, torna-se claro que "cantamos" ou "cantarei" podem ser consideradas como duas palavras diferentes, ou como duas ocorrências da mesma palavra, etc.

Se bem que tenhamos a impressão de que nossa maneira de escrever é muito "natural", é útil recordar que nem sempre se escreveu assim. Mais ainda, que somente em época recente se adotou essa convenção.

M. Cohen assinala (1958) a respeito do latim que "os traços de união entre as letras eram frequentes em minúscula; antes da reforma de Carlo Magno, essas uniões eram feitas inclusive entre as palavras; porém, a partir do final do século

---

*N. de T. O mesmo significado com os elementos de ligação em posições contrárias.

VIII se começa a evitá-las; entretanto, é somente no século XI que as palavras foram quase sempre separadas corretamente" (p. 348).

Outras escritas (como a árabe e a hebraica) têm formas especiais para as letras no final de uma palavra, o que facilita o reconhecimento do final da mesma, ainda que os espaços que as separam não sejam perceptíveis. Na escrita etíope antiga (século IV), as palavras são separadas por dois pontos sobrepostos. Em sânscrito, as palavras não se escreviam separadas, mas o final de cada uma, podia estar indicado pela presença de um sinal especial para consoante sem vogal quando não há vogal final (este sinal é chamado *vírama*, isto é, pausa, descanso).

Na escrita grega antiga, tampouco se separavam as palavras entre si. "Ainda que algumas inscrições antigas possuam uma marca de separação entre as palavras, a maioria apresenta as palavras sem separação, reservando ao leitor o esforço de efetuar a discriminação. As separações por intervalos em branco encontram-se com maior frequência em documentos curtos da vida cotidiana, destinados a pessoas pouco instruídas; às vezes, se emprega um ponto ou uma vírgula nos casos onde se queira evitar uma possível confusão. O uso das separações se generalizou a partir do século VII, mas ainda nos séculos IX e X costumavam acontecer separações somente nas palavras mais longas. Para o grego, como para outras línguas, o hábito de separar ou não as palavras deve ser considerado em relação à pronúncia: nós sabemos (...) que em grego as palavras se ligavam entre si (...): a continuidade (da escrita) tinha, pois, uma realidade para o leitor" (M. Cohen, pp. 245-246).

A técnica que utilizamos para estudar esse problema consistia em escrever, diante da criança, uma oração que em seguida era lida com entonação normal, enquanto se assinalava o texto com o dedo num gesto contínuo. Nesta situação experimental, utilizamos exclusivamente verbos transitivos e sintagmas nominais simples, constituídos unicamente por um substantivo, com ou sem artigo. As orações apresentadas foram as seguintes: PAPAI CHUTA* A BOLA/a *menina come um caramelo* (alternativamente: *a menina comprou um caramelo*) (cursiva) / oursocomemel (alternativamente em cursiva e em imprensa, mas em ambos os casos sem deixar espaços entre as palavras)/O CACHORRO CORREU/O GATO. Uma vez lida a oração, perguntávamos à criança onde pensava estarem as diferentes palavras que a compunham. Por exemplo, para a oração PAPAI CHUTA A BOLA (lida sem pausas entre as palavras), perguntávamos: "Onde escrevi *papai*? Onde escrevi *bola*? Onde escrevi *chuta*? Onde escrevia?" Por certo que variávamos a ordem das perguntas, mas começando, sempre, por um substantivo. Alternativamente, fazíamos a pergunta ao inverso e perguntávamos o que estava escrito ali.[1]

A tarefa parece fácil. Com efeito, uma vez que o texto era escrito e lido diante da criança (e repetido várias vezes, se o julgássemos necessário, para evitar problemas de retenção), pareceria óbvio que a cada fragmento de escrita deveria

---

*N. de T. No original PAPA PATE A LA PELOTA.

118 Ferreiro & Teberosky

corresponder uma palavra da emissão, seguindo a ordem dessa mesma emissão. Assinalamos que optamos por escrever a oração diante da criança, em lugar de apresentá-la já escrita, para fazê-la assistir ao ato da escrita, e fixar, dessa maneira, a ordem "esquerda-direita", precaução necessária porque, como já vimos, nada assegura de antemão que a criança aceite esta orientação convencional. (Cf. Capítulo II, parte 4.)

O que nos interessava não era, então, a possibilidade de decifrar o texto dado, mas sim de "deduzir", em função da informação disponível (texto escrito e leitura do adulto, além do conhecimento linguístico da própria criança) o que é que "deve" estar escrito em cada fragmento. A tarefa proposta resultou, entretanto, em um grau de dificuldade insuspeitada pela intervenção das conceitualizações da criança sobre o que está escrito, ou se espera que esteja escrito.

Vejamos dois exemplos extremos de conduta (ambos típicos) que nos permitirão compreender as enormes diferenças que podem aparecer:

Mariano (6a CM) (Papai chuta a bola)
Onde diz "bola"?   (mostra CHUTA A BOLA, mas logo se corrige) Não! Aqui diz bola (A BOLA), e aqui papai (PAPAI CHUTA). Papai chuta a bola... (repetindo para si) Não! Aqui papai (PAPAI) e aqui chuta (CHUTA).
Onde diz "a"?   (Mariano reflete dizendo para si mesmo) A chuta... a bola (mostra A).

Facundo (6a CM) (PAPAI CHUTA A BOLA)
Onde diz "papai"?   (mostra PAPAI CHUTA).
Onde diz "bola"?   (mostra A BOLA).
Onde diz "chuta"?   (nega com a cabeça).
Onde diz "a"?   (nega com a cabeça).

Escolhemos expressamente dois exemplos de crianças da mesma idade e do mesmo nível socioeconômico para analisar as diferenças. Ambas começam por uma espécie de "divisão em dois" do texto escrito, colocando ambos os substantivos em posições de acordo com a ordem de enunciação: "papai" nos dois primeiros fragmentos, "bola" nos dois últimos. Porém, a partir desse primeiro enfoque que lhes é comum, Mariano continua, buscando uma correspondência entre os fragmentos do texto e uma possível fragmentação do enunciado, utilizando um método que é comum a várias crianças e, aparentemente, muito eficiente: repetir a oração para si mesmo, enquanto observa atentamente o texto. É graças a esse método que Mariano situa o verbo corretamente. A busca do artigo, pelo contrário, deve ser sugerida pelo experimentador, neste caso como em muitos outros (pelas razões que logo analisaremos). Mariano o consegue repetindo para si mesmo um fragmento da oração e, coisa interessante, depois de ter passado por uma pronominalização ("a chuta... a bola,,).

Facundo, por sua vez, pareceria considerar que o processo de busca pode se dar por terminado, uma vez localizados ambos os substantivos, e nega que o artigo e o verbo estejam escritos. (O sentido dessa negação não é claro a partir desse único exemplo; porém, trataremos de desvendá-lo mais adiante.) Estes dois exemplos permitem ver de imediato as enormes diferenças que podem ser encontradas numa tarefa aparentemente simples. A simplicidade não é senão aparente; o problema crucial que está em jogo é o de decidir quais são os elementos de uma oração que estão, representados na escrita, do ponto de vista da criança.

Para nós, adultos já alfabetizados, é tão óbvio que ao escrever transcrevemos o que dizemos, que não nos ocorre pensar que poderia ser de outra maneira. Entretanto, o problema é válido: quando dizemos "vamos escrever esta oração", o que é exatamente o que vamos escrever? Uma oração simples, como as que nós propusemos, constitui uma unidade de entonação, e essa prosódia particular não será transcrita. Podemos enunciá-la em voz alta, ou sussurrando, e essas mudanças de voz não serão transcritas. Podemos tematizar um elemento particular da oração, enfatizando essa parte (como seria o caso de enfatizar "papai", para veicular o conteúdo seguinte: "papai – e não outro – chuta a bola") e essa ênfase particular não será transcrita. A transcrição escrita reterá todas as palavras emitidas, mas as transcreverá uniformemente, qualquer que seja o valor sintático ou a importância semântica ou o valor informativo de cada uma delas. Por exemplo, numa oração há partes "dedutíveis" ou facilmente reconstitutíveis, e essa distinção será eliminada na transcrição escrita, a qual retém tanto os artigos, conjunções, preposições e desinências verbais como aqueles elementos que contribuem de maneira essencial no conteúdo da mensagem.

Se nos situamos ao nível da sintaxe, torna-se tentador fazer uma analogia entre as expectativas da criança e os processos de redução que operam na escrita de um telegrama. Um telegrama redigido "Chegamos sábado trem" é "lido" pelo destinatário como "chegamos no *sábado* de trem". As palavras omitidas são precisamente aquelas cuja ausência não interfere na compreensão da mensagem, precisamente porque são perfeitamente reconstituíveis a partir do conhecimento comum da língua de ambos os interlocutores.[2] Da mesma forma, a partir de "papai chuta bola", poderíamos perfeitamente "ler" papai chuta *a* bola, já que conhecemos de antemão o gênero do substantivo em questão.

O fato de que a criança não espera encontrar transcritas todas as palavras da mensagem oral é sumamente importante, porque nos indica, de imediato, uma concepção de uma escrita diferente da nossa: o texto serve para provocar ou sugerir uma emissão oral, mas não a determina totalmente. (Da mesma maneira que o texto de um telegrama sugere uma oração completa, sem reproduzi-la na sua totalidade.)

Se isso é assim, caberia perguntar-se quais são as palavras de uma oração que a criança espera ver representadas na escrita. Os dados experimentais que vamos apresentar permitir-nos-ão mostrar uma progressão genética que, em primeira instância, podemos caracterizar da seguinte forma:

120 Ferreiro & Teberosky

- somente os substantivos estão representados;
- os substantivos e o verbo estão representados;
- os artigos também estão representados.

Para melhor compreender tal progressão, vamos analisá-la no sentido inverso, partindo de casos mais próximos às concepções adultas. Logo, retomaremos a sequência na sua ordem genética correspondente, indicando quais são as idades de aparição das diferentes conceitualizações.

A – Tudo está escrito, inclusive os artigos

As crianças que compartilham conosco, adultos, a pré-suposição básica da nossa escrita (todas as palavras emitidas estão escritas) dão, por certo, respostas corretas. Mas podem dá-las ao final de um longo processo, e são as características desse processo o que nos interessa estudar.

Casos como o de Mariano – já citado – são particularmente interessantes, porque é possível seguir detalhadamente qual é o processo que conduz à resposta correta. É muito importante entender que Mariano localiza todas as palavras da oração por um processo de *dedução* e não a partir de um decifrado do texto. Somente no caso da palavra PAPAI pode ter ocorrido uma identificação (enquanto forma global não analisada). Para o resto da oração, a localização das palavras nos fragmentos ordenados do texto realiza-se sem ter procedido a um decifrado, trabalhando exclusivamente a nível de colocar em correspondência fragmentos ordenados (sonoros, por um lado, e visuais pelo outro). O processo de leitura de Mariano é radicalmente diferente daquele que se procura estabelecer em sala de aula. E Mariano não é o único exemplar de seu tipo, ainda que pertença a um grupo que não tem demasiados representantes dentro dos intervalos de idade com os quais temos trabalhado. Vejamos outros exemplos:

Isabel (6a CM) (Texto-cursiva): A menina come um caramelo	
Onde diz caramelo?	(mostra *a*, mas de imediato se corrige, e mostra *caramelo*).
Como te deste conta?	Porque pensei. Disse devagarinho e me dei conta.
Onde diz a menina?	(mostra *a menina*)
Aqui, o que diz (*come*)?	Come.
E aqui (*uma*)?	Não sei.
Podes dizer tudo junto?	A menina come caramelos.
Eu escrevi (repete)	Aqui diz uma, então (mostra *um*)
Aqui, o que diz (*caramelo*)?	Caramelo.
Onde diz menina?	(mostra *a menina*).
Onde diz come?	(mostra *come*).
Aqui, o que diz (*a*)?	Me-

E aqui (*menina*)?	nina.
Tu dizes me-nina?	Não; menina.
Te recordas de como era tudo junto?	A menina come um caramelo.
Diz tudo junto, mas mostrando	*A* (a) menina (*menina*) come (*come*) ca- (*um*) ramelos (*caramelo*).

Isabel é particularmente explícita, e nos dá várias pistas para compreender o tipo de trabalho que essas crianças realizam sobre o texto escrito. O procedimento de repetir a oração para si mesmo permite corrigir rapidamente o primeiro erro (... "pensei. Disse devagarinho e me dei conta"). Na primeira repetição que ela nos oferece, o artigo indefinido desaparece (um fato bastante frequente que logo analisaremos), mas quando volta a escutar a oração original, deduz (como o indica bem o "então", que ele usa) a localização do artigo indefinido no texto. O restante do protocolo deverá ser analisado em outro contexto, porque exemplifica um procedimento bastante frequente, que consiste em considerar os fragmentos menores do texto (os artigos na sua transcrição escrita, no nosso caso), como "pedaços" de algo maior, como fragmentos incompletos de escrita e colocá-los, então, em correpondência com fragmentos silábicos de uma palavra (isto é, com partes de um todo maior).

A mesma Isabel, para a oração (OURSOCOMEMEL) – sem em absoluto fazer objeção à escrita de uma oração em que não há lacunas – realiza o seguinte trabalho:

Onde diz urso?	(mostra O).
Onde diz mel?	(mostra ME). Não; aqui (MEL).
Onde diz come?	(mostra ME)*.
Está certo escrito assim, tudo junto, sem separar?	Sim.
Onde diz mel?	(hesita um momento, depois mostra COME)
Onde diz urso?	(mostra OURSO). Mel aqui (COME); urso aqui (OURSO). Não; aqui diz mel (MEL) porque aqui tem que dizer come (COME).

Torna-se evidente, neste caso, que a localização correta das partes da oração não depende, em absoluto, de uma possibilidade de efetuar uma leitura (no sentido tradicional do termo). O caráter puramente dedutivo do processo está novamente sublinhado por Isabel quando utiliza a expressão "aqui *tem* que dizer come". Efetivamente, "tem" que dizer isso para aqueles que já supõem que a escrita repete, numa ordem espacial da esquerda para a direita, as unidades temporalmente ordenadas da emissão sonora. Ainda que Isabel possa dar respostas em um nível superior, apresenta certas oscilações no que se refere ao artigo, já perceptíveis no

---

*N. da T. Trata-se do ME da palavra COME.

caso da oração anterior. Mas aqui são ainda mais nítidas, porque o final do interrogatório sobre a oração da qual nos ocupamos é o seguinte:

Mostre-me cada coisa.	O urso (OURSO); urso e mais nada; come (COME).
E mel, onde está?	(mostra MEL).
Está certo assim tudo junto?	
Não tem importância que esteja escrito assim?	Sim. Não importa que esteja escrito tudo junto.

A passagem – explícita – de "o urso" a "urso e mais nada" é bem indicativa da dificuldade geral que encontraremos no nível imediatamente anterior, e sobre o qual retomaremos. O "tem que dizer" referido ao verbo não se generaliza automaticamente no que se refere ao artigo.

Isabel é um exemplo puro de dedução sem decifrado. Mas algumas das crianças interrogados eram capazes de utilizar o decifrado. O problema é saber como e quando o utilizam.

Em alguns, o recurso do decifrado aparece somente nos momentos problemáticos, como uma alternativa possível de explorar; porém, não como o método principal a seguir. Em outros, o decifrado é utilizado como estratégia inicial, mas subordinada aos pareceres de gramaticalidade que o sujeito é capaz de emitir (atitude que, em nossa experiência, observa-se raramente nos sujeitos que aprenderam a ler em situação escolar quando o método escolar é o tradicional – isto é, um método que tenta impor o recurso ao decifrado como única estratégia válida (cf. Capítulo 3, seção 4). Miguel, por exemplo, apresenta os dois tipos de conduta em duas situações diferentes: defrontado com a escrita cursiva, utiliza o decifrado exclusivamente em momentos problemáticos; defrontado com a escrita de imprensa – que é a única na qual se sente seguro – utiliza o decifrado, mas subordinado aos pareceres de gramaticalidade que ele pode emitir. Eis aqui os dois exemplos:

Miguel (6a CM) (Texto: *a menina comprou um caramelo*).

Onde diz menina?	(mostra *menina*).
Onde diz caramelo?	(mostra *caramelo*).
Onde diz comprou?	Quê?
(repete a pergunta)	(mostra *um*, se corrige, mostra *comprou*).
Porque achas que não é aqui?	
(em *um*)	Um (mostrando *um*).
Como te deste conta?	Adivinhei.
Sim, mas como?	Olhei.
O que olhaste?	A letra u ... um.
Como era tudo junto?	Uma menina comprou um caramelo.
Diz e mostra-me.	Uma (a) menina (*menina*) comprou (*comprou*) *um* (*um*) caramelo (*caramelo*).

Onde diz um?
(Texto: O CACHORRO CORREU
O GATO)

(hesita e depois mostra *a*).

(antes que o experimentador leia, Miguel começa a decifrar).
O c-a, o ca , o ca .. cho rrr-o, o cachorro, co, co ... rrria, o cachorro corria.

Olhe bem (CORREU)

Co-rrr-o. O cachorro corro? Não, o cachorro corro não pode ser! Co-rr-e, corrr-i-a, corria não pode ser porque é um *u*. Correndo, o cachorro correndo,* o gato!

Como é tudo junto?

O cachorro corria o gato.

Na primeira situação, está claro que Miguel recorre muito acessoriamente ao decifrado (decifrado difícil, nesse caso particular, porque se tratava de escrita cursiva). O decifrado aparece somente para localizar um dos artigos, mas não impede em absoluto a troca do artigo definido pelo indefinido no sujeito da oração (localiza "uma" em *a*, apesar de ter utilizado o *u* como índice para localizar "um"). O decifrado de Miguel, no caso da outra oração, é particularmente interessante, porque o conflito entre a antecipação sobre o tempo do verbo e a identificação de índices contraditórios por decifrado é resolvido finalmente a favor da primeira antecipação, depois de passar por uma tentativa de conciliação (corria/corro/corre/corria/correndo/corria). Assinalemos, de passagem, que a escolha do imperfeito do verbo não é banal, mas responde à utilização dos tempos dos verbos para indicar os valores de aparência (Bronckart, J.P., 1976; Ferreiro, 1971). O imperfeito é, com efeito, o tempo ideal para esta oração, visto que, localizando a ação no passado, indica ao mesmo tempo suas características de ação duradoura e inacabada (semanticamente, correr não indica o resultado da ação, mas sim seu processo; nessa medida, é mais "normal" a utilização do imperfeito. A situação seria o inverso se a escolha léxica tivesse sido "agarrar" ou "pegar").

Em resumo, a suposição de que o artigo esteja escrito não depende da possibilidade de decifrar o texto. Pelo contrário, o decifrado foi utilizado como um recurso acessório, sempre em submissão às suposições do sujeito e aos juízos de gramaticalidade que pode emitir.

B – Tudo está escrito, exceto os artigos

Com esse tipo de resposta, abordamos os casos que se afastam progressivamente das pré-suposições adultas, porque a criança situa todas as partes da ora-

---

*N. de T. Em espanhol, num primeiro momento, Miguel lê a preposição à inversa ("L-A" no lugar de "AL"), corrigindo-se logo em seguida ("AL GATO").

124 Ferreiro & Teberosky

ção nos diferentes fragmentos da escrita, exceto o (ou os) artigo (s). Vejamos primeiro alguns exemplos para podermos analisar quais podem ser as razões que conduzem a criança a pensar que o artigo não está escrito.

Isabel (6a CM) (Texto: PAPAI CHUTA A BOLA)

Onde diz "bola"?	(mostra CHUTA).
Onde diz "papai"?	(mostra PAPAI).
Onde diz "bola"?	(mostra novamente CHUTA).
Onde diz "chuta"?	(mostra A BOLA). Chu-ta (uma sílaba para cada palavra).
Como era tudo junto?	Papai chuta a bola.
Onde diz "bola"?	(mostra CHUTA).
Onde diz "chuta"?	(mostra A).
Aqui, o que diz (BOLA)?	Não sei.
Deixamos ou tiramos?	Não sei. Tiramos.
Não diz nada?	Não diz nada.

Alejandro (6a CM). (Texto: PAPAI CHUTA A BOLA)

	Eu não sei ler. Mas aqui tem que dizer algo, porque eu as letras que têm eu as penso. (Designa pelo nome, corretamente, todas as letras escritas.)
(Lê a oração)	
Onde diz "bola"?	(mostra BOLA).
Como sabes?	Porque eu conheço as letras.
Onde diz "chuta"?	(mostra CHUTA).
Onde diz "papai"?	(mostra PAPAI).
Isto, o que é (A)?	É uma parte da bola.
Onde diz "bola"?	(mostra A BOLA). Assim bo (em A).
Então o que diz aqui (A BOLA)?	Assim bo (em A) ... Não. Esta (A) não significa bola; a tiramos.
Aqui o que diz (PAPAI)?	Papai.
Aqui (CHUTA)?	Chuta.
Onde diz "a bola"?	(mostra BOLA).
Aqui, o que diz (A)?	Aí diz ... Para mim é uma parte de algo, de algum nome ... Essa é uma parte que significa o arco.

Cynthia (5a CM). (Texto: PAPAI CHUTA A BOLA)

Onde diz "bola"?	Papai chuta a bola.
Sim, mas onde está "bola"?	(mostra BO LA).
Onde diz "chuta"?	(mostra CHUTA).
Onde diz "papai"?	(mostra PAPAI).
Aqui, o que diz (A)?	Não sei. Papai chuta a bola ... (repete a oração para si, seguindo com o dedo o texto da esquerda para a

Psicogênese da Língua Escrita

Escrevi porque tudo junto diz: (repete)

direita). E isto, o que é? (A) Por que o escreveste?

(Propõe ao experimentador que reescreva a oração no verso da folha.) Sem te enganar, sabes pôr ele aqui? Mas não vais te enganar... !

(Reescreve a oração)

Papai chuta a bo ... Isto que é? (mostra BOLA).

Que é?

...

Paula (4a CM) (Texto: PAPAI CHUTA A BOLA)

(repete corretamente).

Onde diz "papai"?
(mostra PAPAI).

Onde diz "bola"?
Papai ... bola aqui (mostra CHUTA).

Onde diz "chuta"?
Papai (PAPAI) chuta (CHUTA) a-bola (BOLA).

Aqui, o que diz (A) (em espanhol: LA)?

Com duas letras já te disse que não se pode ler!

Por que o coloquei?
Assim não o ponhas ... tão longe das outras (indica com um gesto que teria de unir esse pedaço de escrita a algum dos pedaços maiores perto).

O que dizia tudo junto?
Pa-pai-chu-ta-a-bo-la (sem mostrar).

Onde diz "papai"?
(PAPAI).

Onde diz "bola"?
(BOLA).

Onde diz "chuta"?
(CHUTA).

Diz "a" (em espanhol: LA) em algum lugar?

Aqui, aqui (mostra todas as letras A do texto).

Tudo junto como é?
Papai chuta a bola.

(Esconde uma parte, deixa visível PAPAI CHUTA) O que diz?
Papai chuta.

(Deixa visível A BOLA) O que diz?
Bola.

(Deixa visível A)
Aqui não diz nada.

Os quatro exemplos que acabamos de citar são representativos deste tipo de respostas. Torna-se claro que a possibilidade de localizar o artigo como fragmento independente deve ser cuidadosamente diferenciada da possibilidade de repetir corretamente a oração enunciada. Essas crianças afirmam repetidas vezes que no texto diz "papai chuta a bola", sem que isso as obrigue a supor que o artigo está escrito. Num ato de leitura completo, o artigo aparece – porque passamos ao nível oral, e ali a criança sabe bem que esse enunciado sem artigo é agramatical –

porém, isso não permite de modo algum inferir que o artigo tem que aparecer também no texto escrito.

Tratemos de formular o problema sob outro ângulo. Em lugar de nos perguntarmos quais podem ser as razões para eliminar o artigo da escrita, perguntemo-nos quais poderiam ser as razões para introduzi-lo. Em outras palavras, tratemos de adotar o ponto de vista da criança e suponhamos que o que deve ser justificado é a escrita do artigo e não, pelo contrário, sua exclusão.

O que dissemos antes sobre os elementos altamente predizíveis da emissão oral – quando fizemos uma comparação com os processos de redução do texto próprios à escrita de um telegrama – é, em princípio, aplicável aqui. Não seria necessário escrever o artigo, visto que é predizível a partir do substantivo; uma vez escrito o substantivo, a escrita do artigo se faz "supérflua", haja vista que, em certa medida, "vem junto ao nome". Esta pode ser uma das razões, mas existem outras.

Suponhamos que as crianças das quais nos ocupamos compartilham conosco do que seria uma definição não técnica da escrita: "o que escrevemos são palavras", escrevemos as palavras que dizemos". O problema residiria em saber se a criança compartilha conosco da mesma definição de "palavra".

Afortunadamente, contamos com os dados de uma recente investigação de I. Berthoud (1976) sobre a noção de "palavra" das crianças – investigação realizada em francês, mas que nos parece evidenciar características do desenvolvimento reencontráveis em outras línguas, e muito particularmente, no caso de uma língua próxima em estrutura como o espanhol. Ioanna Berthoud apresentou oralmente a crianças de diferentes idades uma lista de palavras composta por substantivos, verbos, adjetivos, conjunções e artigos, etc., pedindo em cada caso que a criança dissesse se o que escutava era uma palavra ou não. De 4 a 7 anos, aproximadamente, os artigos, preposições, pronomes e conjunções são sistematicamente rejeitados da classe das nos "palavras". Nas mesmas idades, quando a tarefa consiste em contar quantas palavras há em uma oração apresentada oralmente, os artigos são sistematicamente omitidos (ou contados como sendo uma só palavra junto com o substantivo correspondente).

Parece-nos que aqui se encontra uma das chaves do problema: se os artigos não são palavras, não existem razões para escrevê-los, visto que concordamos em que o que escrevemos são, precisamente, palavras.

As dificuldades no que diz respeito ao artigo são, além disso, de ordem gráfica. Se o artigo não é uma palavra, não existem, então, razões para escrevê-lo (como acabamos de ver); porém, além disso, ocorre que o fragmento de escrita que efetivamente corresponde ao artigo é demasiado pequeno, não tem o número suficiente de letras que a criança exige para que "isso possa ser lido" (cf. Capítulo 2). Dos exemplos citados, o de Paula é particularmente claro a respeito disso. Quando lhe perguntamos o que diz no fragmento de texto correspondente ao artigo (A) (em espanhol: LA), responde-nos abertamente: "Com duas letras já te disse que não se pode ler!" Em todos os outros casos, surge um fato extremamente geral: a criança utiliza principalmente os fragmentos maiores de escrita – os de mais de duas letras – e terá dificuldades para atribuir um valor ao fragmento menor quando, a pedido do experimentador, deva fazê-lo. Assim, Isabel utiliza A como um fragmento silábico de "chuta"; Alejandro o utiliza como um fragmento silábico de "bola". Cynthia não encontra jeito de interpretá-lo e pergunta francamente: "O que é? Por que o escreveste?", e Paula, como já vimos, terminará dizendo que ali "não diz nada".

É interessante observar, além disso, que Isabel e Cynthia, as quais começaram tendo problemas com o fragmento A e terminaram por aceitá-lo, terão problemas com o fragmento seguinte (BOLA). Qual é a razão disso? A resposta nos parece clara (vista a totalidade dos dados e não somente os exemplos citados). Segundo a análise do enunciado que as crianças desse nível fazem, no texto, deveria haver somente três fragmentos escritos e não quatro (visto que o artigo não tem razão para ser escrito desde sua perspectiva), de tal maneira que sempre se defrontam com uma "sobra". Esta "sobra" será geralmente o elemento escrito com menor número de letras, visto que todas começam por levar em consideração os fragmentos de escrita de mais de duas letras. Porém, eventualmente, a sobra pode ser o último fragmento de escrita quando o critério principal utilizado é a colocação em correspondência de duas ordens – a da emissão e a da escrita –, deixando momentaneamente de lado o critério "quantidade de letras".

O ponto básico que merece ser ressaltado é, então, o seguinte: a criança espera encontrar somente três fragmentos de escrita e o texto comporta quatro. Há aí, pois, uma situação conflitiva, a qual é resolvida de diferentes maneiras. Afirmar que ali nada diz, propor tirá-lo (como fazem Isabel e Alejandro), juntá-lo a alguma das unidades maiores para que "se possa ler" (como o propõe Paula), ou dar-lhe um valor silábico não são nada mais do que diferentes soluções para uma mesma situação conflitiva.

A interpretação em termos de um fragmento silábico nos parece particularmente instrutiva e merece uma atenção especial. Encontramo-la no caso de todas as orações apresentadas. Por exemplo, no caso da oração "a menina comprou um caramelo" ou "a menina come um caramelo", em cursiva, o problema se duplica sem que tenham aparecido diferenças no tratamento do artigo definido ou indefinido na sua transcrição escrita. A interpretação silábica dos fragmentos de duas letras foi variada. Por exemplo: "me-ni-na" para *a menina;* "co-me" para *come um;* "caramelo" ou "um caramelo" para *um caramelo.*

A interpretação silábica vincula, então, o fragmento de poucas letras ao fragmento maior que lhe segue imediatamente ou – menos frequentemente – ao que o precede e, em geral, realiza-se uma correspondência entre as sílabas na sua ordem de emissão e os fragmentos ordenados no texto. Porém, nem sempre é assim. Por exemplo, Emílio (4a CM) pensa, como Alejandro, que A é uma parte de "bola", mas enquanto Alejandro lia "BO-LA" em A BOLA, Emílio lê "LA" em "A" e "BOLA" em Bola, de tal maneira que, seguindo a ordem de suas atribuições, deveríamos ler "papai chuta la bola". Porém, para Emílio, o texto – lido por ele da esquerda para a direita sem interrupções – diz "papai chuta a bola"; isto não é

128 Ferreiro & Teberosky

obstáculo para que, ao passar à leitura por fragmentos, em (A) diga "la", visto que é uma parte de "bola".

Nos casos anteriores, a interpretação silábica do fragmento de duas letras conduzia, inevitavelmente, a interpretar também silabicamente o fragmento maior com o qual se vinculava, de tal maneira que somente juntando ambos os fragmentos de escrita teríamos a escrita completa da palavra correspondente. Porém, para Emílio, "bola" está escrito, inteiramente, num fragmento (o correto, nesse caso), e em A não há senão uma escrita incompleta: é somente ali onde encontramos um fragmento silábico e não nas unidades maiores. Porém, um fragmento silábico pode ser qualquer um, independentemente da ordem de emissão das sílabas, na idade de Emílio, o qual está perfeitamente relacionado com a conduta de algumas crianças que começam, como veremos (parte 2 do Capítulo 6), a propor uma sílaba para uma parte visível do próprio nome escrito; entretanto esta sílaba pode ser a primeira, ainda que se mostre somente a última parte da escrita do nome. De onde resulta que voltamos a reencontrar aqui um problema fundamental: por um lado, o reconhecimento de que uma palavra tem partes, componíveis entre si para formar o todo, e por outro, o problema do ordenamento das partes. As atividades lógicas elementares de divisão e de ordenamento não são, de modo algum, distantes da compreensão da escrita.

Para resumir as características deste tipo de conduta, digamos que o problema com o artigo – enquanto palavra escrita – parece ser um duplo problema: metalinguístico, por um lado (se os artigos não são considerados como "palavras", não há razões para escrevê-los), e, por outro lado, de ordem gráfica (com somente duas letras "não se pode ler").* A leitura de uma oração que comporta artigos não é, em si, problemática, no sentido de que todas as crianças os emitem num ato de leitura "corrido". O problema surge quando passamos dali a uma correspondência entre fragmentos do texto e fragmentos da emissão. No caso particular, o problema surge de imediato, porque a criança espera encontrar somente três fragmentos escritos, ali onde o texto propõe quatro. A interpretação da "sobra" em termos silábicos aparece como uma das maneiras – e talvez a mais interessante – de resolver a situação conflitiva. Porém, o problema da "sobra" será reencontrado em outros tipos de conduta com outras diferentes características.

C – Ambos os substantivos estão escritos de maneira independente, mas o verbo é solidário da oração inteira, ou do predicado inteiro

Esta categoria de respostas é extremamente interessante e difícil de apresentar, porque se distancia marcantemente das expectativas adultas. Comecemos por discutir alguns casos nos quais a criança chega a situar o verbo de maneira

---

*N. de T. Em espanhol, os artigos não têm menos de duas letras: la, el, un, una, etc.

independente, mas depois de sérias dificuldades (casos, na verdade, intermediários entre as categorias B e C).

Gustavo (6a CM) (Texto: PAPAI CHUTA A BO LA)

Onde diz "bola"?	(mostra BOLA).
Onde diz "chuta"?	(mostra A).
Onde diz "papai"?	(mostra PAPAI).
Diz tudo "junto".	Pa- (PAPAI) pai (CHUTA)* chuta (A) abola (BOLA).
Outra vez!	Chuta, aqui (CHUTA), chuta a bola (mostra com um gesto contínuo CHU-TA A BOLA).

Marina (5a CM) (Texto: *a menina comprou um caramelo*)

	(Repete bem)
Onde diz a "menina"?	A menina diz aqui (mostra *a menina com-prou*).
	A menina dizem tudo isso, e o carame-lo diz em tudo isso (mostra *um caramelo*).
Onde diz "caramelo"? (Repete a oração)	(mostra *comprou um caramelo*).
Onde diz "comprou"?	Eu acho que aqui (mostra *comprou*).
Aqui, o que diz (*a menina*)?	A menina.
Onde diz comprou?	... um caramelo (completando para si, enquanto olha o texto).
Antes me dissesse que comprou é aqui (*comprou*)	Sim.
Onde diz "caramelo"?	(mostra *um caramelo*).
Onde diz "um"?	Parece que aqui (acento de *comprou*).**
(Vai mostrando palavra por palavra, da esquerda para a direita)	Me-nina-com-pra-la (uma sílaba para cada palavra assinalada).
Como era?	(Volta a passar pelo texto e, para cada palavra, da esquerda para a direita, completa com uma sílaba): *umca-ra-me-me-lo*.
(Volta a assinalar como antes)	Me-nina-compra-um-caramelo.
Mostre-me!	Me- (*a*)-*nina* (*menina*) *com-pra* (comprou) *umca-* (*um*) -*ra-* (*car*) -*melo* (*ramelo*).

---

*N. de T. Em espanhol: PA- (PAPA) pa (PATEA) patea (LA) lapelota (PELOTA).

**N. de T. Em espanhol, *compró*.

Rosario (5a CB) (Texto: PAPAI CHUTA A BOLA)

(lê) Diz e mostra-me! — Papai (PAPAI) chuta (CHUTA) a (A) bo ... (BOLA). (Se detém, confusa, como se faltassem fragmentos de escrita para completar a leitura.)

Outra vez. — Papai chuta a bola (indicando corretamente cada fragmento).

Está escrito papai? — Sim. Aqui (mostra todo o texto).

Em tudo diz papai? — Papai chuta a bola.

Está somente papai? — (mostra PAPAI).

Está escrito bola? — (mostra CHUTA).

O que mais está escrito? — Chuta (mostra A).

O que mais? — A bola (mostra BOLA).

Papai, onde está? — (mostra PAPAI).

Chuta? — (mostra CHUTA).

A bola? — (mostra A).

E aqui (BOLA)? — ... Papai chuta a bola.

Só nessa parte diz papai chuta a bola? — (sinal de negação).

O quer diz ali? — ...

Vamos ver. Aqui (PAPAI) ... — Papai.

Aqui (CHUTA) ... — Chuta.

Aqui (BOLA) ... — ... A bola.

Aqui (A) ... — ... A bola.

Diz e mostra-me. — Papai chuta a bola (mostrando corretamente cada fragmento).

(Texto: a menina come um caramelo)

Diz e mostra-me. — A menina (a) come (*menina*) ca- (*come*) ra- (*um*) meio (*caramelo*)*

Outra vez! — A menina (*a*) co- (*menina*) me (*come*) ca- (*um*) ra- (*caramelo*) ... (Se detém, confusa, porque lhe falta um fragmento de texto para poder terminar a oração. Reinicia o processo). A menina (a) come (*menina*) ca- (*come*) ra- (*um*) melo (*caramelo*).

Está escrito a menina? — Sim (mostra *a menina*).

Caramelo está escrito? — (mostra *come um*).

Aqui o que diz (*a menina*)? — Menina.

---

*N. de T. Novamente esta sequência final não é totalmente equivalente na tradução.

E aqui (*come um*)?	Caramelo.
E aqui (*caramelo*)?	...
Onde diz a menina?	(mostra *a menina*).
E aqui (*come um*)?	Caramelo.
E aqui (*caramelo*)?	A menina come um caramelo.
Vamos ver. Aqui (*a menina*)?	Menina.
Aqui (*caramelo*)?	Come caramelo.
Aqui (*um*)?	...
Aqui (*a menina*)?	A menina.
Aqui (*come um*)?	Caramelo.
Aqui (*caramelo*)?	A menina come caramelo.
Diz e mostra-me.	A menina (a) come (*menina*) ca- (*come*) ra- (*um*) melo (*caramelo*).

Estes três exemplos são diferentes sob vários pontos de vista, mas semelhantes em algo que nos parece essencial: a dificuldade de conceber que o verbo possa estar escrito de maneira independente. Todas essas crianças, quando efetuam um ato de leitura completo ("corrido"), situam o verbo em algum lugar, mas quando já não se trata de repetir a oração completa, mas sim de identificar cada um dos fragmentos e de outorgar-lhes uma tradução verbal, surge uma clara discordância entre essa leitura "corrida" e a leitura dos fragmentos isolados. Na parte anterior vimos como o artigo, introduzido na leitura de modo "corrido", desaparece quando se trata de interpretar os fragmentos. Agora vemos como o valor outorgado a cada fragmento do texto varia completamente quando se passa da oração inteira a cada uma de suas partes.

Gustavo, por exemplo, situa de maneira estável a ambos os substantivos nos extremos do texto, mas o verbo está em algum dos fragmentos restantes, de maneira oscilante, e de todo modo e um "chuta" que de imediato se completa com "chuta a bola", sem que possamos decidir claramente, neste caso, até que ponto Gustavo considera que o verbo está escrito independentemente, ou o está; porém, unido a seu objeto direto. Gustavo, por outro lado, faz um trabalho de recorte silábico da emissão, buscando uma correspondência entre sílabas e fragmentos de escrita; é o mesmo que farão, de maneira ainda mais marcante, as outras duas crianças que citamos.

Marina levará o recorte silábico até as últimas consequências, vendo-se obrigada a passar duas vezes pelo mesmo texto para completar a oração. (Curiosamente, onde o recorte silábico coincide com o artigo, Marina o une à primeira sílaba do substantivo seguinte, propondo "umca" ao invés de "um-ca", inclusive quando isso a obriga a repetir uma das sílabas seguintes para conseguir uma boa correspondência termo a termo: "ra-me-me-lo".) Ela começou por uma divisão do texto em duas partes, fazendo corresponder um substantivo a cada uma delas. Quando é interrogado sobre o verbo, começa a duvidar; ela opõe uma afirmação clara ("a menina diz aqui", "o *caramelo* diz em tudo isso") à expressão de uma possibilidade ("me parece que aqui") quando se trata de situar o verbo. E, de

132 Ferreiro & Teberosky

todos os modos, esse verbo não está só, porque a pergunta do experimentador (onde diz comprou?) é completada de imediato (" ... *um caramelo*").

Rosario compartilha com os anteriores das dificuldades para outorgar um valor preciso a cada fragmento, assim como o recurso ao recorte silábico do enunciado. De resto, resulta bem claro que se trata de conseguir uma boa correspondência termo a termo, sem que se levem em consideração outras propriedades dos fragmentos do texto como as diferenças de comprimento ou de número de caracteres de cada um. Assim, por exemplo, Rosario atribui várias vezes *"ca"* a um fragmento de quatro letras e *"ra"* a um fragmento de duas letras, sem que isso pareça criar-lhe dificuldades, tanto como propõe reiteradamente "a menina" para o pequeno fragmento inicial da leitura. Em outras palavras, trata-se é de uma pura correspondência termo a termo, a qual ignora as propriedades físicas dos objetos que se colocam em correspondência e que somente se ocupa de saber se é possível emparelhar cada elemento de uma série com seu correspondente na outra série (uma série visual e outra sonora, neste caso) sem que sobrem nem faltem elementos.

A originalidade de Rosario em relação às outras duas crianças é que ela várias vezes propõe, para duas orações diferentes, uma solução aparentemente bem curiosa, que consiste em localizar ambos os substantivos e a oração total no fragmento que "sobra". (Já veremos que este procedimento está longe de ser exclusivo de Rosario, e que muitas outras crianças o adotam.)

Porém, voltemos ao problema da localização do verbo. Em nossa técnica inicial perguntávamos, diretamente, "onde diz ... ?". Técnica bastante sugestiva, porque supõe que em algum lugar diz, por exemplo, "chuta", visto que no texto inteiro diz "papai chuta a bola". Esta pergunta resultou ser muito pouco adaptada a nossos fins e tivemos que substituí-la por outra menos sugestiva: "Diz chuta, em algum lugar?" e, somente em caso afirmativo, "Onde?". É interessante assinalar que, utilizando uma técnica bem sugestiva como a que usamos inicialmente (sugestiva, visto que ao perguntar "onde diz ... ?" estávamos sugerindo que "diz" isso em algum lugar) tenhamos encontrado crianças com suficiente convicção para responder-nos "Não, não diz isso". Por exemplo, Marcela (6a CM) diz, categoricamente, "Não, não está" quando lhe é questionado onde está escrito o verbo de uma das orações, e não encontra nenhuma contradição entre negar que o verbo esteja representado e afirmar que o texto "diz" uma oração completa.

É óbvio que, uma vez que substituímos a pergunta "Onde diz...?" por "Diz... em algum lugar?", utilizamos sistematicamente esta forma de perguntar para todas as partes da oração; graças a isso descobrimos outros fatos ainda mais surpreendentes. Porém, não antecipemos resultados antes de tentar entender melhor esta categoria peculiar de condutas.

Antes de passar aos casos claros onde o verbo isolado não é nunca localizado, vejamos uma variante singular, a qual consiste em localizar o verbo, mas não com a forma conjugado própria à oração, mas sim no *infinitivo*. Esta variante é pouco utilizada pelas crianças. Somente duas delas (de 4 e 5 anos CB) a apresentam; porém, parece o suficientemente interessante para nos determos a analisá-

Psicogênese da Língua Escrita **133**

-la.[3] Uma delas, José, utiliza sistematicamente este procedimento para todas as orações apresentadas, traduzindo "chuta" em chuta(r), "come" em come(r) (para duas orações diferentes) e "compraram" em compra(r). Vejamos o protocolo que corresponde a uma das orações apresentadas:

José (4a CB) (Texto: *a menina come um caramelo*)

	(Repete corretamente a oração).
Está escrito "menina"?	Sim (mostra *um caramelo*).
Está escrito "caramelo"?	Sim (mostra *a menina come*).
Está escrito "come"?	Sim (mostra *come*).
Onde diz menina?	(mostra *caramelo*).
Onde diz caramelo?	(mostra *um*).
Onde diz come?	(mostra *come*).
E aqu*i* (*a menina*)	... Não sei.
Diz e mostra-me.	... (Duvida).
O que diz aqui (*caramelo*)?	Aqui diz *me-nina*[*] (primeira sílaba para um, segunda para caramelo).
E aqui (*,a menina come*)?	Comer. Comer caramelo ... a menina comendo caramelo.
Como diz?	A menina come caramelo.
Onde diz isso?	(mostra *a menina*).
E aqui (*come*)?	Comer.
Comer ou come?	Comer.
Como é tudo junto?	Menina come caramelo.
Eu escrevi a menina come um caramelo.	Come um caramelo.
Então, o que diz aqui (*come*)?	Comer.
Um, está escrito?	...
Diz um em algum lugar?	Não.
Caramelo?	(mostra *a menina*).
Menina?	(mostra o resto).
Como é tudo junto?	Menina come caramelo.
Menina come caramelo, ou a menina come um caramelo?	Menina come caramelo.

Trabalhando sobre essa oração – como sobre as outras apresentadas – José encontra dificuldades que um adulto dificilmente suspeitaria. Ele começa, como muitas outras crianças, por uma dicotomia, localizando a ambos os substantivos na totalidade do texto (uma parte para cada um), como se fossem ignorados os espaços em branco que o texto apresenta. Porém, é óbvio que esses espaços constituem uma perturbação que a criança tenta ignorar inicialmente, mas que trata

---

[*]N. de T. No original ne-na.

134 Ferreiro & Teberosky

de assumir progressivamente (como o demonstra a tentativa de recorte silábico me-nina). É óbvio, por outro lado, que José trabalha com o texto da direita para a esquerda (apesar de ter assistido a um ato de escrita da esquerda para a direita). Isto ocorre com muitas outras crianças, e está relacionado com o que assinalamos no Capítulo 3 (parte 4) sobre as dificuldades de reconhecimento da ordem convencional da escrita.

Também é claro que o verbo é estavelmente localizado no fragmento central do texto, somente quando é enunciado no infinitivo. E disso não resta a menor dúvida, visto que, ao propor-se a distinção comer/come, ele opta pelo infinitivo, opção reiterada inclusive depois de ter escutado e repetido a oração original. José não parece perturbado pelo fato de situar o verbo no infinitivo ao mesmo tempo que propõe uma leitura do texto completo, onde, se bem que desaparecem os artigos, o verbo aparece sob a forma conjugado original.

Em resumo: se antes nos pareceu surpreendente que a ausência de representação do artigo no texto fosse perfeitamente compatível com uma leitura "corrida", na qual o artigo aparece, agora devemos comprovar, com uma não menor surpresa, que uma representação do verbo sob sua forma mais estável – o infinitivo – seja perfeitamente compatível com a enunciação do verbo sob a forma conjugado, com as desinências gramaticais correspondentes.

Este fato reforça nossa interpretação anterior: *a escrita não é vista como uma reprodução rigorosa de um texto oral, e sim como a representação de alguns elementos essenciais do texto oral. Em consequência, nem tudo está escrito. A escrita serve para provocar um ato oral que não pode ser, então, senão uma construção a partir dos elementos indicados na escrita.* No lugar da "imagem especular" da escrita (isto é, a escrita como uma imagem no espelho do ato oral, reproduzindo-o em todos os seus detalhes), as crianças nos propõem uma concepção diferente: a escrita consiste numa série de indicações sobre os elementos essenciais da mensagem oral, com base nos quais deve *construir* esta mensagem.

No caso de todas as orações que nós apresentamos, havia uma constante: a enunciação de dois termos e de uma relação entre ambos. (Por exemplo, *menina e caramelo*, ligados pela relação *comer*.)[4] Em certa medida, a interpretação que José nos dá da escrita se aproxima de uma representação puramente lógica do conteúdo da mensagem. Algo assim como R (a) (b), isto é, como uma representação simbólica dos termos a, b, ligados pela relação R. Enquanto representação lógica – e não fonológica nem gramatical do enunciado – é óbvio que a correspondência entre a ordem de enunciação dos termos e a ordem da escrita desaparece (ou, em todo caso, se minimiza). Com efeito, (a) R (b) ou R (a) (b) são variantes convencionais que recebem a mesma interpretação: a tem a relação R com b; ou a está na relação R com respeito a b; ou existe uma relação R entre a e b.

Gostaríamos de dar outro exemplo que pudesse ajudar a esclarecer este ponto. Como lemos uma escrita matemática? Por exemplo, $4 + 2 = 6$ pode ser lido como "quatro mais dois são seis", "dois e quatro são seis", "seis é o resultado de adicionar dois e quatro", "a soma de dois e quatro dá como resultado seis", "quatro e dois, somados, dão como resultado seis", etc. Isto é, há uma infinidade de leituras

Psicogênese da Língua Escrita **135**

possíveis para uma mesma e única escrita: podemos começar a oração pela menção do resultado de um dos termos, ou da operação mesma, sem que essas diferentes leituras exijam uma modificação do texto. (Do ponto de vista pedagógico, é interessante assinalar que, ao ingressar no ensino fundamental, a escola vai propor a escrita de uma relação precisa – a adição – que admite múltiplas leituras equivalentes, e a escrita de relações muito menos precisas – tais como as que os verbos expressam que admite uma única leitura.)

No caso de nossas orações, nas quais já vimos que a relação é "pragmaticamente orientada", a ordem da escrita dos termos não altera o sentido da relação: "menina-comer-caramelo", "menina-caramelo-comer", "caramelo-menina-comer", etc., indicam sempre a mesma relação de agente/objeto da ação.

Poderia objetar-se que, se fosse assim, deveríamos encontrar crianças que produzem "leituras corridas" correspondentes às diversas ordens de enunciação possíveis. Porém, isso não ocorre. Precisamente, o interessante é que, na ordem das atribuições de significado sobre os fragmentos do texto, praticamente qualquer ordem é possível (ambos os substantivos e logo o verbo; o verbo entre ambos os substantivos; da esquerda para a direita ou da direita para a esquerda, seguindo a ordem das perguntas do experimentador, etc.); porém, quando passamos ao nível oral, entram em jogo as restrições sintáticas. Ali e somente ali tende-se a respeitar a ordem habitual de enunciação (sujeito-verbo-objeto direto). É precisamente essa distância entre as restrições às quais está submetido o texto oral e as restrições que se atribuem ao texto escrito que nos conduz a supor, uma vez mais, que o texto escrito é visto como representando algumas das características da mensagem (neste caso, sua estrutura lógica), permitindo a passagem ao oral, com todas as suas exigências, mas sem sabê-lo reproduzido totalmente.

Passemos agora à análise dos casos que correspondem, estritamente, ao título desta parte: aqueles que se caracterizam pela dificuldade de conceber que o verbo possa estar representado de maneira isolada. Em outras palavras, que possa gozar da mesma autonomia – a nível de representação – que os substantivos.

Muitas variantes da realização correspondem a essa ideia central. Uma das variantes mais frequentes consiste em localizar em lugares bem definidos a ambos os substantivos e, em outro fragmento, localizar o verbo; porém, indissoluvelmente ligado ao seu objeto direto (ou, o que é o mesmo para o caso das orações propostas, localizar o predicado inteiro num só fragmento). Esta variante pode coexistir ou alternar com outra, a qual tende a fazer um recorte em "duas partes", situando numa o sujeito da oração e na outra o predicado (mas, como no caso de nossas orações, o sujeito consistia sempre em um único substantivo; não podemos decidir entre a interpretação Sujeito/Predicado e a interpretação "ambos os substantivos, porém, um deles acompanhado do verbo"). Vejamos alguns exemplos:

Pablo (6a CM). (Texto: *a menina comeu um caramelo*)
Onde escrevi "menina"? (hesita, logo mostra *caramelo*).
Onde escrevi "caramelo"? (mostra *a menina*).
Aqui, o que diz (*comeu*)? Comeu um caramelo.

136 Ferreiro & Teberosky

E aqui (*caramelo*)?	A menina.
Aqui (*comeu*)?	Comeu caramelo.
Diz um em algum lugar?	Não sei.
Como é tudo junto?	A menina (mostra *caramelo*) comeu um caramelo (mostra o resto, da direita para a esquerda).

Silvana (4a CB). (Texto: *a menina come um caramelo*)

	(Repete corretamente)
Diz "menina" em algum lugar?	Aqui, aqui e aqui (mostra as três primeiras palavras).
Diz "caramelo"?	Aqui (mostra as duas últimas).
Diz "come", em algum lugar?	(mostra *menina*). *Aqui.*
Mostra e diz como é.	(mostra o texto da direita para a esquerda, sem falar).
Como é?	Menina e caramelo (sem mostrar).
Onde diz "menina"?	(mostra a e *come*).
Onde diz "caramelo"?	(mostra um *caramelo*).
E aqui (*menina*)?	Comprou o caramelo.

(Repete-se o interrogatório, com idêntico resultado.)

Seria fácil multiplicar os exemplos porque são muitas as crianças que adotam esta estratégia, que pode surgir com qualquer das orações. Por exemplo, Javier (4a CB), para a oração OURSOCOMEMEL – escrita sem as lacunas convencionais localiza "urso" na posição inicial, "mel" na posição final e, no meio, diz "está comendo mel".

Outra variante do mesmo problema consiste em enunciar o verbo quando se está fazendo uma "leitura corrida", mas *sem assinalar,* embora haja assinalamento para os substantivos (obviamente, sem separar o artigo do substantivo).

Finalmente, outra variante consiste em localizar o verbo e o objeto no mesmo lugar, no mesmo pedaço de escrita, o que equivale, novamente, a supor que o verbo não está representado de maneira isolada e independente.

Terminemos com dois exemplos que mostram como estas distintas variantes podem ser aplicadas, alternativamente, pela mesma criança enquanto trabalha com a mesma oração (o que reforça nossa hipótese de que se trata de modos de respostas alternativas para uma mesma problemática).

Javier (4a CB) (Texto: *a menina come um caramelo*)

	(Repete certo; porém, mostrando da direita para a esquerda).
Diz e mostra outra vez.	*A me-ni-na* (mostra *caramelo*) está comendo (mostra *um caramelo*). *Caramelo* (mostra o resto).
Onde diz a "menina"?	(mostra *caramelo*).
Onde diz "caramelo"?	(mostra *um*).

Come, está escrito? | Sim. Aqui adiante (volta a assinalar *um*).
E aqui (*come*)? | *A-me-nina** (uma sílaba para cada uma das palavras *A menina come*).
Porém aqui, somente neste pedaço (*come*) ... | A menina está comendo caramelo.
E aqui (*menina*)? | Aqui a menina. Não! Aqui (mostra *a*), e aqui come (mostra *come*).
E aqui (*caramelo*)? | Caramelo. A menina está comendo caramelo (mostra *um caramelo*).
Diz devagar e mostra-me. | A menina (a) está co- (*menina*) mendo (*come*) caramelo (*um caramelo*).

Roxana (4a CB). Mesmo texto.
(Começa por localizar "menina" no primeiro fragmento e "caramelo" no terceiro, sem saber a que corresponde o resto. Logo lhe é solicitada uma leitura "corrida".)

	A menina (mostra *a*, hesita) ... come caramelo (mostra *come*).
Outra vez.	A menina come caramelo (fazendo um gesto contínuo da esquerda para a direita; porém, sem ter chegado ao final do texto quando termina de enunciar a oração; então, repete, fazendo um gesto mais rápido, de modo que o final da verbalização coincida com o final do texto).
Onde diz "caramelo"?	(mostra *a*).
Onde diz "menina"?	(mostra *menina*).
Diz come?	Come caramelo.
Onde diz isso?	Até aqui (mostra final do texto).

Para compreender esses dados, é preciso levar em conta:

a) Que as mudanças nas atribuições que correspondem a mudanças na orientação da leitura (iniciada da direita para a esquerda e logo modificada, da esquerda para a direita, como o faz Javier) são relativas a outra dificuldade, à qual já fizemos referência, e não devem interferir na interpretação dos dados dos quais nos ocupamos.

b) Que o problema, com toda a evidência, consiste em encontrar qual é o tipo de "recorte" da oração que possa corresponder aos "cortes" visualmente observáveis. Na opinião dessas crianças, ambos os substantivos estão representados. Porém, que o verbo esteja representado sem que o

---

*N. de T. No original, La-ne-na.

objeto também o esteja – no mesmo lugar e solidariamente – lhes é muito difícil de conceber (e, em alguns casos, também se torna difícil conceber a separação do verbo no que diz respeito à oração total). Mas, para compreender a fundo as razões dessa conduta, é preciso revisitar os outros tipos de resposta que ainda não analisamos.

c) Que é preciso distinguir, uma vez mais, entre a "leitura corrida", na qual todas as palavras aparecem, e inclusive pareceriam receber uma localização precisa no texto, e a resposta às perguntas que solicitam uma atenção a essas mesmas palavras, mas tomadas separadamente umas das outras (ou, reciprocamente, uma atenção aos fragmentos do texto considerados individualmente). O que parecia "estar escrito" no primeiro caso não pareceria "estar escrito" no segundo. A esta nítida distinção entre o que está escrito e o que se diz *sobre ou a propósito* de um texto deveremos retornar novamente.

d) Que, com esse tipo de conduta, entramos numa espécie de "terreno instável", no sentido de que as atribuições são menos estáveis, podem mudar de um momento para outro, e a criança dirá coisas aparentemente contraditórias a propósito de um mesmo fragmento de escrita. Não obstante, esta fluidez ou esta falta de consistência das respostas que acabamos de analisar é estabilidade e consistência em comparação com o que nos oferece o tipo de respostas que em seguida vamos considerar.

D – Impossibilidade de efetuar uma separação entre as partes do enunciado que possam se corresponder com as partes do texto

Indicaremos quais são os índices condutuais que utilizamos para localizar uma resposta nesta categoria. Quando o experimentador pergunta onde está escrita uma determinada palavra, o assinalamento é errante, vago e contraditório (quer dizer, é um mostrar impreciso, que se refere tanto à oração inteira – vagamente assinalada – como a várias partes, ou a pedaços de uma parte; além disso, as perguntas reiteradas do experimentador sobre a mesma palavra dão lugar a assinalamentos incongruentes). Por exemplo, para Javier (4a CB), no texto PAPAI CHUTA A BOLA, todo o enunciado está completo, em qualquer das partes do texto (exceto "papai", que se situa como parte separada em A, o que não impede que também o localize em todas as outras partes, visto que a oração inteira está em qualquer delas); mas também qualquer das palavras da oração está em qualquer parte do texto. E tudo isso, para Javier, é compatível com uma leitura "corrida" semelhante à das outras crianças; "papai/chuta/abo-/la", indicando, da esquerda para a direita, os quatro fragmentos do texto.

Outro índice condutual consiste em completar, verbalmente, cada pergunta do experimentador, o que equivale a negar que as palavras isoladas estejam escritas. Os exemplos são muitos:

Gustavo (4a CB), diante da pergunta "*chuta* está escrito?", responde: "papai chuta; aqui é a chuta? aqui diz chuta a bola", enquanto mostra somente as duas últimas letras de PAPAI.

Atílio (5a CB), no texto: OURSOCOMEMEL responde assim:

Diz mel, em algum lugar?	Não.
Diz urso, em algum lugar?	(mostra todo o texto).
Diz come?	Não.
Diz come mel?	Não.
O que diz?	Urso come mel (gesto da direita para a esquerda sobre todo o texto).

O último índice condutual, complementário dos anteriores, é o seguinte: quando o experimentador mostra um fragmento e pergunta o que diz ali, a resposta verbal da criança é maior que uma palavra.

O interesse deste tipo de conduta é múltiplo. Por um lado, constitui, em certa medida, algo assim como o "nível zero" no que se refere à tarefa proposta. Com efeito, nossas perguntas, que tendem a fazer a criança trabalhar com a decomposição da oração nas palavras que a compõem, pareceriam estar muito acima da capacidade real dessas crianças. A oração que elas escutaram constitui uma unidade desde múltiplos pontos de vista: uma unidade sintática, uma unidade de sentido, uma unidade de entonação. O texto, entretanto, apresenta espaços que permitem distinguir partes. Porém, nada permite ainda trabalhar com essa propriedade do texto escrito. Daí que a criança tente, alternativamente, situar todo o enunciado numa só parte, tanto como situar qualquer das palavras em qualquer das partes. E que se negue a admitir que uma só palavra esteja escrita (inclusive se trata de um substantivo). Por outro lado, nada pareceria garantir ainda que a ordem das partes escritas pode ser colocada em correspondência com alguma outra ordem, o que leva a contínuas oscilações entre as atribuições de significação outorgadas. Somente por contraste com esse tipo de conduta podemos avaliar a enorme distância que separa esses sujeitos dos outros previamente analisados.

Mas tratemos de ver um pouco o "lado positivo" do problema. De nada serve indicar que uma conduta é algo parecida a um fracasso total se não tratamos de indagar quais são as causas da dificuldade que comprovamos. Por que é tão difícil a tarefa proposta? Somente graças a esse tipo de conduta podemos nos colocar um problema novo, que não havia se apresentado como tal antes de escutar a essas crianças. O fato de que nossas perguntas exigiram uma forma especial de *identidade* não nos havia ocorrido antes. De que se trata? Para nós, adultos, resulta óbvio que, se partimos da oração "papai chuta a bola", quando perguntamos se "papai" está escrito, referimo-nos, forçosamente, ao mesmo "papai" de "papai chuta a bola". Da mesma maneira, quando partimos de "a menina come um caramelo" e perguntamos se "menina" ou "caramelo" estão escritos, parece-

140 Ferreiro & Teberosky

-nos óbvio que se trata da mesma menina e do mesmo caramelo de que falamos antes. Mas isso é óbvio para todos os níveis? As crianças que estamos analisando pareceram sugerir-nos que para elas não é óbvio. "Caramelo" não está escrito; porém, está "a menina come um caramelo", e uma coisa não se deduz da outra, pois, quando isolamos um elemento da mensagem oral e o apresentamos como uma palavra fora do contexto, mudamos de alguma maneira a sua significação. "Caramelo", sem o resto, é provavelmente o nome, a etiqueta, enquanto que o "caramelo" de "a menina come um caramelo" é um caramelo singular que está numa relação também singular com "a menina" em questão. No fundo, quando perguntamos se "caramelo" está escrito, referimo-nos a um certo modo de escrever – o que nos é próprio – que mantém invariável a representação escrita da palavra, qualquer que seja o sistema de relações – e, portanto, de significações – no qual se insere. Uma vez mais, a criança não tem por que compartilhar conosco, desde o começo, uma hipótese tão forte e tão geral.[5]

E – Toda a oração está num fragmento do texto; no resto do texto, outras orações congruentes com a primeira

Este tipo de conduta, juntamente com o seguinte, colocar-nos-á em contato com as respostas mais insuspeitadas que obtivemos. Este tipo E tem em comum com o tipo D a impossibilidade de efetuar um "recorte" do enunciado para colocar em correspondência partes da oração com partes do texto. Porém, enquanto as respostas do tipo "D" se caracterizavam pela tentativa de recorte, sempre frustrado, e pela atribuição total tanto a uma como a várias partes do texto, no tipo "E" a situação é mais clara. A hipótese que parecia ser utilizada pelos sujeitos era a seguinte: a oração inteira, em bloco, está num dos fragmentos do texto, enquanto que nos outros fragmentos "deve haver coisas similares", isto é, também orações, semanticamente próximas à oração escutada. Vejamos alguns exemplos ilustrativos:

Ximena (4a CM), para o texto PAPAI CHUTA A BOLA propõe, para cada um dos fragmentos de escrita, da esquerda para a direita:

papai chuta a bola
papai sério
papai escreve a data
papai vai dormir.

Um procedimento semelhante é utilizado para o caso do texto *a menino comprou um caramelo*.

Onde diz "caramelo"?	(mostra *a*).
Onde diz "menina"?	(mostra menina).
Onde diz "comprou"?	(mostra comprou).

E aqui (um)?	Que vai se deitar, e aqui (mostra caramelo) que vai brincar no quarto.
Como é, então?	A menina vai comprar um caramelo (mostra comprou), vai se deitar (mostra um) e brincar em seu quarto (mostra caramelo).
Mas, onde diz "caramelo"?	Aqui diz caramelo (mostra caramelo). A menina vai brincar.

Liliana (5a CB), para a *menina come um caramelo,* inicialmente opera com uma identificação com o sujeito da oração e pensa que diz "comi caramelo" nos dois primeiros fragmentos do texto. Ela propõe "comi chocolate" para os três restantes. Logo em seguida, Liliana reformula sua proposta da seguinte maneira:

Comi caramelo (em *a menina*).
Comi chocolate (em *come um*).
Comi biscoitinho e comi um pirulito (em caramelo).

Fica claro, através dessas respostas, o que é que entendemos por "campo semântico próximo ou similar". No caso de Ximena, a identidade semântica está assegurada pela identidade de sujeito, de todas as orações. No caso de Liliana, além da identidade de sujeito existe identidade do verbo, e as variações concernem unicamente aos complementos desse verbo, todos eles tirados de uma mesma classe (a das "guloseimas").

Nos exemplos de Ximena, torna-se claro, além disso, que "papai vai dormir" ou "a menina vai se deitar" servem para marcar o final de uma sequência de ações, como se se tratasse de uma história ("e aqui terminou a história"). A conduta da mesma menina para o caso do texto *a menina comprou um caramelo é* bem ilustrativa do propósito desse tipo de resposta e das condições de sua aparição. Com efeito, Ximena começa por admitir como válidas as perguntas do experimentador (como válidas, no sentido de que as palavras isoladas podem estar escritas), mas se limita a indicar as palavras escritas com certa ordem, colocando em correspondência a ordem das *perguntas* com a ordem dos fragmentos. Porém, quando vê que tem uma sobra de texto", muda sua estratégia.

Exemplos como esse servem para ver que, uma vez mais, o problema é sempre o mesmo: *existe uma "sobra" de texto, no que diz respeito às expectativas da criança, e as diversas condutas observadas correspondem a tentativas mais ou menos exitosas de anular essa perturbação.* Por outro lado, o fato de que esse tipo de conduta não apareça quando apresentamos à criança uma oração escrita sem deixar lacunas entre as palavras mostra que sua hipótese básica é que a oração constitui uma unidade que não deveria representar-se por meio de um texto fragmentado.

Em alguns casos, os quais agrupamos dentro desse mesma tipo E, a solução é encontrada, propondo orações semelhantes ao modelo, as quais não diferem senão pelo verbo utilizado. Esses verbos podem organizar-se numa sequência de ações ou como sinônimos da mesma ação. Por exemplo, David (5a CB) trabalha

142 Ferreiro & Teberosky

com a sequência "a menina come caramelo, o descasca", e como não encontra outro elo da corrente, repete o último até terminar com o texto: "a menina/o come/aqui o descascado come/e aqui ... o come, aqui? ... o come aqui" (da esquerda para a direita, para cada fragmento).

De modo semelhante, Erik (5a CB), para o texto *a menina comprou um caramelo*, inicialmente trabalha com o par "a menina comprou um caramelo, a menina tem caramelo", e posteriormente com o par "a menina comprou caramelo, a menina come caramelo" (atribuídos, nessa ordem, aos dois últimos fragmentos do texto, indo da direita para a esquerda), e para o resto propõe "a menina comprou-se caramelo", lido duas vezes nos dois fragmentos que lhe restam (já que ele não usou nunca separadamente o fragmento *a*).

O próprio Erik vai trabalhar com sinônimos da mesma ação no caso do texto PAPAI CHUTA A BOLA. Fazendo suas atribuições da direita à esquerda, vai propor, para cada fragmento: "papai chuta a bola/está jogando/está chutando a bola/ está jogando."

O interesse dos exemplos de David e Erik é inegável no quadro total das respostas obtidas. Apesar do fato de que não consigam propor nenhum recorte da oração original, não resta dúvida que tentam respeitar pelo menos duas coisas: a quantidade de fragmentos do texto (já que propõem tantas orações quantos fragmentos estejam escritos) e a unidade subjacente ao texto inteiro. Esta se expressa, para eles, numa certa unidade temática (ou semântica, se se prefere) que é mantida ao longo da "leitura" do texto, recorrendo, como temos visto, a trocas do verbo que levam a uma sequência de ações (a qual pode ser conceitualizada como uma única ação com diferentes passos; por exemplo, descascar e comer um caramelo), ou a mudanças do verbo dentro de opções de sinônimo, de maneira que o evento referido não se modifique.

De alguma maneira, então, inclusive as respostas aparentemente mais disparatadas respondem a uma lógica interna, a uma opção coerente que foi rigorosamente desenvolvida.

F – Localização exclusiva dos nomes em dois fragmentos do texto; no resto, eventualmente, outros nomes compatíveis com os anteriores

Esta é a última categoria de condutas e é, sem dúvida, a mais original (no sentido da mais inesperada para um adulto), e também a que mais nos obrigará a revisar nossas ideias sobre a abordagem inicial da escrita. E não se trata de uma conduta pouco frequente – como o tipo E – mas extremamente frequente. Na continuação, damos alguns exemplos, agrupando-os em função do texto apresentado:

Psicogênese da Língua Escrita **143**

PAPAI CHUTA A BOLA
Alejandra (5a CM)

Onde diz "papai"?	(mostra CHUTA A). Aqui, porque é mais comprido.
Onde diz "bola"?	(mostra BOLA).
E aqui?	... Mamãe.
Como te deste conta?	Porque não estava escrito.
E faltava?	Sim.
Se está papai ...	Tem que estar mamãe.
Tudo junto, o que diz?	Papai, bola, mamãe.

Gladis (6a CB)
Depois de repetir certo, várias vezes, a oração, mas oscilando marcantemente para situar as palavras no texto, termina propondo (da esquerda para a direita): "papai/bola/cancha" (esta última para os dois últimos fragmentos).

Leonardo (5a CB)

Repete a oração como "papai joga a bola".	
"Papai", está escrito?	Não.
"Bola", está escrito?	Não.
"Jogar", está escrito?	Não.
O que está escrito?	Papai joga a bola.

(O experimentador continua, tratando de obter uma "leitura" para fragmentos isolados, e finalmente Leonardo propõe, da esquerda para a direita): "papai/mamãe/tio/bola".

Alejandro (4a CB) situa toda a oração em PAPAI, e para o resto propõe, da esquerda para a direita:
"a cancha/as árvore(s)/e a terra".

Atílio (5a CB) repete a oração como "papai brinca de bola". Situa "bola" no último fragmento e "papai" no primeiro (o que está correto), propondo "chuta" e "joga" para os dois fragmentos médios. Porém, de súbito, se corrige e passa para o seguinte (trabalhando da esquerda para a direita): "papai/bola/futebol ..."
Hesita, por causa dos fragmentos restantes, e logo propõe (também da esquerda para a direita, para cada fragmento):
"papai/futebolista/bolinha, bola/pátio".[*]
a menina comprou um caramelo

Gladys (6a CB)
(trabalhando da direita para a esquerda, propõe):

---

[*]N. de T. Sendo a frase original em espanhol: papápatea *la pelota,* há analogia com as leituras: *pelotita, pelote, patio.*

"menina/caramelo/armazém, bar" e não consegue dar significado aos dois fragmentos restantes. Isso não é obstáculo para que continue dizendo, no final, que em todo o texto diz "a menina *jué*[*] (foi) comprá(r) caramelo".
a menina come um caramelo

Alejandro (4a CB)
(Trabalhando da direita para a esquerda propõe, para cada fragmento): "a menina/pirulito/caramelo/o menino".
Logo muda a ordem de leitura, e quando lhe pedem "Diz e mostra tudo junto", faz as seguintes atribuições para cada fragmento, da esquerda para a direita, identificando-se, além disso, com o sujeito da oração: "Alejandro está comendo/um caramelo/pirulito/e minha irmã".

Ressaltemos, antes de mais nada, que essas respostas não foram obtidas porque tenhamos modificado de alguma maneira a técnica de interrogatório. Atuamos com essas crianças da mesma maneira que atuamos com as outras. Mais ainda, na primeira vez que obtivemos respostas desse tipo, ficamos tão surpresos como o próprio leitor, pensando que eram ideias totalmente aberrantes de uma criança isolada. Porém, quando tal estranha resposta começou a surgir da boca de várias crianças diferentes, vimo-nos forçados a procurar compreender. E ficamos convencidos de que essas respostas nos proporcionam uma das principais chaves do processo de abordagem do objeto "escrita", tal como se dá nos seus inícios.

Trataremos de nos explicar, e de explicar as respostas dessas crianças.

Para que não haja equívocos, convém insistir sobre a frequência desse tipo de conduta. Os casos que temos apresentado a título de exemplos são, em certa medida, casos "puros", isto é, casos em que tal estratégia aparece de forma exclusiva ou de modo dominante. Porém, traços dessa estratégia podem apresentar-se em muitos outros sujeitos. Por exemplo, na parte B, quando apresentamos as crianças que pensavam que todas as palavras da oração estavam representadas na escrita, exceto os artigos, citamos Alejandro (6a CM). Este menino, diante do texto PAPAI CHUTA A BOLA, situa corretamente a ambos os substantivos e ao verbo. Todo o seu problema consiste em interpretar o fragmento *A*. Começa supondo que "é uma parte da bola", a parte "bo" (isto é, um fragmento silábico); porém, termina dizendo: "Para mim, que é uma parte de algo, de algum nome ... Essa é uma parte que significa o arco" e, precisamente, congruente com essa interpretação, que é a que mais o satisfaz, proporá um deslocamento desse pedaço de escrita (PAPAI CHUTA BOLA A) para poder ler, então, "papai chuta a bola ao arco".

Um exemplo muito claro é o de Ximena (4a CM) diante do texto "oursocomemel" (em cursiva, sem deixar lacunas). Ela começa por fazer uma distinção em duas partes do texto, as quais pareceriam corresponder a sujeito/predicado: "aqui, o urso, e aqui come mel"; porém, de imediato, reformula: "o urso, e o mel que

---

[*]N. de T. Linguajar infantil para dizer *fué* (foi).

comia o urso", o que sugere uma mudança, no sentido da representação de ambos os substantivos, somente. Não obstante, quando o experimentador lhe pergunta se está certo escrito tudo junto, ou se haveria de deixar espaços como nos casos anteriores, Ximena propõe uma divisão em três partes, e indica para o experimentador – que reescreve o texto – onde tem de separar. O resultado é: "oursocome mel". Diante desse resultado, a menina fica perplexa. Primeiro lê, da esquerda para a direita, como "o urso/come/mel"; porém, algo lhe resulta incompreensível *até que exclama: "Ah, já sei! Têm dois ursos, e o mel"*.

É útil indicar que a hipótese de que somente os nomes estão representados torna-se evidente nos casos de introdução de novos nomes, mas uma resposta pode pertencer a essa categoria, ainda que não se introduzam novos nomes. No começo deste Capítulo (página 108), demos o exemplo de Facundo (6a CM) que somente situa no texto "papai" e "bola" e nega que o verbo esteja representado. Ele é, também, um exemplo dessa categoria de conduta.

Até agora temos caracterizado, provisoriamente, estas respostas como baseadas na expectativa de que somente os substantivos da oração estejam representados.

Porém, agora é útil perguntar-se: A criança espera tantos fragmentos de escrita quantos substantivos enunciados, ou tantos fragmentos de escrita quantos objetos representados? A pergunta não é bizantina. No primeiro caso, trata-se de certas partes privilegiadas da oração; no segundo caso, trata-se dos objetos aludidos. A pergunta pode, então, ser assim traduzido: a criança espera que algumas partes da mensagem oral – enquanto elementos formais – estejam representadas, ou espera que somente o conteúdo referencial da mensagem esteja representado, mas não a mensagem em si, enquanto forma linguística?

A análise detalhada destas respostas leva-nos a pensar que, para essas crianças, a escrita é *uma maneira particular de representar objetos* ou, se se prefere, uma maneira particular de desenhar. Vistas sob essa perspectiva, as respostas aparentemente "aloucadas" tornam-se transparentes. Alejandra, quando atribui ao fragmento "mais comprido" de escrita o significado de "papai"; (visto que papai é grande, é preciso representá-lo por algo maior que o resto, tal como faríamos se o desenhássemos). Atilio, quando troca o "futebol" – irrepresentável como tal – por "futebolista" – este sim representável. O mesmo Atilio, quando pensa que em *A* diz mais fácil "bolinha" que "bola", vista a pequenez da representação. E todos, quando introduzem novas designações de objetos, ausentes no enunciado original, mas compatíveis com ele, não enquanto paráfrase do enunciado (como seria: "papai joga bola") mas como *elementos do cenário ou decoração da ação*.

Se "papai chuta a bola", deve fazê-lo em algum lugar, isto é, na "cancha"; para uma criança de favela esta normalmente deverá ser de "terra". Ou talvez "Papai chuta a bola" num "pátio" ou em direção ao "arco". Se "a menina comprou um caramelo", deve tê-lo comprado em um "armazém" ou bar. Se "o menino está comendo um caramelo", o mais equitativo é que a "irmã" tenha um "pirulito". Finalmente, se está "papai", podem estar também "mamãe" ou os outros membros da família.

Em todos os casos, as respostas consistem em "completar o cenário" ou em armar o cenário atendo-se à quantidade de fragmentos de escrita dados. O importante é isto: que a quantidade de fragmentos é vista representando – de uma maneira certamente bastante abstrata e singular – outros tantos objetos. Uma vez mais, a criança está confrontada com o problema das "sobras": somente "papai" e "bola" deveriam estar representados. Porém, existem outros fragmentos de escrita, e a cada um se faz corresponder um objeto total. Já não fragmentos silábicos nem orações completas, mas uma totalidade homogênea composta unicamente de objetos.

Como é possível que com "papai" e "bola" possa ler "papai chuta a bola"? Porém, se se tratasse de uma espécie de desenho, que é que se desenharia senão essas duas coisas? A ação não se pode desenhar. No máximo se pode sugerir. O desenho é um instantâneo no tempo, e a ação é um desenvolvimento no tempo. Se desenho um papai e uma bola, no ar, esse desenho sugere uma reconstrução de um estado anterior; se desenho um papai cujo pé está próximo de uma bola, sugiro um estado posterior. A ação, enquanto tal, estritamente falando, é irrepresentável. Porém, o desenho apela continuamente para um componente interpretativo, e daí 'a distância entre o que efetivamente está representado e o que o desenho "quer dizer". E, no nosso caso, entre o que está escrito, e o que o texto "diz" ou "se pode ler" nele. Da mesma maneira, é possível que com "menina/caramelo/armazém" possa ler "a menina foi comprar um caramelo". Se desenhássemos esses três elementos numa certa ordem, não poderíamos dizer que desenhamos uma menina que foi comprar um caramelo? Pensemos que é o que ocorre quando uma criança desenha uma casa. Pode acrescentar uma árvore, um jardim, um vaso de flores, um cachorro que passa pela calçada, etc. Nem por isso deixará de ser o desenho de uma casa. Nada disso muda a intenção fundamental nem a designação de objeto total. Algo muito similar parece-nos ocorrer aqui. Podemos seguir "lendo" a mesma oração, ainda que pensemos que o armazém ou bar estejam representados. Isso não nos obriga a modificar o enunciado, visto que está implícito nele, faz parte das pré-suposições que compartilhamos e que tornam possível a comunicação.

Agora, se levamos em conta que, para crianças dessas idades, os nomes são considerados como propriedades dos objetos (cf. Vigotsky, 1973), pode-se sustentar, então, que a escrita aparece como uma maneira particular de representar certas propriedades dos objetos (seus nomes). Visto que os nomes não são analisados enquanto palavras, mas enquanto propriedades dos objetos, o conceber a escrita como uma representação de nomes (de objetos) não exclui que outras propriedades desses mesmos objetos também apareçam na representação (cf. Capítulo 6).

2 – O PONTO DE VISTA DA CRIANÇA: PRECISA OU NÃO PRECISA SEPARAR?

O "precisa ou não precisa" do subtítulo não tem, por certo, um sentido normativo. O "precisa ou não precisa" é o produto de uma pesquisa realizada

Psicogênese da Língua Escrita **147**

com nossos sujeitos para saber se, na opinião deles, "precisa ou não precisa" efetuar separações quando se escreve uma oração. A pesquisa é relativamente fácil de realizar: basta escrever um texto diante da criança, evitando os espaços em branco que convencionalmente deixamos entre as palavras. Lemos, ficamos de acordo sobre significado dessa escrita e logo discutimos, comparando com outras, sobre a pertinência de introduzir "cortes" ou "fragmentações", ou manter o texto como tal.

Os sujeitos com quem realizamos a pesquisa são os mesmos que nos deram os dados anteriores. Para favorecer as comparações, utilizamos uma oração semelhante às anteriores (verbo transitivo, sujeito e objeto direto constituídos por um substantivo com ou sem artigo) e também para favorecer as comparações, propusemos esta oração, às vezes, em cursiva e, às vezes, em letra de imprensa (visto que as orações das quais nos ocupamos anteriormente também tinham sido escritas em ambos os caracteres).

A oração que escolhemos foi OURSOCOMEMEL, e o interrogatório se realizava como nos outros casos, salvo duas modificações: a primeira, que não perguntávamos pelo artigo; a segunda, que tratávamos de chegar o quanto antes às perguntas específicas para esta situação. Essas, perguntas eram as seguintes: "Achas que está certo escrito assim, tudo junto?"; "Teria que corrigir algo?"; "Repare como escrevemos antes. Onde está melhor?" Em alguns casos, apesar de que a criança não propusesse nenhuma separação perguntávamos: "Assim achas que está bem, não é mesmo? Porém, suponha que tivéssemos que deixar uns espaços, como antes. Se tivéssemos que separar, onde achas que deveríamos fazê-lo?" Por certo que, no caso de que a criança propusesse alguma separação, impunha-se perguntar-lhe "o que ficará escrito" em cada fragmento.

Digamos, antes de tudo, que esta maneira de escrever não impediu nem favoreceu a aparição de qualquer um dos tipos de conduta que distinguimos antes, com somente uma exceção: a atribuição de toda a oração a um só fragmento, e de outras similares aos fragmentos restantes. Esta conduta torna-se automaticamente eliminada com tal maneira de escrever, por razões bem evidentes; como tampouco aparecem os recortes silábicos, que não constituem em si um tipo particular de conduta, mas um modo bastante geral de solucionar o problema dos fragmentos "sobrantes", que aqui não existem, visto que não há mais que um único fragmento.

Embora, neste caso, também apareçam as respostas que temos caracterizado como localização exclusiva dos substantivos (e que, em seguida, analisamos como a localização dos objetos referidos ou de seus nomes), parece-nos muito importante, e uma indicação a mais em favor de que essa concepção não é uma solução "*ad hoc*", que pode aparecer ou desaparecer segundo a natureza do estímulo apresentado, mas uma etapa importante do desenvolvimento genético que estamos estudando. Com efeito, visto que aqui não há fragmentações gráficas, poderíamos pensar que isso favorece a centralização no enunciado, enquanto totalidade. Entretanto, isso não acontece. O que, obviamente, tampouco aparece é a introdução de outros nomes não mencionados na oração apresentada. A aparição de

148 Ferreiro & Teberosky

outros nomes (como mamãe, cancha, jogadores, etc.) somente se observa quando há fragmentos "sobrantes"; a hipótese de que somente os nomes (ou os objetos designados) estão representados resulta evidente quando se introduzem novos nomes, mas também pode manifestar-se sem eles, como é fácil ver no exemplo seguinte. Gustavo é um caso particularmente claro, o qual oscila entre a localização dos objetos referidos e uma análise da oração, mas com impossibilidade de efetuar uma separação entre suas partes.

Gustavo (4a CB). (Oração em manuscrito)

	(Gustavo repete bem a oração, tanto como o gesto de esquerda para direita). (Gesto
Diz "mel", em algum lugar?	afirmativo, mostra as duas últimas letras).
Não pode ser que diga "mel" aqui? (mostra as cinco primeiras letras)	Não. Aqui começa o urso.
Aqui dirá "mel"? (mostra a parte central do texto)	Não. Porque aqui diz o urso come mel.
Onde diz o "urso"?	(mostra as três primeiras letras).
Onde diz "mel"?	(mostra as duas últimas).
Onde diz "come"?	... o mel (completando).
Então, "mel" é aqui (as duas últimas letras) ?	Sim, porque daqui tira o mel.
E "urso"? para	Aqui (percorrendo o texto da esquerda
	a direita). E aqui tira o mel (as duas últimas letras). Aqui está a cabeça.
(Tapa as duas últimas letras, fica visível *oursocomem*) *O* que diz agora?	O urso come o mel, de volta aí (fazendo desta vez um gesto contínuo da direita para a esquerda).
E onde diz "mel", agora?	(mostra as duas primeiras letras).
(Tapa começo e final do texto, fica visível *urso*). E agora?	O urso come mel (gesto da direita para a esquerda, sobre a parte visível).
(Idem, fica visível *eme*) E agora?	Mel. O urso come o mel.

Este exemplo é instrutivo por várias razões. Primeiro, porque as referências figurais são particularmente claras: Gustavo fala como se o texto fosse uma imagem ("daqui tira o mel"; "aqui está a cabeça"). Segundo, porque a totalidade da oração pode estar em qualquer das partes (a técnica de ocultar um pedaço e solicitar uma leitura do resto é muito útil para verificar isso). Terceiro, porque não se pode afirmar que Gustavo diga "qualquer coisa", já que rejeita sugestões do experimentador, contrárias a sua opinião. Quarto e último, porque este caso nos permite antever um problema que logo abordaremos: o de saber quais tipos de conduta são compatíveis entre si. Gustavo indica-nos claramente que a dificul-

Psicogênese da Língua Escrita **149**

dade de efetuar uma separação entre as partes da oração e a localização dos referentes não são respostas excludentes nem tampouco representativas de momentos diferentes da evolução. São provavelmente, como veremos mais adiante, duas maneiras alternativas de responder, no mesmo nível de desenvolvimento da conceitualização, ao problema exposto: centralizando-se uma vez na emissão enquanto forma linguística, e outra vez no conteúdo da mensagem enquanto realidade aludida.

Passemos agora ao problema específico que abordamos com essa maneira de escrever sem deixar lacunas. A grande maioria das crianças não encontra nenhum inconveniente em escrever assim e diz que "não importa", que está certo. Nos casos em que o texto é apresentado em manuscrito, aparece uma justificativa a mais para não deixar espaços:

Não precisa separar "porque a letra está juntinha", diz Javier (4a CB), indicando, com tal motivo, que, na escrita cursiva, como é bem sabido, as letras se juntam entre si. Diego (4a CM) também dirá que não precisa separar, porque é "para assinar", e vão juntas. Esclarecemos: a letra cursava é denominada por Diego "letra para assinar". Máximo (5a CM) indica, enfaticamente, "com estas não se separa"- subentendido: com esta classe de letras.

A comparação com as escritas anteriores, na qual se escreveu com as separações habituais, dá, às vezes, efeitos surpreendentes:

Alejandra (5a CM) compara OURSOCOMEMEL com PAPAI CHUTA A BOLA. Perguntamos se acha que está certo, e responde que não, e à nossa pergunta sobre se tem algo que corrigir, Alejandra responde: "Aqui tenho que pôr outras letras", e de imediato se dedica à tarefa de "encher" com outras letras os espaços em branco da oração escrita com as separações normais.

Laura (5a CB), fazendo a mesma comparação, mas com a oração sem lacunas, escrita em cursava, observa o seguinte:

"Estes (PAPAI ...) têm que ir separados porque são só letras. Estas (oursoc ...) são para ler e têm que colocar todas juntas". Congruente com o que acaba de dizer, Laura objetará a escrita de "a menina come caramelo", em cursiva, e exigirá que todos os fragmentos desse texto se juntem entre si.

Quando propomos a algumas das crianças que se negam a efetuar cortes no texto, uma situação forçada (se tivesse de separar, por onde?) os resultados são extremamente variados:

- alguns propõem fazer as "separações" acima e abaixo do texto, ou nos extremos, mas de nenhuma maneira dentro do texto;
- outros propõem um número arbitrário de separações que logo não sabem como interpretar;
- outros propõem separar letra por letra;
- outros, finalmente – poucos – propõem uma separação em duas partes, ficando "urso" numa e "mel" na outra.

Das 56 crianças que interrogamos com essa técnica, somente 11 indicaram que haveria que fazer alguma separação (2 de CB e 9 de CM).

Seis destas 11 crianças propuseram uma divisão em dois (interpretada em três casos como a representação de ambos os substantivos, em um caso como o objeto direto separado da oração inteira, e nos dois casos restantes, como sujeito/predicado). Uma sugere a divisão em três partes, localizando em cada uma o sujeito, o verbo e o objeto, respectivamente. Outra propõe uma divisão em quatro partes, mas logo não sabe como interpretá-las porque, na realidade, espera que corresponda a sujeito/predicado. Outra diz que há que separar, mas não sabe onde. Somente uma propõe uma divisão em quatro partes, que segue as convenções habituais (pouco interessante, porque se trata de uma criança que já sabe ler sozinha; porém, bastante interessante, quando se observa que é a única, das três que sabem ler sozinhas e que passaram esta prova, que exige essas divisões. As outras, mesmo sabendo ler, pensam que dá no mesmo "escrever junto ou separado"; "as duas iguais", diz Miguel).

O caso mais interessante é, sem dúvida, o de Ximena (4a CM), a quem já nos referimos na seção F. Recordemos que ela propõe uma divisão em três partes, e mostra ao experimentador como reescrever a oração; porém, em seguida, frente ao resultado, fica perplexa. O texto escrito é: "oursoco me mel" e Ximena o lê para si, sem entender: "o urso come mel o urso, o urso come mel ... Ah, já sei! Têm dois ursos e o mel". Nada mais claro do que essa resposta para nos fazer compreender as dificuldades da passagem de uma divisão em duas partes para uma divisão em três.

3 – A LEITURA DE UMA ORAÇÃO DEPOIS DE EFETUAR UMA TRANSFORMAÇÃO

No contexto da problemática sobre a localização das partes da oração no texto, uma das perguntas que nos formulamos é a seguinte: a partir de que momento a criança poderá deduzir qual é o resultado da permuta de dois dos termos de uma oração? Escolhemos, para responder a essa pergunta, uma oração que admitisse uma permuta dos dois substantivos sem dar lugar a uma marcante anormalidade semântica e trabalhamos com O CACHORRO CORREU O GATO da mesma maneira que com as orações anteriores (solicitando uma localização de suas partes) para logo passar à escrita de O GATO CORREU O CACHORRO e solicitar à criança uma "leitura antecipada" desse novo texto. Enquanto escrevíamos a oração, indicávamos, cuidadosamente, à criança, as permutas efetuadas, tanto o que se mantinha na posição original (escrevendo abaixo do modelo, íamos dizendo: "isto deixo igual; isto que estava aqui ponho aqui", etc.). Finalizada a escrita, perguntávamos: "O que achas que diz?"

Neste caso, obviamente, a criança deveria utilizar a informação dada em primeiro lugar (quando lemos a primeira oração) mais a informação dada pela transformação, efetuada, para deduzir o possível significado do novo texto escrito.

Psicogênese da Língua Escrita **151**

As semelhanças com a situação de transformação de palavras, que analisaremos no Capítulo 6, são marcantes. Mas há também sensíveis diferenças. Quando efetuamos transformações sobre uma palavra escrita é preciso – a partir de certo nível de desenvolvimento – trabalhar com a decomposição da palavra em unidades menores não significativas (as sílabas, em geral); enquanto que aqui basta trabalhar a nível das palavras consideradas na sua composição linear dentro da oração.

Agora, logo depois de ter revisto as múltiplas e variadas dificuldades que a criança deve enfrentar para dar um significado aos fragmentos de escrita de uma oração, e o tardio da suposição segundo a qual a ordem linear do texto corresponde à ordem temporal da emissão, podemos suspeitar que a antecipação do resultado de uma transformação desse tipo não é, tampouco, tarefa fácil. Inclusive, não seria nada surpreendente caso tivéssemos encontrado que nenhum dos nossos sujeitos era capaz de dar uma resposta correta, visto que, segundo qualquer das definições convencionais, não sabem ainda ler (salvo raras exceções). Entretanto, encontramos sujeitos que, sem saber ler, podem dar uma resposta correta. As condições desse ganho são as que analisaremos agora.

Se tentamos uma ordenação genética das respostas obtidas (no total 20 de CB e 34 de CM), obtemos as seguintes categorias:

1) *Diz o mesmo; a mudança é indiferente no que se refere à significação* (7 respostas CB e 4 CM). Estas crianças notaram a transformação efetuada; porém, visto que os fragmentos de escrita anteriores estão todos presentes, não encontram razões para supor que a significação tenha mudado. "Igual diz o cachorro correu o gato", sustenta Favio (5a CB). É evidente a relação existente entre essas respostas e as que observamos (Capítulo 7) a respeito das transformações do nome próprio. Se estão as letras do nome, "diz" o mesmo, ainda que a ordem tenha mudado. Da mesma maneira, visto que as letras da oração original seguem presentes, o restante é irrelevante. A mudança observada não constitui ainda uma perturbação com respeito às hipóteses do sujeito.

2) *Diz o mesmo: porém, é preciso mudar a ordem de leitura* (3 respostas CB e 3 CM). A possibilidade de emissão deste tipo de resposta está obviamente ligada à liberdade na orientação da leitura. Se para a criança pode-se ler da esquerda para a direita tanto como da direita para a esquerda, uma possível interpretação da transformação observada consiste em conservar a significação (visto que as letras são as mesmas), mas mudando a ordem de leitura (visto que o que estava à direita se colocou à esquerda e vice-versa). Fernando (4a CM) diz: "Se é ao contrário, isso tem que estar ao contrário", e repete a oração inicial, mas invertendo a orientação da leitura.

3) *Diz e não diz o mesmo* (3 respostas CB e 2 CM). Essas crianças têm a sensação de que algo mudou, mas não sabem o que, e permanecem na indecisão entre as semelhanças observadas (as letras são as mesmas e,

portanto, a significação deveria ser a mesma) e as diferenças igualmente observadas (a ordem não é a mesma e, portanto, algo deve ter mudado a respeito da significação). As duas crianças de CM são as que conseguem, com dificuldade, explicar-se:

Máximo (5a): "Está mal. Está tudo ao contrário. Diz o cachorro correu o gato mas está mal".

Ximena (4a): "Diz o mesmo, mas diferentes coisas. O mesmo, mas com outras coisas".

4) *Diz outra coisa* (3 respostas CB e 1 CM). Neste caso, ganha a percepção das diferenças sobre as semelhanças. Roxana. (5a CB) responde: "Não sei. Diz outra coisa", e rejeita a proposta do experimentador quando este lhe sugere: "Poderá dizer o gato correu o cachorro?" Duas das crianças chegam a conciliar, minimamente, mudança e permanência, mantendo o sujeito da oração original. Assim, Jorge (4a CM) sustenta que agora diz "O cachorro correu e nada mais", e Leonardo (5a CB) pensa que agora diz "0 cachorro está na casinha".

5) *Negam-se a antecipar* (2 respostas CB e S CM). Neste grupo, encontramos tanto os prudentes como os que respondem "não sei", porque não atinam a elaborar qualquer hipótese frente a um problema que os supera. É, de fato, uma categoria mista que não representa nenhum avanço genético, mas que apresentamos de qualquer forma, porque, em alguns casos, a resposta "não sei" precede o descobrimento súbito da resposta correta, como se verá na categoria seguinte.

6) *Descoberta da resposta correta, depois de "não sei" ou "diz o mesmo"* (1 resposta CB e 8 CM). Nestes casos, a criança começa por negar-se a antecipar, ou por minimizar a transformação, supondo que segue dizendo "o mesmo"; porém, em seguida – e geralmente de repente, como se se tratasse de uma súbita descoberta – encontra a significação exata da permuta. Isso não elimina as dúvidas, pelo menos em três casos. Em outros, porém, o componente dedutivo aparece claramente. Assim, Marina (5a CM) descobre da seguinte maneira: "Já sei ... dirá ... o cachorro correu o gato e o gato ... o cachorro".

7) *Dedução imediata* (1 resposta CB e 11 CM). A dedução imediata do resultado da transformação aparece somente em crianças de 5 e 6 anos. A justificativa dessa dedução apela para a permuta, concebida como um escrever o mesmo, mas "ao contrário":

Martín (6a CM): "ao contrário. Diz o gato correu o cachorro".
María (6a CM): "Porque está ao contrário".
Alejandro (6a CM): "Porque aqui diz ao contrário. Tem que ser o mesmo, mas ao contrário".

O tempo de reflexão que necessitam esses sujeitos é mínimo. Alguns dão a resposta antes que o experimentador tenha terminado de escrever a oração, e

Vanina (6a CM) responde de imediato quando o experimentador anuncia o que vai fazer e antes que tenha tido tempo e material para começar a escrever.

A intervenção da dedução, nestes casos, parece-nos evidente. Nenhuma dessas crianças tenta decifrar o texto. Não o necessitam, visto que, como diz Alejandro, "tem que ser o mesmo; porém, ao contrário".

Quais são as crianças capazes de fazer estas admiráveis deduções imediatas? Quando analisamos a conduta delas em outras orações sobre as quais trabalharam, vemos que todas elas se localizam, pelo menos, no nível da suposição da escrita do verbo como elemento independente e que a maioria se situa no nível da suposição da escrita do artigo como elemento independente.

Em outras palavras, a possibilidade de deduzir o resultado da operação efetuada sobre o texto parece-nos refletir o nível de desenvolvimento alcançado pela criança na conceitualização da escrita. Chegar a conceber que a escrita representa as palavras emitidas e que a ordem espacial – fixa e não flutuante – corresponde à ordem de emissão são os pré-requisitos indispensáveis para que a tarefa proposta seja resolvida com uma facilidade surpreendente.

Paralelamente, as crianças que pensam que no novo texto diz "o mesmo", apesar da transformação, situam-se nos níveis mais elementares de conceitualização nas orações restantes.

4 – DISTRIBUIÇÃO DAS RESPOSTAS

A – Por grupos de idade

A Tabela 4.1 mostra a distribuição das respostas[6] por grupos de idade. É interessante notar que, em termos quantitativos, as respostas do tipo A – as que supõem que o artigo está escrito, como as outras palavras da oração – são praticamente inexistentes aos quatro anos e, ainda que aumentem com a idade, não constituem ,ainda, aos 6 anos, senão apenas 13% das respostas, o que equivale a assinalar que a grande maioria das crianças que alcançam a aprendizagem escolar aos 6 anos não está em condições de aceitar, de imediato, que esses elementos da linguagem (tanto como, provavelmente, as preposições, conjunções, etc.) tenham uma representação escrita.

Considerando conjuntamente as respostas de tipo A e B, obtivemos um total de respostas que supõem que o verbo está escrito de maneira independente: essas respostas passam de uns 23% aos 4 anos a uns 43% aos 5 e 6 anos. As respostas de tipo C diminuem, obviamente, na medida em que aumentam as filas dos tipos A e B. No que se refere aos outros tipos de respostas, podemos notar que o tipo E – a atribuição de toda a oração a um só fragmento do texto, e de outras orações congruentes com a primeira aos fragmentos restantes – é uma conduta relativamente rara, a qual se manifesta somente aos 4 e 5 anos, o mesmo que as condutas notadas como DF, isto é, aquelas nas quais a criança oscila, sem poder decidir-se, entre atribuir um nome a cada fragmento do texto (com o consequente problema

TABELA 4.1 Distribuição das respostas por idade

	A	B	C	D	E	DF	F
4a (s = 69)	1 (1,45%)	15 (21,74%)	21 (30,43%)	9 (13,04%)	3 (4,35%)	3 (4,35%)	17 (24,64%)
5a (s = 83)	7 (8,43%)	29 (34,94%)	22 (26,51%)	7 (4,82%)	7 (4,82%)	7 (4,82%)	13 (15,66%)
6a (s = 76)	10 (13,16%)	23 (30,26%)	12 (15,79%)	16 (21,05%)	– –	1 (1,32%)	14 (18,42%)

DEF
4a = 32 (46,38%)
5a = 25 (30,12%)
6a = 31 (40,79%)

das "sobras") e uma tentativa de trabalhar com esboços de fragmentação da oração inteira (porém, sem congruência nem estabilidade nas atribuições).

As condutas de tipo D e F sofrem uma evolução curiosa, a qual trataremos de compreender fazendo uma análise por cada grupo de idade e procedência socioeconômica.

B – Por grupos socioeconômicos de procedência

Se considerarmos a distribuição das respostas em termos dos dois grupos socioeconômicos contrastantes, abstraindo a variável idade, é fácil observar (Tabela 4.2) que as respostas mais evoluídas estão melhor representadas nas crianças de CM do que nas de CB: o total de respostas A e B constituem quase a metade do total de respostas de CM (47,71%). Inversamente, as respostas menos evoluídas (tipos D, E e F) estão melhor representadas em CB, constituindo, ali, quase a metade do total de respostas (49%), enquanto que as respostas de tipo C – caracterizadas por uma análise da oração que não concebe o verbo como escrito de maneira independente – estão representadas por quantidades muito próximas em ambos os grupos.

Porém, o fazer a abstração da idade, num estudo sobre o desenvolvimento, não constitui senão um artifício inoperante. O que ocorre quando reintroduzimos a variável idade, mas mantendo a distinção entre os grupos CM e CB? A Tabela 4.2 se presta a várias leituras diferentes. É possível voltar a observar o avanço nos níveis de conceitualização das crianças de CM em relação às de CB. Porém, também é possível notar que, nos dois grupos, há notáveis diferenças entre as crianças de 4 e as de 5 anos – diferenças que, em ambos os grupos, coincidem com índices evidentes de progresso – enquanto que entre os grupos de 5 e os de 6 anos, há indicações mistas: de progresso em alguns casos, de retrocesso em ou-

Psicogênese da Língua Escrita **155**

TABELA 4.2 Distribuição das respostas por idade e por grupos socioeconômicos

	A	B	C	D	E	DF	F
Classe média							
4a ($y=38$)	1 (2,6%)	11 (28,9%)	9 (23,7%)	6 (15,8%)	3 (7,9%)	–	8 (21,1%)
5a ($s=41$)	4 (9,8%)	17 (41,5%)	13 (31,7%)	1 (2,4%)	–	–	6 (14,6%)
6a ($s=51$)	8 (15,7%)	21 (41,2%)	6 (11,8%)	9 (17,6%)	–	–	7 (13,7%)
Total ($s=130$)	13 (10%)	49 (37,7%)	28 (21,5%)	16 (12,3%)	3 (2,3%)	–	21 (16,1%)
		62 (47,7%)			40 (30,8%)		
Classe baixa							
4a ($s=31$)	–	4 (12,9%)	12 (38,7%)	3 (9,7%)	–	3 (9,7%)	9 (29%)
5a ($s=42$)	3 (7,1%)	12 (28,6%)	9 (21,4%)	3 (7,1%)	4 (9,5%)	4 (9,5%)	7 (16,7%)
6a ($s=25$)	2 (8%)	2 (8%)	6 (24%)	7 (28%)	–	1 (4%)	7 (28%)
Total ($s=98$)	5 (5,1%)	18 (18,4%)	27 (27,5%)	13 (13,3%)	4 (4,1%)	8 (8,2%)	23 (23,5%)
		23 (23,5%)			48 (49%)		

tros. Por exemplo, se bem que em CM há um avanço das respostas de tipo A, que quase se duplicam, há também um incremento marcante das respostas de tipo D – que não são precisamente as mais evoluídas – enquanto que as do tipo F se mantêm constantes. Entre os 5 e os 6 anos de CB, observamos muito poucos índices de progresso e um incremento considerável das respostas de tipo D e F.

Uma interpretação possível dessas diferenças consistiria em recordar as diferenças de procedência dos grupos de 4 e 5 anos, por um lado, dos de 6 anos, pelo outro. Como já indicamos, a população de 4 e 5 anos de CM frequentava jardins de infância particulares, enquanto que a de 6 anos frequentava uma escola pública. Ainda que em todos os casos selecionamos filhos de profissionais liberais na época em que realizamos tal investigação, existia uma tendência dos pais dessa categoria profissional de enviar seus filhos, de preferência, a uma escola particular (por razões que não analisaremos aqui). Poderia, então, supor-se que, ainda que pertencendo ao mesmo grupo social, haveria diferentes expectativas ou exigências de rendimento escolar nas famílias de origem. No que diz respeito ao grupo CB, as diferenças, indubitavelmente, são mais mercantes, e a elas fizemos referência em várias ocasiões: dadas as poucas oportunidades de frequentar um jardim de infância que tem a população marginalizada na cidade de Buenos Aires, os que frequentam já constituem um grupo particular e, é evidente, então, que encontraremos diferenças entre os que chegam ao ensino fundamental, tendo assistido previamente a um jardim de infância, e os que não o fizeram.

Entretanto, nós não tentaremos insistir sobre esse tipo de interpretações. É importante realçar que nossa tentativa não é de determinar quais são as diferenças quantitativas entre os dois grupos de referência escolhidos. Tampouco pretendemos ter tomado uma amostragem que garanta a representatividade dos dados a respeito da população da capital argentina. Nosso objetivo fundamental, ao contrastar os dois grupos de crianças, consiste em saber *se as mesmas condutas aparecem em ambos os grupos, ou se há condutas específicas para cada grupo*. Nesse sentido, os dados são conclusivos: não há nenhum tipo de conduta que seja exclusivo de um grupo social. Ainda que com frequências variáveis, todos eles estão representados. Inclusive as respostas que são, sem dúvida nenhuma, as mais primitivas (como o tipo F, isto é, a suposição de que somente os nomes dos objetos ou personagens referidos estão representados na escrita) estão longe de ser privativas do grupo CB: de 4 a 6 anos, elas aparecem em ambos os grupos.[7] No outro extremo da escala, as respostas de tipo A (as mais próximas às conceitualizações adultas) tampouco são privativas do grupo CM, mas sim aparecem nas mesmas idades – ainda que com menor frequência – no grupo CB (ver Figura 4.1).

C – Por sujeitos

Nas tabelas anteriores, trabalhamos sobre os totais de respostas por idade, independentemente do fato de que elas viessem do mesmo sujeito ou de sujeitos diferentes. Agora é necessário perguntar-se qual é a distribuição dos diferentes tipos de respostas para cada uma das crianças interrogados. Esta pergunta é essencial para nosso propósito. Com efeito, se um sujeito pode apresentar um leque de respostas que vai das que consideramos como mais evoluídas até as menos evoluídas, nossa classificação é colocada em questão. Se, pelo contrário, encontramos que as respostas de cada sujeito apresentam uma variabilidade limitada, a ideia de "níveis de conceitualização" pode ser sustentada.

Distinguimos previamente uma série de categorias de resposta, que apresentamos numa certa ordem, das mais próximas às concepções adultas (A) às mais distantes (D, E e F). Trata-se agora de saber se as categorias intermediárias (B e C) constituem, geneticamente falando, os elos que vinculam os dois extre-

Psicogênese da Língua Escrita **157**

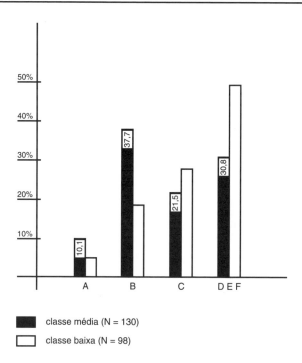

FIGURA 4.1 Distribuição das respostas segundo os níveis de conceitualização.[8]

mos antes mencionados. Em outras palavras, se, para chegar a dar respostas do tipo A, é preciso passar antes pelos tipos anteriores. Como nosso trabalho não é de índole longitudinal – isto é, que não fizemos um acompanhamento dos mesmos sujeitos através de certo período de tempo – o único que podemos observar é *se, para cada sujeito, a variabilidade de respostas está limitada às categorias que, na nossa classificação inicial, consideramos como próximas entre si.*

Comecemos pelas respostas que denotam conceitualização mais distante daquela do pensamento adulto. A Tabela 4.3 mostra a distribuição das respostas D, E e F por sujeito. No total, há 18 crianças que deram respostas desses três tipos, com exclusão de todos os restantes. É fácil observar que os sujeitos que apresentam mais de um tipo de respostas se concentram na coluna D/F, isto é, trata-se de sujeitos que dão, por exemplo, duas respostas do tipo D para duas orações diferentes, e respostas do tipo F para as restantes (ou inversamente, que tenham começado por F e continuado em seguida por D). O tipo E de respostas não é um tipo estável: não somente é pouco frequente, como vimos antes, mas sim que pareceria constituir uma solução altamente instável, na medida em que os sujeitos que o apresentam (3 no total) também dão respostas do tipo F. Pelo contrário, há sujeitos que, estavelmente, se mantêm em respostas do tipo D ou do tipo F de uma oração a outra.

TABELA 4.3 Numero total de sujeitos que apresentam exclusivamente respostas 9 do tipo D, E e F

		D	E	F	D/E	D/F	E/F	D/E/F
CM	4a	2	–	–	–	1	1	–
	5a	–	–	–	–	–	–	–
	6a	1	–	–	–	3	–	–
CB	4a	–	–	1	–	1	–	–
	5a	–	–	1	–	–	1	1
	6a	1	–	1	–	3	–	–

É importante assinalar: a) que os tipos D e F parecem constituir tipos estáveis de resposta; b) que a coexistência de respostas do tipo D e F num mesmo sujeito é mais frequente que a presença de um só desses tipos de respostas; c) que os tipos D e F podem chegar a coexistir na análise da mesma oração, o que nos levou a notar separadamente as respostas DF, para indicar que a forma de análise do texto escrito própria do tipo D e a forma de análise do texto própria do tipo F estão ambas presentes sem criar uma nova síntese, mas sem primazia de um sobre o outro.

Esses fatos, ao nosso ver, sugerem a seguinte interpretação: as respostas D, E e F não estão geneticamente ordenadas, mas constituem alternativas próprias a um mesmo nível de desenvolvimento das conceitualizações sobre a escrita e sobre as conclusões que seguem (IV.5) trataremos de indicar qual pode ser sua afinidade íntima.

Se consideramos as respostas D, E e F como respostas próprias a um mesmo nível de conceitualização, vejamos o que ocorre com as outras respostas. A Figura 4.2 e as Tabelas 4.4 e 4.5 mostram a distribuição dos dados.

A consequência mais importante que devemos extrair desses novos dados é a seguinte: somente 7 sujeitos, de um total de 68, apresentam respostas que não respeitam a "progressão genética" hipotética da nossa classificação inicial. Em outras palavras, *os 90% dos sujeitos apresentam unicamente respostas de uma única categoria ou de categorias próximas entre si:* um sujeito que apresenta respostas do tipo B pode apresentar também respostas do tipo A ou C, mas não dos tipos restantes; do mesmo modo, se um sujeito apresenta respostas do tipo C, as respostas de tipo A estão excluídas, etc.

Este fato é extremamente importante, pois sustenta com força a nossa hipótese de base: nossa classificação inicial não é, simplesmente, um dos modos de distinguir entre si as respostas, sem que possamos estabelecer os laços de filiação entre essas respostas, mas uma ordenação genética, que indica *quais são os níveis sucessivos de conceitualização da escrita,* tal como a tarefa proposta permite pelos em evidência.

A análise das exceções é útil, porque permite reduzir a 5 as 7 exceções iniciais. Com efeito, duas crianças de CM (uma de 4 e outra de 5 anos) apresentam um

Psicogênese da Língua Escrita **159**

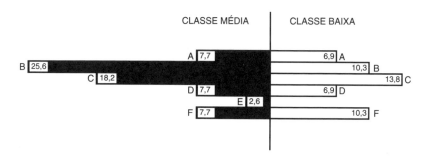

FIGURA 4.2 Quantidade de sujeitos que apresentam pelo menos três respostas da mesma categoria (em porcentagem).

TABELA 4.4 Quantidade de sujeitos que apresentam exclusivamente respostas de um só tipo ou de tipos conexos

	A	A/B	B	B/C	C	C e D/F	D/E/F	Outros
CM								
4a (s = 11)	–	1	1	1	1	1	4	2
5a (s = 12)	–	2	3	4	–	2	–	1
6a (s = 16)	2	2	4	2	-	1	4	1
CB								
4a (s = 9)	-	-	1	-	-	6	2	-
5a (s = 11)	-	1	-	3	-	2	3	2
6a (s = 9)	-	-	-	1	-	2	5	1

TABELA 4.5 Quantidade de sujeitos que somente apresentam respostas de uma única categoria, ou de categorias contíguas (em porcentagem)

	A	A+B	B	B+C	C	C+D/F	D/E/F	Outros
Classe média (s = 39)	5,1	12,8	20,5	7,9	2,6	10,2	20,5	10,2
Classe baixa (s = 29)	–	3,4	3,4	13,8	–	34,5	34,5	10,3

Total (s = 68) – uma única categoria = 26,5
categorias contíguas = 63,2
outros = 10,3

nível maior de variabilidade; *porém, não dentro da mesma sessão, mas sim de uma sessão a outra*. Uma delas apresenta exclusivamente respostas de tipo F na primeira sessão, e dá uma resposta do tipo B na segunda, sem que tenhamos registrado nela respostas do tipo C. A outra dá uma resposta de tipo D e duas do tipo C na primeira sessão, e uma do tipo B na segunda sessão. Nada impede que, num intervalo de sete a dez dias, os sujeitos tenham avançado em seu nível de conceitualização, mais ainda levando em conta que – se bem que nosso interrogatório não tendia de modo algum a induzir uma forma de análise em lugar de outras – pode ter tido lugar um efeito de aprendizagem *pelo próprio fato de terem sido confrontados com situações conflitivas*.

Os casos de exceções declaradas à nossa hipótese genética constituem, provavelmente, exemplos de aprendizagem rápida em sujeitos que já estavam "disponíveis" para uma mudança de conceitualização. Especialmente alguns casos de CB pareceriam sugerir que, nestas crianças, é possível induzir uma mudança rápida de respostas com somente uma confrontação com situações potencialmente conflitivas. Assim, por exemplo, David (5a) dá uma resposta do tipo E, outra do tipo DF, e finalmente duas respostas do tipo B. Igualmente Evangelina (6a) passa de uma resposta do tipo C a duas respostas do tipo A, como se, inicialmente, estivesse buscando qual é a maneira satisfatória de recortar o enunciado, em função das propriedades do texto escrito, mas fosse capaz de encontrar rapidamente uma solução de acordo com as conceitualizações adultas.

(Estudos posteriores estão nos permitindo verificar a generalidade dos resultados aqui apresentados. Mais ainda: as mesmas categorias de respostas aparecem na análise de distintos tipos de orações.)

5 – INTERPRETAÇÃO GERAL

A linha evolutiva que podemos extrair dos resultados apresentados é a seguinte:

1) Durante toda a evolução – e até o nível mais próximo às conceições adultas – a escrita não é considerada como uma réplica do enunciado oral, como uma "imagem especular" do ato oral. Pelo contrário, a escrita é considerada como provendo indicações que permitem construir um enunciado de acordo com as regras da própria gramática interna; no entanto, que não o reproduz em todos os seus detalhes. Em suma, a leitura aparece como um ato de construção efetiva.

2) Num primeiro nível, a criança espera que a escrita represente unicamente os objetos e personagens dos quais se fala (ou seus nomes). Em outras palavras, espera que somente o conteúdo referencial da mensagem esteja representado, mas não a mensagem em si mesma enquanto forma linguística. Esta concepção encontra obstáculos ao aplicar-se ao objeto de conhecimento – isto é, a própria escrita na sua realidade con-

creta –, já que o texto propõe maior número de fragmentações do que de personagens citados. Uma maneira de resolver o conflito consiste em introduzir, para os fragmentos "sobrantes", os nomes de outros tantos objetos que constituiriam a decoração ou o cenário da ação referida na oração.[9]

3) Alternativamente – e no mesmo nível de desenvolvimento – a criança pode centrar-se na forma linguística como tal; entretanto, lhe será difícil conceber que a oração – unidade sintática, de entonação e de significado – possa fragmentar-se de acordo com a maneira que o texto propõe. De fato, não consegue nenhum recorte da oração que possa aplicar-se às fragmentações efetivas e não achará contradição entre localizar a oração inteira ou somente uma das palavras dessa oração em qualquer das partes do texto.

4) Fazendo "ponte" entre a centralização no conteúdo referencial da mensagem ou a centralização na forma linguística, achamos as respostas que – no mesmo nível de desenvolvimento – situam a oração inteira em um dos fragmentos de escrita e, nos restantes, optam por ler outras orações, congruentes com a oração inicial. "Ponte" entre as anteriores porque, a) a oração aparece novamente como uma unidade que não pode representar-se fragmentadamente; e porque, b) ao introduzir novas orações como parte da leitura do texto, introduzem-se também novos referentes.

5) Um passo importante parece dar-se quando a criança supõe que também o verbo pode estaria representado na escrita (ou, o que seria mais correto, quando supõe que não somente os objetos, mas também a relação entre eles pode ser representável). Porém, na medida em que uma relação pura é irrepresentável enquanto tal, independentemente dos termos dessa relação, a criança não consegue conceber que o verbo possa estar representado enquanto elemento independente. Daí as respostas absolutamente insólitas que consistem em situar em fragmentos independentes, ambos os substantivos, e a oração inteira ou o predicado inteiro nos fragmentos restantes, o que equivale, aparentemente, a supor que os substantivos estão representados duas vezes (uma vez, de maneira independente e, outra, acompanhando o verbo). Entretanto, cremos que não é esse o pensamento da criança deste nível. Nossa hipótese (hipótese altamente especulativa no momento, mas sustentada em algumas indicações extremamente sugestivas, e que trabalhos futuros deverão refutar ou confirmar) é que a criança espera encontrar no texto nem uma representação fonológica, nem semântico-referencial do enunciado, mas uma representação de sua estrutura lógica. Em outras palavras, que depois de passar pela etapa em que a escrita é considerada como um a espécie de desenho – que não difere do desenho senão, talvez, porque o que se desenha são os nomes dos referentes e não suas características figurais – e, antes de chegar a supor que a escrita repre-

senta – ainda que imperfeitamente – os sons distintivos da fala, a criança passa por uma etapa em que a suposição básica (ainda que talvez não a única) consiste em supor que o que se indica no texto é o valor particular dos argumentos e da relação que os vincula. Porém, como a criança não conhece nenhuma linguagem formal, ocorre que, necessariamente, expressa tanto a relação como seus termos com elementos lexicais; e o que é atribuído ao texto é, ao mesmo tempo, o enunciado, tanto como as relações lógicas implicadas.

6) Sendo a articulação entre a escrita como representação dos referentes e a escrita como representação das palavras do enunciado, ou a passagem própria com suas características específicas pelas relações lógicas como "ponte" entre o referencial e o fonológico, o certo é que o nível que acabamos de analisar "abre as portas" a uma nova concepção, a qual pareceria marcar-se pela suposição de que: o que escrevemos são as palavras que pronunciamos, na sua ordem de emissão. Entretanto, esta suposição não resolve todos os problemas senão que supera alguns, fazendo surgir, de imediato, outros novos. O problema principal que resolve é o da escrita do verbo como fragmento independente. Os novos problemas que coloca são relativos à escrita daqueles elementos da linguagem que, para a reflexão de uma criança deste nível, não constituem palavras: nós temos demonstrado que isso é assim para os artigos, e supomos que há de ser também para as conjunções e talvez para (algumas) preposições. A noção de palavra que tem uma criança de 5-6 anos distancia-se muito de coincidir com a definição do adulto. E a escrita segue sendo, ainda nesse nível, uma escrita de alguns dos elementos da linguagem oral (das palavras que a compõem segundo a definição da criança), sobre a qual é possível operar uma tradução oral. É somente quando passamos ao nível oral que funcionam as restrições próprias ao sistema da língua, e somente ali onde acrescentar-se-ão os artigos, que a escrita não necessita representar, já que o gênero dos substantivos está relatizado à entrada lexical correspondente (em outros termos, que não necessitamos ter uma representação escrita do artigo porque já "sabemos" que tal substantivo é masculino, e tal outro feminino).

7) Finalmente a criança, ainda sem saber decifrar (e um docente seguramente diria, sem saber ler!) chega a situar todas as palavras escritas corretamente, guiando-se por uma dupla suposição: que inclusive os elementos da linguagem sem conteúdo pleno (as "palavras-nexo" ou os *funtores*) estão escritos, e que a ordem de escrita corresponde, termo a termo, à ordem de emissão.

8) Em toda essa evolução, há um problema que persiste e que adotará diferentes formas, segundo os níveis, sem deixar de constituir um mesmo problema: o da correspondência termo a termo entre os fragmentos observáveis no texto escrito e as distintas fragmentações que podem operar-se sobre o enunciado, conforme o ponto de vista que se adote

Psicogênese da Língua Escrita **163**

sobre ele. Problema da colocação em correspondência entre elementos considerados como unidades que não é privativo da escrita; entretanto, que tampouco é alheio a ela. A correspondência termo a termo engendra, como é bem sabido, algumas das estruturas lógicas fundamentais. Que tenha muito que ver com a gênese da noção de número é algo que a psicopedagogia da matemática terminou por aceitar. Porém, que tenha muito a ver com a noção de sistema da escrita, é algo que pareceria necessitar de uma justificativa.[10] Nossa resposta é simples: a compreensão do sistema de escrita é um processo de conhecimento; o sujeito deste processo tem uma estrutura lógica e ela constitui, ao mesmo tempo, o marco e o instrumento que definirão as características do processo. A lógica do sujeito não pode estar ausente de nenhuma aprendizagem quando esta toma forma de uma apropriação de conhecimento.

NOTAS

1. Atualmente, prosseguimos nossa investigação com outros tipos de orações, estudando, em particular, orações com verbo intransitivo, verbo de ligação e adjetivo, negações, etc.
2. É óbvio que na determinação de "elementos essenciais" de uma mensagem intervém uma grande quantidade de fatores, que não vamos analisar aqui. Assinalemos, em particular, a importância das pré-suposições comuns a ambos os interlocutores: por exemplo, a palavra "trem" poderá se tornar supérflua no caso em que se saiba, de antemão, que é a via convencional ou a única via de acesso possível; "sábado trem" poderia ser suficiente no caso de que a intenção de viajar do emissor fosse conhecida pelo receptor; etc.
3. Nas investigações em curso, temos encontrado mais casos de transformação do verbo para o infinitivo, e é provável que se trate de uma conduta intermediária entre a hipótese segundo a qual o verbo não está escrito e aquela que supõe que o verbo está escrito na sua forma conjugado.
4. Pode-se considerar, além disso que essa relação é uma relação *pragmaticamente orientada, vis*to que para esse par de termos um só deles pode ser concebido como agente. Isto é, o sentido da relação já está dado. Mais adiante veremos o que é que ocorre no caso de orações onde a relação indicado não está pragmaticamente orientada ou, se se prefere, o está num grau muito menor – como ocorre na oração "O cachorro correu o gato".
5. Acreditamos que a análise detalhada desta forma especial de identidade pode contribuir na compreensão da gênese da noção de identidade na criança, problema central da teoria piagetiana, como é bem sabido (cf. Piaget, 1971).
6. Chamamos aqui "resposta" ao conjunto de respostas dadas por cada criança a *todas* as perguntas relativas a uma *mesma oração*. O total analisado é de 228 respostas (ou melhor, conjuntos de respostas).
7. As respostas que temos assinalado como DF não constituem um novo tipo de respostas, mas uma oscilação do sujeito entre ambos os tipos de respos-

ta, sem que um modo de consideração do texto tenha primazia sobre o outro.

8. Os tipos de respostas *D/E/F* pertencem ao mesmo nível de conceituação.

9. A realidade dessa interpretação foi corroborada numa investigação realizada em francês, em que propúnhamos, como exemplo de oração não conflitante, "maman prepare trois gateaux" (mamãe prepara três tortas), já que ali há tantas partes na escrita como objetos referidos na oração. Efetivamente, muitas crianças não têm nenhuma dificuldade em utilizar neste caso as segmentações do texto – e, à pergunta de se "gateau" está escrito, respondem, por exemplo, "oui, un, deux, trois gateaux", mostrando três fragmentos de escrita – enquanto que estas mesmas crianças têm dificuldades em utilizar as fragmentações do texto quando não há coincidência entre quantidade de objetos referidos e quantidade de fragmentos do texto.

10. Não há que confundir a colocação em correspondência de que falamos com a correspondência "grafema-fonema" que somente é concebida como uma técnica associativa particular, que permite uma tradução automática e que, em sua fundamentação teórica, tanto como em suas aplicações práticas, aparece como totalmente alheia das complexidades da construção lógica da equivalência entre conjuntos.

CAPÍTULO 5 Atos de Leitura

Um adulto realiza cotidianamente uma série de atos de leitura diante da criança, sem transmitir-lhe explicitamente sua significação. Assim, por exemplo, um adulto busca informação no escrito, não somente quando lê o jornal ou quando lê um livro, mas também quando lê placas indicadores da cidade para se orientar, uma bula de remédio para saber a maneira de cumprir as indicações, ou o cardápio de um restaurante antes de se decidir sobre o que vai comer, lê revistas informativas antes de escolher um programa de TV, etc.

Seria difícil contabilizar todos os atos de leitura que um adulto efetua e aos quais a criança assiste desde muito cedo. Entre esses atos, totalmente cotidianos e habituais, devemos também incluir a leitura dirigida especialmente à criança. Agora, quais são as chaves que a criança utiliza para decidir se alguém está lendo? Por acaso nossos sujeitos – que não são leitores no sentido tradicional do termo – necessitam escutar que outro leia em voz alta um texto, para saber que se trata de uma leitura? Mas, é a presença da voz o único indicador de um ato de leitura? Obviamente, não. É tanto a postura como a direção do olhar, ou o tipo de exploração que os olhos realizam. Temos nos perguntado quais são os indicadores que servem à criança para saber se um adulto, atuando sobre um portador de texto,[1] está lendo. É sabido que o adulto não necessita de um cenário particular para ler: lê, sentado comodamente, o jornal; lê de pé uma receita médica; 16 placas indicadores enquanto anda de carro, etc. Lê sobre diferentes suportes materiais: notas de compra, livros, revistas, cartazes, jornais, objetos impressos, etc. e lê em diferentes tipos de impressão gráfica: letras manuscritas, de imprensa, feitas em diferentes cores e tamanhos. Lê e transmite ou comenta a informação que obteve, assim como lê em silêncio ou inclusive involuntariamente. Todas essas formas de leitura são diferentes, mas qualquer que seja o portador de texto ou a situação, todos eles são "atos de leitura".

O que acontece com a criança? Como interpreta esta série de atos, de mensagens implícitas? Se usamos, como exemplo, outros atos que a criança presencia, vemos que desde muito cedo tende a imitar os modelos do mundo, ainda quando sua função ou sua intenção não lhe sejam transmitidas explicitamente. Assim, por exemplo, uma criança de 2 ou 3 anos imita o ato de falar pelo telefone, utilizando gestos que indicam claramente qual é o modelo imitado. Assim, também, pode fazer "como se" lesse, reproduzindo os gestos observados no adulto: olha com atenção os desenhos, segura o livro de determinada maneira e, inclusive, pode chegar a relatar o que vê, utilizando "marcas" (de entonação ou lexicais) que indicam claramente a intenção de diferenciar este ato de outros atos verbais. Está claro que essas imitações têm implicitamente em conta uma grande quantidade de índices e de ações pertinentes – compreendidas as de segurar, olhar e falar – do ato de leitura. Além disso, porém, esses atos não são realizados com quaisquer objetos, mas com aqueles que se "prestam" (por exemplo, livros com imagens). É que a criança imita, e ao imitar aprende e compreende muitas coisas, porque a imitação espontânea não é cópia passiva, mas sim tentativa de compreender o modelo imitado. Claro que a presença do modelo é necessária, mas o adulto se oferece aos olhos da criança como modelo indireto, visto que não são explícitos todos os atos em que realiza uma leitura. É necessário diferenciar os atos voluntários do adulto, que expressam o conteúdo do escrito à criança (por exemplo, esclarecendo "aqui diz...") ou que dão instruções ("para ler tem que aprender as letras"), daqueles atos cuja intenção não é ensinar, mas que resultam de modelos cotidianos.

Nosso objetivo é compreender de que maneira a criança interpreta o modelo, como registra a presença de índices da ação de ler, assim como também quais os objetos – portadores do texto – que são avaliados como "para ler". Definir um portador de texto como "para ler" significa ter descoberto sua função específica. Com efeito, este objeto pode chegar a ter outras funções que não são especificas. Assim, por exemplo, um jornal serve para enrolar; um livro para prensar ou segurar, etc. Ainda que a criança descubra o atributo específico dos portadores de texto, constitui uma diferenciação a nível da função que lhe atribui.

Uma vez feita a diferença entre chaves conductuais de ler e não ler, o segundo aspecto que resta para expor é o da relação entre os conteúdos escritos e os diversos tipos de suportes materiais. Existe o que comumente se chama "estilo jornalístico", que difere, por exemplo, do "estilo epistolar" e do "estilo" próprio de um livro científico. Estas diferenças se manifestam por características específicas quanto ao conteúdo e ao estilo.

Por outro lado, é preciso observar que a linguagem escrita também se diferencia da língua oral, tanto na estrutura como no que se refere ao valor e à função. Nós, leitores adultos, estamos tão habituados a situar cada conteúdo no seu contexto que, ainda antes de ler, sabemos antecipar o tipo de característica de um texto em função do aspecto exterior que apresenta sua impressão gráfica. Isto é assim para a criança? Estabelece alguma relação entre o continente e o conteúdo escrito? É capaz de predizer o conteúdo a partir da identificação do portador de um texto? E, além disso, que tipos de índices levará em conta – tendo escutado um enunciado – para decidir sua pertinência à língua oral ou escrita? Em resumo, interpretar um ato de leitura silenciosa, tanto como antecipar o conteúdo escrito de acordo ao tipo de suporte material em que aparece, requer, evidentemente, haver outorgado significação a gestos de leitores, mas, além disso, ter escutado e avaliado um texto, relacionando-o com determinado portador e em função de chaves estilísticas ou de conteúdo que o façam pertinente em determinados contextos.

Somos conscientes da complexidade desse problema, no qual intervêm tanto fatores psicológicos como fatores sociais. A população com a qual nós trabalhamos provém das classes média e baixa de um meio urbano. Evidentemente, a importância outorgada à atividade de leitura é diferente num meio e no outro. A quantidade de material escrito e de leitores à disposição da criança tampouco é a mesma; porém, é necessário recordar que ainda a criança que provém dos setores mais desfavorecidos vive imersa numa cultura letrada (ainda que seus pais sejam analfabetos). Só o fato de sair à rua é suficiente para mostrar a presença constante da escrita por todos os lados. Seu valor social é tal que não se poderia pensar em prescindir dela. Por isso, partimos da hipótese de que inclusive para a criança do meio urbano mais pobre a escrita é um objeto potencial de atenção e de reflexão intelectual. Mesmo sabendo que este é um dos aspectos mais difíceis de indagar e reconhecendo que nossa situação experimental está muito longe de ser exaustiva, pareceu-nos interessante apresentar os dados que temos recolhido, assim como algumas de nossas interpretações a respeito.

Nossa *situação experimental* constava de duas partes: em primeiro lugar, realizamos um ato de leitura silenciosa. Com um jornal na mão, fazíamos uma leitura silenciosa, marcando bem os gestos, posição, tempo de fixação do olhar e exploração do texto que requer toda a leitura. A ordem era: "Olha bem e me diz o que estou fazendo". Pedíamos, ainda, uma justificativa das respostas. Em seguida, folheávamos o jornal, sem determo-nos em nenhuma página, e voltávamos a indagar: "O que estou fazendo agora?". Em terceiro lugar, procedíamos a realização de um ato de leitura em voz alta, que possuía todas as características formais de um ato de leitura, mas com um elemento conflitivo, visto que o portador de texto utilizado era de um tipo e o conteúdo lido de outro. Primeiro, líamos com o jornal na mão (leitura aparente, é claro) o texto de um conto infantil. Logo, com um livro de contos infantis, líamos uma notícia jornalística. E, finalmente, com o jornal, líamos um diálogo, tipicamente oral, em estilo direto.

168 Ferreiro & Teberosky

Os três textos escutados foram os seguintes:

Conto: "Era uma vez, num país muito distante, uma menina muito bondosa, que vivia numa casinha muito humilde" (lido com um jornal na mão). Este texto corresponde a uma forma estilística típica de histórias para crianças.

Notícia jornalística: "Produziu-se uma violenta colisão, nas imediações da Estação Onze, entre um veículo de transporte coletivo e um automóvel particular, diante do espanto de numerosos transeuntes que circulavam pela zona" (lido com um livro de histórias para crianças na mão). *"Prodújose"* (produziu-se) é uma forma de uso frequente nos jornais de maior tiragem de Buenos Aires.

Diálogo oral: *"Viste?* (Você viu?) Quando vinha para cá, vi um incêndio na fábrica, dobrando a curva. Armou-se uma confusão danada" (lido com um jornal na mão). *"Viste"* é uma marca de diálogo oral, própria da capital argentina.

Não é alheio à nossa exposição o problema da função atribuída pela criança à escrita; entretanto, reconhecemos que é muito vasto e complexo. Por isso, nos limitaremos fundamentalmente às identificações do ato de leitura e à relação que a criança pode estabelecer entre o suporte material em que aparecem os textos e seu conteúdo. Está claro que se acha implícito o problema da função atribuída à escrita em geral e, de modo particular, aos diferentes meios em que aparece (livros, jornais, revistas, cartazes, etc.).[2]

1 - INTERPRETAÇÃO DA LEITURA SILENCIOSA

Em primeira instância, analisaremos quais são os atos que são interpretados pela criança como "atos de leitura". As respostas podem ser classificadas do seguinte modo:

1) *Inicialmente, a leitura não pode ser concebida sem voz.* A criança julga a leitura silenciosa e o folhear como uma busca anterior à própria leitura. Para ler neste nível, é necessário acompanhar o gesto com a voz. Vejamos alguns exemplos:

Javier (4a CB)
(Leitura silenciosa)

O que estou fazendo?	Olhando o jornal.
E não estou lendo?	Estás vendo as letras para ver o jornal e lê-lo.
E para ler?	Tem que falar.
(Folheia o jornal)	
Igual que antes?	Olhando as letras.
	Sim.

O que fazia?	Estava fazendo assim (gesto de leitura silenciosa) e não se ouvia o que estava dizendo.
E para ler?	Tem que falar ou dizer.

Ximena (4a CM)
(Leitura silenciosa)	Estás olhando as letras.
Estou lendo?	Sim, e olhando as letras e vendo as fotos.
Estava lendo?	Não, tem que dizer algo.
(Folheia) E agora?	Olhando.
E estou lendo?	Não.
Por quê?	Porque tem que dizer algo.

Erik (5a CB)
(Leitura silenciosa)	Olhando.
Olhando o quê?	O jornal.
Para quê?	Para ler.
E estou lendo?	Não, estás vendo.
E para ler?	Tem que ler.
Como te deste conta?	Porque não lês, não dizes o que acontece.
(Folheia) E agora?	Estás vendo.

Alejandra (5a CM)
(Leitura silenciosa)	Estás olhando.
E estou lendo?	Não.
Por quê?	Porque se lês, tens que ler em voz alta.
Assim não pode?	Não.

Apresentamos esses pares de exemplos de 4 e 5 anos, tanto de classe média como de classe baixa, e com eles pretendemos mostrar que se é certo que o aspecto cultural influi, não é o determinante exclusivo. Isto não quer dizer que a frequência de aparição deste tipo de conduta não varie segundo as idades e a classe social.

As definições tautológicas de "para ler... tem que ler" (Erik) se explicam pela impossibilidade de conceber a leitura sem voz. A leitura é interpretada como "olhar", enquanto se exige "falar ou dizer" para julgar um ato como leitura. Evidentemente, as atividades de "falar" e "olhar" precisam estar juntas. Porém, o que é que define o "ler" para esses sujeitos? A presença do jornal e o gesto do experimentador são índices necessários; porém, insuficientes. O jornal é um portador de texto definido como "para ler", mas, ao ato de olhar o texto, tem que ser somada a voz. A exigência de ouvir o que se lê junto com a interpretação "olhando", da leitura silenciosa, mostram como se necessita de indicadores linguísticos para definir o ato de leitura. Agora, também o folhear é interpretado como "olhando". Caberia perguntar-se, então, qual é o significado de "olhar" aos 4 ou 5 anos. Está claro, nos exemplos citados, que "olhar" vai acompanhado de "olhar algo". "Olhando o jornal, olhando as letras", afirma Javier; "olhando as letras" diz tam-

170 Ferreiro & Teberosky

bém Ximena. Estas respostas nos colocam um início de diferenciação entre olhar (que equivaleria a olhar algo com atenção) e passar os olhos de modo casual. E olhar atentamente é uma atividade implícita ao ato de leitura, ainda quando este não seja concebido sem falar ao mesmo tempo. É importante assinalar que esta interpretação do ato observado é de todos os modos uma interpretação pertinente. A atividade de leitura silenciosa não é confundida com uma atividade qualquer.

2) *A leitura se faz independente da voz, se diferencia do folhear,* e, portanto, é possível conceber um ato de leitura silenciosa. Para ler tem que "olhar", mas olhar somente já não é suficiente. Vejamos os casos que ilustram esta categoria:

Marisela (4a CM)
(Leitura silenciosa)
Como te deste conta? — Porque está olhando.
E então? — Estás lendo.
(Folheia) E agora? — Estás procurando.
Como te deste conta? — Porque estavas olhando.
mas, estava lendo? — Não.

Marisela (4a CM)	
(Leitura silenciosa)	Estás lendo.
Como te deste conta?	Porque está olhando.
E então?	Estás lendo.
(Folheia) E agora?	Estás procurando.
Como te deste conta?	Porque estavas olhando.
mas, estava lendo?	Não.
Leonardo (5a CB)	
(Leitura silenciosa)	Leendo. (= lendo)
Como sabes?	Porque vi as letras.
Sem falar?	Sim.
E como sabes?	Ué, porque olha as folhas.
(Folheia)	Olhando.
E não estava lendo?	Não, porque olha por outro lado.
María Eugenia (4a CM)	
(Leitura silenciosa)	Lendo.
Como te deste conta?	Porque vi.
O que viste?	Que estavas lendo.
(Folheia)	Mudando as folhas.
E não estou lendo?	Não.
O que tem que fazer para ler?	Olhar.
Gerardo (6a CM)	
(Leitura silenciosa)	Estás lendo.
Como sabes?	Porque olhas o jornal.
(Folheia) E agora?	Estás olhando as folhas para ver se gostas de alguma coisa.

Os quatro exemplos são claros expoentes desse tipo de respostas. Os sujeitos adotam a leitura silenciosa e rejeitam o folhear como sendo ato de leitura. Entretanto, suas justificativas não são muito explícitas. Ambas as atividades podem ser interpretadas como "olhando", igual ao nível anterior. Porém, a novidade radica em que aquilo avaliado como insuficiente passa a ser justificativa neste segundo nível: "Para ler... tem que olhar", diz María Eugenia. Está novamente em jogo a significação do "olhar". Se para os sujeitos do nível 1 havia uma forma de fixar o olhar que compreendia tanto um ato de leitura como um folhear, para os deste segundo nível, o olhar se diferencia entre "olhar com algo mais que não está definido senão por ler propriamente" e olhar simplesmente. Haveria, então, uma progressão de diferenciações entre "olhar com atenção" como oposto a "passar os olhos" e "olhar com atenção" como oposto a "olhar lendo", ainda que "ler" não esteja definido. Está claro que, para essas crianças, a leitura é possível sem voz, torna-se independente do falar ao mesmo tempo que se diferencia do folhear. Se as justificativas de ler e não ler (folhear) parecem contraditórias, em nível do enunciado oral das crianças, na interpretação dos atos de ler e folhear, não há confusão.

Já assinalamos a necessária presença de leitores à disposição da criança, os quais lhe permitem compreender a natureza das condutas observadas (e imitadas). Porém, também fica claro que só a presença de modelos não explica os conhecimentos e as hipóteses infantis. Vejamos, por exemplo, as respostas de duas crianças, gêmeos univitelinos que frequentavam a mesma turma de primeira série: Carlos afirma: "Não estás lendo porque tens a boca fechada" e Rafael, por sua vez, diz: "Lendo... porque sim ... porque meu papai lê assim". "Como?" indaga o experimentador; "sem falar" responde o menino. Este é um exemplo de identidade genética e homogeneidade social, que, entretanto, não garante igualdade nas conceitualizações. Em crianças que vêm da classe média, não podemos ignorar que a experiência lhes proporciona numerosos exemplos de adultos leitores. Entretanto, justificar seus pareceres com base nessa experiência observada é uma conduta que aparece simultaneamente com a compreensão da atividade de leitura. No tema do qual nos ocupamos, é neste nível 2 em que vemos aparecer respostas que recorrem à experiência como modo de justificativa de afirmações a respeito da possibilidade de ler sem falar. Eis aqui alguns exemplos:

David (5a CB)	
(leitura silenciosa)	Estás lendo.
Como sabes?	Porque assim lê meu papai, às vezes.
Sem falar?	Sim.
(Folheia)	Agora está olhando onde pode ler.
Anabela (5a CB)	
(Leitura silenciosa)	Estás lendo.
Como te deste conta?	Porque minha mamãe faz assim.
Mas não dizia nada!	
Pode?	Sim.
(Folheia) E agora?	Estás virando as folhas.
E não estou lendo?	Não.

172 Ferreiro & Teberosky

Marina (5a CM)

(Leitura silenciosa)	Lendo.
Por quê?	Porque sim.
(Folheia)	Não estás lendo.
O que estou fazendo?	Estás virando as folhas para encontrar que folhas podes ler.
(Leitura silenciosa)	Lendo.
Mas não digo nada!	Já sei! Mas estás lendo.
Como sabes?	Porque meu papai está lendo e não escuto nada.

Como vemos, o apelar para exemplos de leitores adultos é uma justificativa que aparece quando a criança compreendeu a natureza do ato observado. Resumindo, o que caracteriza este segundo nível é a compreensão da leitura silenciosa como forma de leitura.

A partir daí, os atos de leitura se tornam mais definíveis em si mesmos, em função de razões específicas e "técnicas": tempo necessário e tipo de exploração visual requeridos. Este é um terceiro tipo de respostas, que continuam as condutas anteriores; porém com justificativas muito mais elaboradas. Por isso, as situamos neste terceiro nível.

3) *Os atos de leitura silenciosa se definem em si mesmos,* e os gestos, a direção do olhar, o tempo e o tipo de exploração, são índices que mostram e demonstram uma atividade de leitura silenciosa. Apresentaremos o exemplo mais eloquente que obtivemos de uma menina de 6 anos.

Vanina (6a CM)

(Leitura silenciosa)	Estás lendo.
Como sabes?	Porque mudas os olhos de lugar, se não não estarias num lugar assim (gesto de olhar fixo). E, além disso, que olhas bastante, se mudas rápido os olhos de lugar, é porque olhas só os desenhos.

A justificativa em que se apoia Vanina remete tanto ao tempo de fixação do olhar como a um certo tempo de exploração visual; ainda que a atividade de "olhar" reapareça, para ela já está claramente definida: "olhas bastante". Mas esta menina não é o único exemplo; existem outros. Todos mostram uma clara compreensão da atividade de leitura silenciosa e rejeitam, ao mesmo tempo, o folhear como leitura, invocando a velocidade do ato ("Vais muito rápido").

Em resumo, o poder diferenciar ler de falar parece-nos um fato sumamente importante, tendo em vista que se trata de crianças que não são leitores no sentido tradicional do termo. Nenhuma delas *sabe* ler; porém, a maioria *sabe* muitas coisas específicas sobre a atividade de leitura e sua significação.

2 – INTERPRETAÇÃO DA LEITURA COM VOZ

Recordemos que a seguinte situação experimental consistiu em realizar uma leitura em voz alta (leitura aparente) do conteúdo de um tipo de texto sobre o portador de outro. Assim, lia-se o conto infantil num jornal; a notícia jornalística no livro e o diálogo oral no jornal. Esta situação tinha como objetivo averiguar em que momento e sob que condições a criança é capaz de discriminar entre enunciados orais ou escritos, assim como diferenciar entre os conteúdos que podem aparecer em dois tipos de textos impressos (livros de história e jornais). O ato de leitura, neste caso, supunha a veiculação oral do texto, de modo a permitir a expressão dos conteúdos de diferente procedência. O interrogatório centrava a atenção da criança em dois aspectos: procedência oral ou escrita do enunciado e viabilidade de pertencer a certo tipo de texto impresso.

Evidentemente, o sujeito não questionava *a priori* a legitimidade do ato de leitura, mas poderia colocá-la em dúvida se entrasse em contradição com sua previsão: os dados observados poderiam então chegar a ser questionados, em função de uma reflexão sobre o enunciado escutado. Confrontando o que vê com o que ouve, a criança poderia chegar a descobrir a aparência do ato observado. Porém, nossa situação exigia um passo a mais: decidir sobre a procedência oral ou escrita, além de julgar a legitimidade da leitura observada.

Vejamos o primeiro grupo de exemplos que nos introduzirão na análise detalhada de cada um dos tipos de resposta encontrados.

José Luis (4a CM)

(Com o jornal) "Era uma vez..." — Sim, lendo.
Onde estava lendo? — (mostra o jornal).
Como te deste conta? — Porque vi tua cara.
O que escutaste é de ler? — Sim.
(Com o conto) "produziu-se uma violenta..." — Lendo.
Onde? — (mostra o livro).
Está escrito no livro? — Sim.
(Com o jornal) "Você viu? Quando vinha..."
Estou lendo? — Sim.
Aqui? (jornal) — Sim.

Roxana (5a CB)

(Como jornal) "Era uma vez..." — Está lendo.
O que estou lendo? — As letras.
De que era isso que escutaste? — ...
(Repete o texto) Estou lendo? — Sim.
Do jornal? — Sim.
(Como conto) "Produziu-se uma violenta..." — Está leendo (= lendo).

O que estou lendo?	Os bonequinhas (desenhos).
Quais?	(mostra desenhos).
Do que escutaste, o que te fez	
pensar isso?	...
O que estava fazendo?	Leendo.
Onde?	(mostra o livro).
(Com o jornal) "Você viu?	
Quando vinha..."	Leendo.
O que estou lendo?	O jornal.
Andrea (6a CM)	
(Com o jornal) "Era uma vez..."	Lendo.
O quê?	De uma casinha.
O que estava lendo?	*Derario* (= *del diário*),[*]
(*Livro*) *"Produziu-se uma violenta..."*	Lendo.
O que estou lendo?	O livro.
(Repete o texto) Era do livro?	Sim.
(Com o jornal) "Você viu? Quando	
vinha..	Lês.
O quê?	Coisas do jornal.

Está claro que a forma como se apresenta a ação de ler leva todas essas crianças a reconhecerem seu valor de verdade: "estás lendo", e a não emitir juízo sobre o texto escutado. Os atos de leitura são interpretados como uma admissão de fato de sua possibilidade sem questionar-se sua legitimidade. Tampouco se pronunciam sobre o tipo de portador de texto; qualquer portador é admitido como protótipo de texto, "para ler". Assim mesmo, a ação de ler pareceria ser tão genérica que não remete a nenhum conteúdo particular. Isto fica bem exemplificado quando perguntamos a Roxana "o que estou lendo" e ela responde "as letras". Estes sujeitos partem da convicção de que se trata de um ato de leitura, dadas as condições presentes (presença do portador de texto, gestos do experimentador, presença de entonação, etc.). O elemento potencialmente conflitivo (discrepância entre portador e conteúdo lido) não resulta tal para estas crianças. Elas sabem que se trata de um jornal ou de um livro, mas, sem uma antecipação dos respectivos conteúdos, a situação deixa de ser conflitiva. É por isso que, nos exemplos apresentados, não há discrepância entre as duas identificações que lhes são solicitadas: a veracidade da ação exercida sobre determinado suporte material e a procedência do texto escutado.

Responder simultaneamente a tantas identificações, sem entrar em contradição, requer diferenciar seus julgamentos segundo sua natureza: por um lado um julgamento sobre a legitimidade do ato observado e, por outro, sobre o enun-

---

[*]N. de T. Não há equivalência em português.

ciado escutado. Negar a ação atual e afirmar a procedência escrita do enunciado é supor uma hipotética ação anterior, um ato de leitura anterior ao presente. Dois são os caminhos possíveis que podem levar a criança a essa diferenciação: ou se antecipa o conteúdo possível em função da identificação do portador, ou se descobrem índices linguísticos no enunciado escutado, os quais facilitem a determinação de sua procedência. No primeiro caso, haverá, então, uma rejeição, em virtude de uma inadequação entre a antecipação e a mensagem escutada, que pode levar ou não a uma determinação da procedência da mensagem. No segundo, o julgamento recai em primeira instância sobre a identificação da procedência e logo – consequentemente – rejeita-se o portador exibido. Somente assim se pode admitir a procedência escrita ao mesmo tempo que negar a ação observada. Porém, esta dupla diferenciação está longe do espírito das crianças apresentadas. Para elas, o conjunto dos dados observados são suficientes para afirmar o ato de leitura.

Podemos concluir, portanto, que um primeiro tipo de respostas, o qual situaremos no nível 1, são aquelas caracterizáveis como: qualquer ato de leitura com voz é aceito como tal, sem possibilidade de questionamento sobre a procedência do texto escutado.

Nível 1 – Impossibilidade de antecipar o conteúdo de uma mensagem em função da identificação do portador de texto

1a – Centralização nas propriedades formais do ato de leitura

Os exemplos apresentados (José Luis, Roxana e Andrea) situam-se, obviamente, neste nível. Porém, seria insuficiente nossa análise se não relacionássemos essas respostas com as obtidas na situação anteriormente analisada de "leitura silenciosa". Não é nada surpreendente comprovar que os sujeitos deste nível se situam também no nível l de "leitura silenciosa". Com efeito, se a ausência de voz era interpretada como o elemento que faltava para que a leitura se cumprisse, sua presença passa a ser – em certas circunstâncias – indicação suficiente do ato de leitura. Na medida em que a condição exigida na situação anterior – falar ou dizer algo – aparece, a ação é aceita. Estas são as razões das respostas neste nível. Por um lado, ler está ligado a falar e, por outro, a ação de ler não leva, necessariamente, a um conteúdo particular. Nos exemplos apresentados aparece uma constante: a aceitação de fato do ato da leitura. Conviria, chegados a esse ponto, refletir sobre as perguntas propostas para avaliar as identificações solicitadas à criança. Por um lado, perguntamos: "Estou lendo?", isto é, pedimos uma resposta sobre o ato exposto. É evidente que as respostas afirmativas que recolhemos nos sujeitos deste nível remetem a uma confrontação do ato de leitura em voz alta frente à leitura silenciosa. Por outro, indagar "de que era isso?" ou "de onde era isso que escutaste?", constitui – para nós adultos – uma interrogação sobre a procedência do enunciado escutado. Porém, a criança assim o compreende? Evidentemente que não. Para compreendê-lo, é preciso que seja capaz de diferenciar entre "não estás lendo, mas é de ler". Somente assim pode responder à última pergunta: "Isso é de ler?". O interrogatório repousa sobre a possibilidade de diferenciar entre o continente e o conteúdo escrito, supõe uma reflexão em relação ao texto escutado e o portador exibido. O tipo de respostas encontradas até aqui indica que estas questões excedem as possibilidades de compreensão da criança, para quem a presença da voz, a existência de letras e os gestos do leitor são dados suficientes que justificam suas respostas.

Mas também há crianças – ainda que diferenciando leitura de fala – (nível 2 de "leitura silenciosa") que são incapazes de antecipar o conteúdo de uma mensagem, em função da identificação do portador. Diferenciar leitura de fala é uma coisa e predizer o conteúdo de cada portador de texto é outra. Evidentemente, para que se possa falar de antecipação ou de predição, é necessário que o antecipado seja conhecido de antemão, que tenha tido uma certa familiarização com os diversos materiais de leitura. Este é o conhecimento que permitirá ao sujeito passar da avaliação das condições da situação ao considerar o conteúdo da mensagem escutada. Se se ignora a relação entre o continente gráfico e o conteúdo escrito, qualquer enunciado "é adequado ao" com o suporte material exibido. O sujeito está centrado nas propriedades formais de um ato de leitura e não no conteúdo do enunciado escutado.

1b – Início da centralização no conteúdo temático do enunciado

A primeira centralização no enunciado se faz em termos do tema do qual se fala, independentemente das propriedades formais do texto. Dentro desse nível, analisaremos dois tipos de condutas diferentes quanto à forma em que se apresentam; porém, semelhantes quanto ao raciocínio implícito dos sujeitos.

Para alguns sujeitos, existe um modo de verificação do escutado, que não questiona o ato de leitura nem o tipo de portador de texto. Este modo consiste em *exigir a presença da imagem* para comprovar se o escutado corresponde ou não ao suporte material exibido. Assim, o tema da mensagem transcrita no texto deve aparecer no desenho. Essa ideia de correspondência entre desenho e texto permite aos sujeitos realizarem julgamentos sobre a adequação da mensagem escutada. A característica de tais respostas é a de definir o conteúdo lido como sendo um "conto" ao invés de qualificar o ato observado como "lendo". Para esses sujeitos, existe um protótipo de portador de texto: o livro com imagens, ao qual chamam de "conto".

Vejamos alguns exemplos:

Diego (4a CM)
(Com o jornal) "Era uma vez..."   Estás contando.
O que estou contando?   De uma menina.
Estava lendo?   Não sei.

Ou contando?	Contando.
De onde tirei?	Do jornal.
Do jornal?	Não, sai nos contos.
Como te deste conta?	Porque não tem desenhinhos.
(Com o livro) "Produziu-se uma violenta..."	Contando.
O que estou contando?	Dos autos.
De onde saí isso?	Da coisa dos jornais.
E aqui (livro), sai?	... Sai.
Vamos ver, como?	Não estão os autos... tem desenhinhos e estão os senhores (desenho).
E estava lendo?	Estava lendo.
Onde?	(mostra o livro).
Queres que conte?	Conta este (mostra desenho).
Conto ou leio?	Lês.
Contar e ler é o mesmo?	É mais diferente ler que. .. é mais diferente.
(Repete o texto)	Estás lendo.
(Como jornal) "Você viu? Quando vinha..."	Lendo.
O quê?	O jornal.

Carolina (5a CM)

(Com o jornal) "Era uma vez...	Estás lendo um conto.
Como te deste conta?	Porque eu sei ler os contos.
O que te fez pensar que era um conto?	Porque estavas lendo um conto e as figurinhas de um conto.
Aqui, as figurinhas?	Não estão.
(Com o livro) "Produziu-se uma violenta..."	Lendo.
Onde?	Aí.
Como te deste conta?	Porque este é um conto que tem letras.
(Com o jornal) "Você viu? Quando vinha. .."	Estás contando um conto.
De onde?	Daí não é, daqui (busca as páginas de humor).
Como sabes?	Porque estavas olhando o desenho.

A possibilidade de ter lido em certo portador é justificado *a posteriori* em função de uma correspondência entre o elemento temático do escutado e o desenho presente no texto impresso. O juízo de adequação não recai sobre a relação do continente-conteúdo. A prova disso é que a notícia jornalística pode ser lida no livro sob condição de que algum elemento do conteúdo temático – recolhido pela criança – esteja desenhado. Diego e Carolina – que oscilam entre "estás contando" e "estás lendo" – exigem também a presença de desenhos. (Mais adiante, veremos a relação entre "contar" e "ler".) O curioso desse tipo de conduta é que os sujeitos recortam – do enunciado total escutado – o conteúdo temático e não seus aspectos formais; porém, o tema é reduzido ao conteúdo referencial da mensagem. Diego afirma que se fala "de uma menina" no primeiro caso e "dos autos" no segundo. Esta primeira forma de centrar-se no enunciado é uma prova a mais sobre o critério das crianças quanto ao que a escrita pode representar. (Cf. Capítulo 3, parte 3 e Capítulo 4, parte 1.)Passemos agora a analisar por que estas crianças exigem letras e desenhos (desenhos quando se trata do jornal – ou, o que é o mesmo, buscam as páginas de humor, como o caso de Carolina – e letras quando se trata de livro de contos). Nós cremos que as oscilações entre "ler" e "contar" se justificam precisamente por essa exigência. Com efeito, um portador que possua texto escrito e desenhos pode ser "lido", mas também pode ser "contado" no sentido de relatar o que está presente no desenho. Como decidir qual das duas ações se realiza? Uma implica a outra ou estão dissociadas? Vejamos mais um grupo de exemplos, que podem servir-nos para clarear este aspecto.

Machi (5a CM)

(Com o jornal) "Era uma vez..."	Lendo.
O quê?	Um conto.
Estou com um jornal!	Mas aqui tem contos.
No jornal?	Mas você o inventou.
Inventei, mas era de ler?	Sim.
O que te fez pensar que era de um conto?	Porque vi que era de uma menina.
(Com o livro) "Produziu-se uma violenta..."	Contando um conto.
E estava lendo?	Sim.
Um conto?	Não sei.
Era de um conto?	Sim.
(Repete o texto)	Sim.
Estou lendo?	Sim.
De onde	Dum conto?
(Com o jornal) "Você viu? Quando vinha. .."	Sim, estás lendo.
O quê?	Um conto.
Um conto!	Daqui (procura páginas de humor).
E isso, o que é?	Um conto.

Carolina (5a CM)

(Com o jornal) "Era uma vez..."	Lendo.
O quê?	Um conto.
Como te deste conta?	Porque estás lendo.
(Mostra o jornal)	(confusa) Não sei.
O que estou fazendo?	Olhando... lendo.

Olhando ou lendo?	Lendo... as duas coisas.
(Com o livro) "Produziu-se uma violenta. .."	Lendo!
Como te deste conta?	Eu me dei conta.
O quê?	O conto.
(Com o jornal) "Você viu? Quando vinha..."	Estás lendo.

À primeira vista, ficaríamos tentados a admitir que estas crianças compreenderam o enunciado; mas, quando vemos que tudo é definido como "conto", sobrevém a desilusão. O que significa "conto" para estas crianças? Conto não está definido pelo suporte material – já que tanto em jornais como em livros pode haver contos – nem tampouco o está pelo conteúdo em si da mensagem escutada.

Para ilustrar a dificuldade de definir o que é conto, partamos dos significados encontrados na linguagem cotidiana. "Conto" pode querer significar "o que está nos livros", mas também pode ser sinônimo de relato ou, mais especificamente, de relato imaginário. Além disso, "conto" é qualquer informação falsa que se quer transmitir a outro como se fosse verdadeira (no contexto do "me passaram o conto" como sinônimo de "me enganaram"). Para essas crianças, "conto" talvez seja um termo genérico para texto lido, ou mais especificamente, de texto que adota a forma narrativa sem estar ligado a um portador específico, nem a um conteúdo particular.

Da mesma forma, a ação de "contar" pode ser interpretada ou não como sinônimo de ler, segundo os contextos. Pode-se "contar" um acontecimento real, assim como uma informação escrita. E um "conto" (infantil) pode-se "contar" lendo ou sem ler. A ação de "contar" pareceria reclamar a atenção do interlocutor sobre um tema. Porém, apesar de ter sentidos tão amplos, não se confunde com falar, já que supõe uma intencionalidade diferente do falar simplesmente. De qualquer forma, o ponto em que nos interessa insistir é o da ambiguidade que comportam os termos "conto" e "contar".

Voltando a nossos exemplos, "conto" pareceria ser sinônimo de relato, denominação muito genérica que não remete a um conteúdo particular (assim como nos exemplos anteriores foi a palavra "ler"). O conto pode estar impresso nos jornais ou nos livros e pode, ainda, adquirir distintas formas linguísticas. Mas também pode ter uma origem oral. Fica, então, a questão de saber se, para essas crianças "contar" é compatível com "ler" ou se opõe a isso. Nossa hipótese é que, se bem que sejam compatíveis, se diferenciam. E esta diferenciação se explica pela exigência dos sujeitos de que o portador inclua letras e desenhos. Ler e contar seriam duas ações realizadas sobre estas duas partes, respectivamente: ler sobre as letras e contar sobre o desenho. Diego é muito explícito neste sentido quando afirma que contar é "mais diferente que ler", e Carolina sustenta que se pode ler porque "é um conto que tem letras". Sempre que o conteúdo suponha um texto impresso "letras e desenho ", as respostas oscilam entre lendo ou contando: duas ações que se exercem sobre partes diferentes do portador. Por outro

180 Ferreiro & Teberosky

lado, é necessário recordar que as oscilações podem ser devidas a julgamentos sobre o ato observado. Mas o ato observado tem legitimidade se cumpre com certas condições: neste caso, que se realize sobre um portador com texto escrito e com imagens.

O raciocínio dessas crianças consiste em propor a presença de desenhos e letras como premissa e a ação exercida como consequência. Quando se olha os desenhos, se "está contando", mas havendo letras, se "está lendo". Voltemos às razões que justificam a inclusão dessas condutas no nível 1b. Quanto ao portador, está claro que – para a maioria – o conto é um protótipo de texto lido em voz alta; porém, no que diz respeito ao conteúdo, somente se retém o aspecto temático fundamental do escutado. Neste sentido, qualquer tema é passível de adaptação a um conto. Pode haver um conto de meninas, países longínquos, casinhas, automóvel, transporte e até um incêndio.

O segundo tipo de condutas que correspondem a este nível caracteriza-se por aceitar o ato de leitura realizado sobre o portador exibido, *sem exigir a presença de desenhos,* centrando-se, basicamente, no tema do qual se fala. É neste aspecto que se assemelham às já analisadas. Vejamos alguns exemplos:

Leonardo (5a CB)
(Com o jornal) "Era uma vez..." — Tinha uma menininha... que vivia numa casinha muito humilde.

O que estava fazendo? — Leendo (= lendo).
De onde? — (mostra o jornal). Daqui.
O que estava lendo? — Da casa e a menininha.
De onde? — Daqui (mostra o jornal).
É do jornal? — Sim.
(Com o livro) "Produziu-se uma violenta..." — De...
De contos? — Sim.
Para crianças? — Sim.
(Repete o texto) O que fazia? — Leendo.
O que estava lendo? — Da barreira... do ônibus.
E isso sai aqui! — Sim.
(Com o jornal) "Você viu? Quando vinha..." — Eh... você viu? Dobrando a curva havia uma fábrica, havia uma confusão danada.
O que fazia? — Leendo.
De onde? — Daqui (jornal).
Isso sai? — Sim.

José (4a CB)
(com o jornal) "Era uma vez ..." — Leendo (= Lendo).
E o que lia? — Daqui (mostra o jornal).
(Repete o enunciado) — De uma menininha.

E isso, sai nos jornais?	Sim.
(Com o livro) "Produziu-se uma violenta..."	Lendo.
O que lia?	Dos autos.
Daqui (livro)?	Sim.
(Com o jornal) "Você viu? Quando vinha..."	...
O que estava fazendo?	...
Estava lendo?	Sim.
O que lia?	Da fábrica.
Onde?	Aí (mostra o jornal)

As perguntas "o que li?", "de que era isso?" são entendidas como "qual é o tema que escutaste?" e respondidas, respectivamente, como "de uma menina", "de um carro" e "da fábrica". Portanto, a situação de leitura não é questionada, nem se descobrem as diferenças entre os enunciados segundo sua procedência. Estas respostas têm em comum com as anteriores a retenção do tema da mensagem escutada, mas diferem em que não vão buscar o desenho correspondente a esse tema, e que não usam o termo genérico "conto". Estes dois tipos de condutas coincidem, em linhas gerais, com as diferentes procedências sociais. Entre as crianças de classe média, encontramos respostas de procura do desenho; nos de classe baixa, respostas sobre o próprio tema, sem referência a uma constatação no desenho. Que significado possui este dado? A interpretação mais plausível é que as crianças de classe média se acham mais habituadas a que leiam para elas, possuem um contato mais direto com os livros (basicamente com livros de contos). Por outro lado, os de classe baixa dificilmente são destinatários de um ato de leitura. Se assistem a ele, é na qualidade de espectadores passivos do que o adulto lê. Além disso, na classe baixa preferentemente, se lê um jornal. O que é que escutam essas crianças? Ouvem o comentário posterior à leitura, comentário correspondente ao tema sobre o que se leu. Em todo caso, nenhum dos dois grupos estabelece reservas quanto à situação, e admitem a procedência escrita dos enunciados. Está claro que ambos os aspectos encontram-se intimamente ligados. Precisar a procedência implica questionar a situação e vice-versa.

Nível 2 – Possibilidade de antecipar os conteúdos segundo uma classificação dos distintos portadores de texto

A classificação dos portadores influi sobre a antecipação do conteúdo correspondente; e mais, quase poderíamos afirmar que determina a interpretado dos enunciados. Uma classificação sobre o tipo de conteúdo que cada portador transmite induz a criança deste nível a situar os enunciados escutados em função da classificação estabelecida. Assim, quando se espera que o jornal transmita certo tipo de informação, a mensagem escutada será julgada de acordo com uma adequação ao previsto. Tampouco neste nível o sujeito estabelece reservas quanto à situação de leitura, já que sua atenção está dirigida para interpretar a adequação continente-conteúdo escrito. O valor do ato de leitura não é colocado em questão; as condições da situação são aceitas.

Assinalamos, anteriormente, que a previsão se apoiava sobre a familiarização com os diferentes tipos de textos impressos. Ela permite antecipar a mensagem em cada caso. Mas, além disso, o tipo de portador de texto não somente determina o conteúdo (o que trataremos mais adiante), mas também o tipo de ação que se exerce sobre ele. Com efeito, o jornal pode ser definido como "para ler", enquanto que o livro de contos serve "para contar". É por isso que nos encontramos com respostas "lendo", quando o suporte material sobre o qual se realiza a ação é o jornal, e respostas "contando", quando se trata de um livro; todas elas são feitas com total independência do texto escutado. São julgamentos sobre a ação em função de uma classificação dos tipos de texto impresso, julgamentos que se parecem a uma definição pelo uso, de acordo com critérios de conveniência. Então, na maioria dos casos, a classificação recai sobre o conteúdo da mensagem plausível de cada portador. Assim, dizem as crianças, nos jornais saem "as coisas que acontecem" ou "as coisas importantes" ou ainda "as coisas de verdade"; enquanto que nos livros de história saem "as coisas que não acontecem" ou "que são mentiras". Uma terceira variante da classificação dos portadores se faz com base no critério de diferentes destinatários: o jornal é "para grandes" e o conto "para crianças", ou "tem desenhos".

Analisaremos agora as condutas que julgam os portadores, segundo os conteúdos escritos que neles podem aparecer. O fato mais importante a destacar é que os portadores já não são definidos simplesmente como "para ler" ou "têm letras", mas sim que cada continente impõe restrições sobre o conteúdo que ali se pode encontrar. Vejamos alguns exemplos:

Martín (5a CM)

(Com o jornal) "Era uma vez...   Lendo.

O quê?   Um conto... mas um conto no jornal estavas lendo.

Pode ser?   Difícil... mas pode ser. Pode ser que o tenhas tirado dali (livro).

Como te deste conta?   As palavras... que essas palavras são de um conto.

Que palavras?   Porque os jornais têm informação, mas isso não tinha informação, porque eu me dei conta que isso não era verdade... por isso, era de um conto.

(Com o livro) "Produziu-se uma violenta..."   Estás lendo.

O quê?   Um conto.

Como te deste conta?	Tem desenhinhos e os contos não trazem informação de verdade.
(Repete o texto)	Claro, porque se não isto seria de um jornal, se não de um conto, de que vai ser?
O que era?	De uns carros.
E do jorna I? Pode ser?	Do jornal não pode ser, não é informação de qualquer coisa, por exemplo que a marinha amanhã vai dar guerra.
(Com o jornal) "Você viu? Quando vinha..."	Mentira! ... de um conto.
Estava lendo?	Sim, mas de um conto, pode ser que seja de ler de um conto.
Carlos (6a CM) (Com o jornal) "Era uma vez..."	Estás lendo.
Onde?	Não sei.
Do jornal?	Não... porque essas coisas nunca são feitas nos jornais.
Que coisas são de jornal?	As coisas importantes, de esporte, futebol, de tudo.

Estas respostas são muito ilustrativas da possibilidade de classificar dois tipos de textos impressos: jornais e livros de contos. Está claro que existem determinados conteúdos ligados às formas dos portadores. Para Martín, o jornal reproduz "informação de verdade", enquanto que o conto traz "o que não é verdade". Esta classificação dicotômica o obriga a polarizar os conteúdos sem reconhecer o valor de verdade de uma notícia (apesar de uma dúvida inicial: "do jornal que não vai ser"). Para Carlos, no entanto, o jornal reproduz "as coisas importantes". Mas o fato mais significativo dessas condutas é a antecipação do conteúdo em função da identificação do portador de texto e a dedução consequente: no jornal, sai informação de verdade, isso que ouvi não é informação de verdade; portanto, não é do jornal (o mesmo raciocínio no caso de Carlos).

Para outras crianças, entretanto, o conteúdo do jornal define-se como "sai tudo o que acontece". Nestes casos, o enunciado, transmitido à criança oralmente, é avaliado segundo critérios de realidade. O raciocínio, semelhante aos casos anteriores, pode ser descrito em termos de "isso que escutei acontece; portanto, sai nos jornais, visto que ali sai tudo o que acontece". Antes de apresentar os exemplos, devemos colocar duas questões prévias: primeiro, a antecipação do conteúdo se realiza mais facilmente no caso dos jornais do que nos livros de história. É possível que o conteúdo de um jornal possa ser mais claramente definido (acontecimento real, informação política, esportes), enquanto que é mais difícil antecipar o conteúdo de um livro. Este pode abarcar a mesma temática do jornal e outras mais. Esta é a razão que explicaria as respostas mais avançadas na primeira situação, apesar de que uma criança tenha menos experiências com os

184 Ferreiro & Teberosky

jornais do que com os livros de história. A segunda questão se refere à possibilidade de diferenciar enunciados de língua oral de enunciados de língua escrita. Até agora, nos níveis 1 e 2, não houve nenhuma resposta que mostrasse indícios de diferenciação. Na nossa situação experimental, esta tarefa é sumamente difícil, visto que o diálogo oral é adequado ao tipo de texto impresso em razão de sua temática. Passemos agora aos exemplos:

Anabela (5a CB)
(Com o jornal) "Era uma vez... Sim, estás lendo.
O quê? O jornal.
Isso que escutaste é do jornal?
(Repete o texto) Eh... A menininha era muito pobre.
E isso é do jornal? Somente o que vejo, que têm muitas criancinhas que são pobres.

E isso sai nos jornais? Sim, às vezes, sim. Porque minha mamãe me disse que ontem de noite ia uma senhora com um nenê e atiraram os soldados, apontando um, tiro no homem e mataram a senhora.[3]
E sai nos jornais? Sim.
(Com o livro) "Produziu-se uma violenta.. ." Sim, estás lendo.
O que estou lendo? Um continho.
E isso sai nos contos? Não.
Onde? O que disse recém, o outro de um jornal e o outro da TV.

(Repete o texto) E isso?
(Com o jornal) "Você viu? Quando vinha..." Sim, estás lendo.
O quê? De uma confusão.
É de jornais? (sim) .
Sim o quê? Sim, que são dos jornais, nos jornais sai tudo o que acontece.

E, então... Por isso tem jornais, se não a gente não saberia nada.

Laura (5a CB)
(Com o jornal) "Era uma vez..." Estava lendo.
O que estava lendo? Uma menina vivia numa casa.
De onde tirei? (mostra o jornal).
E o que é isso? Um jornal.
E sai nos jornais? Não, isso acontece e o botam aí.
Então?
Sai nos jornais? Sim.

(Com o livro) "Produziu-se uma violenta..."	Estava lendo.
O quê?	Não me lembro (trata de recordar o enunciado).
O quê?	Do autotransporte.
De onde era?	
Leem contos para ti?	Não.
(Com o jornal) "Você viu? Quando vinha..."	Lendo.
O quê?	Você viu o que aconteceu aqui, tinha um incêndio.
De onde o tirei?	Do jornal.

Estas duas meninas constituem exemplos de um tipo de conceitualização. Ambas definem o jornal como "sai o que aconteceu" e ambas atribuem ao enunciado escutado um valor de realidade que justifica sua inclusão nos jornais. Se, como dissemos, o raciocínio é semelhante ao de Martín e Carlos, as premissas das quais partem Anabela e Laura são diferentes. Com efeito, para Martín está claro que algo se transforma em notícia jornalística se é verdade; Anabela, por sua vez, utiliza o critério de possibilidade material: se é um fato real, sai nos jornais. Quando um tema é um fato interpretado como real, a legitimidade de seu uso no jornal é aceita como verdade. Em todos os casos analisados, o primeiro é a antecipação da classe de coisas que vão num texto, e é sobre essa base que se aceitam ou rejeitam os enunciados. Ainda que a maneira de conceitualizar varie: "coisas importantes", "informação", "o que acontece" (para informar as pessoas), o que é comum é que existem critérios para classificar os portadores. Em geral, não existe análise das chaves estilísticas, exceto o caso de Martín que afirma "essas palavras são de um conto", referindo-se a "Era uma vez...", isto é, a uma chave estereotipada, a uma fórmula ritual de começo de um conto infantil.

A que se deve a diferente valoração nas crianças de distinta procedência? Vamos analisar as respostas de Anabela e Martín, referentes às suas hipóteses sobre o que o jornal transmite. Anabela (CB) afirma que nos jornais sai "tudo o que acontece", "por isso têm jornais, senão a gente não saberia o que acontece". Porque pensa que o escrito no jornal veicula informação sobre uma situação real, comprovável através de um conhecimento dessa mesma situação ("vejo que tem muitos meninos que são pobres"), o primeiro texto que escuta como proveniente de um jornal é referido de imediato a uma situação real e adquire factibilidade material. Por outro lado, para Martín (CM) a informação do jornal é de verdade e a do conto de mentira. Cada um dos enunciados são julgados conforme esses valores, e a novidade na resposta de Martín não é somente a classificação, mas também conceber que as coisas que não são certas podem aparecer escritas. Isto é começar a conceber a ficção como forma escrita.Como já afirmamos anteriormente, é possível que o protótipo de portador de texto para as crianças de classe baixa seja o jornal, ao qual fazem frequentes referências; enquanto que, para os de classe média, preferentemente seja o livro de contos, dos quais sabem ser destinatários diretos. O que é comum aos exemplos citados até agora é a impossibilidade de responder a todas as distinções que se solicitam. Com efeito, conforme já vimos, a criança deveria diferenciar seus julgamentos para avaliar a situação observada, o conteúdo escutado e a procedência oral ou escrita dos enunciados. É evidente a dificuldade que a situação comporta. Ou se pensa em termos do conteúdo escutado ou na situação observada; porém, o que é mais difícil é avaliar a procedência, diferenciando-a da situação experimental. Os exemplos que analisaremos nos níveis seguintes esclarecerão este ponto.

Assim como, conforme já vimos, as crianças deste nível são capazes de classificar os distintos portadores de texto, também podem classificar a ação que se realiza sobre determinados portadores.

Esta classificação da ação depende, é claro, de uma categorização dos portadores e das condições de uso dos conteúdos correspondentes. A variante superior das respostas deste nível consiste em encontrar diversas formas de denominar uma gama mais ampla de ações, conseguindo dar denominações diferenciais específicas para todas as formas de atos de leitura conflitivas. A partir desse momento, existe um conflito devido à discrepância entre portador e texto lido.

Mariano (5a CM)
(Com o jornal) "Era uma vez..." — Não, não estás lendo.
Por quê? — Porque isso não pode dizer no jornal.
(Com o livro) "Produziu-se uma
violenta..." — Estás lendo.
Como te deste conta? — Porque sei.
(Com o jornal) "Você viu? Quando
vinha..." — Não! Não estás lendo.
Por quê? — Porque não.
Como te deste conta? — ...

María Paula (4a CM)
(Com o jornal) "Era uma vez..." — Não! Isso é um conto.
Estou lendo? — Não, porque aqui não diz isso.
Como? — Você contou no jornal um conto.
No jornal não têm contos? — Não.
(Com o conto) "Produziu-se uma
violenta..." — Lendo...
De onde estou lendo? — (mostra o livro).
Estava lendo daqui? — Sim.
Isso que escutaste é um conto? — Sim.
Como te deste conta? — Porque vi a capa.
(Repete o texto) De que era? — Não me lembro.
(Com o jornal) "Você viu? Quando
vinha..." — Estás lendo.

Estou lendo?	Sim.
Daqui? (mostra o jornal).	Não... inventaste.
E estava lendo?	Não.

María Isabel (6a CM)

(Com o jornaI) "Era uma vez..."	Sim, estás lendo.
O que estou lendo?	Um continho.
(Mostra o jornal) Daqui?	Não sei, porque num jornal não pode ter um conto.
Mas estava lendo?	Não sei o que estavas fazendo das duas coisas.
Que duas coisas?	Contando um continho ou lendo.
(Com o livro) "Produziu-se uma violenta..."	Estás lendo.
O que estou lendo?	Contos.
(Repete-se o texto)	Não sei.
Que conto estava lendo?	Um continho de trânsito.
(Com o jornal) "Você viu? Quando vinha..."	Estás lendo.
Estou lendo?	Sim, mas no jornal, não.
O que estou lendo?	Estás falando sozinha.

Está claro que Mariano afirma "não estás lendo" quando o conteúdo escutado não corresponde à sua predição sobre o portador: nos dois casos, o jornal. Entretanto, ainda não pode se pronunciar sobre a ação exercida com o livro de contos. Conforme assinalamos, torna-se mais difícil predizer o conteúdo de um livro. Nos exemplos citados posteriormente ao de Mariano, já está clara a possibilidade de diferenciar as ações. María Isabel e María Paula distinguem entre "contando um conto" "lendo", "falando sozinha", ou "o inventaste". As vacilações nas respostas ("contando-lendo", "lendo-o inventaste") dão provas de um julgamento de adequação entre portador e texto lido. Este julgamento é explicitado, tratando de encontrar denominações para cada um dos atos de leitura conflitivos que lhes são propostos. Este tipo de conduta já anuncia as seguintes.

Nível 3 – Começo de diferenciação entre "língua oral" e "língua escrita"

Decidir que tipo de expressões correspondem a tipos de portadores, ou a modalidades da língua, implica um juízo sobre as formas concretas de língua escrita. Uma descrição do enunciado em termos de suas características estilísticas não é outra coisa do que uma descrição formal. E, neste terceiro nível, no qual encontramos condutas que evidenciam uma clara centração no enunciado, ao

188 Ferreiro & Teberosky

mesmo tempo que avaliação dos atos de leitura. Por outro lado, existem indicações nítidas de superação da situação conflitiva. Vejamos um exemplo:

Vanina (6a CM)
(Como jornal) " Era uma vez..." Um conto! Não, é o jornal!
Como? Poderia haver um conto no jornal.
Onde? (mostra o jornal) ... (olha) . Não, não tem contos. Sim,
estás lendo, mas não estás lendo o que diz aqui (jornal).
É um conto? Sim, um conto de livro.
Como sabes? Ué, porque os grandes não vão dizer de
   uma menina muito bondosa!

(Com o livro) "Produziu-se uma
violenta..." Isso é de um jornal!
Como sabes? Ué, porque num conto infantil não vai
   dizer notícias!

Qual palavrinha te fez pensar que
era uma notícia? Porque uma batida é uma notícia... o da
   Estação Onze e o veículo.

(Com o jornal) "Você viu? Quando
vinha..." Isso se conta entre pessoas, são notícias,
   por exemplo, eu conto a ti.
E estou lendo? Sim, podes estar lendo; porém, "você viu"
   não vais dizer, porque ele não é
   amigo teu (mostra o jornal).

A superação da situação conflitiva pode dar lugar a respostas raciocinadas (como no caso de Vanina); porém, também a respostas de riso ou assombro, por achar absurda a situação. Miguel (6a CM), por exemplo, ao escutar o enunciado tipo conto, num jornal, ri e logo exclama: "Ah, não, não pode!" e pede uma comprovação empírica: "Vamos ver, mostre-me a folha que leste". Ambos os exemplos são indicativos de uma análise exaustiva da situação. No entanto, a possibilidade de fazer raciocínios sobre o conteúdo e o estilo do enunciado escutado está claramente exemplificada com Vanina. Ela mostra como pode diferenciar entre "estás lendo", mas as coisas que não dizem", ao mesmo tempo que determinar a procedência de cada um dos enunciados: escrito no conto e a notícia, e oral no diálogo "entre pessoas". Não é Vanina, entretanto, o único exemplo, são seis os sujeitos – todos de 6 anos, da classe média – que chegam a este nível. A diferenciação entre língua oral e língua escrita, feita por crianças que não sabem ler, evidencia uma aprendizagem através de uma experiência social não sistemática. Não é raro, pois, que esses poucos sujeitos se encontrem na classe média. Para avaliar a distância entre este nível e as condutas iniciais, contrapomos Erik (do nível 1) com Vanina (do nível 3):

Psicogênese da Língua Escrita 189

Erik (5a C M)
(Com o jornal) "Você viu? Quando
vinha..."   Sim.
Sim o quê?   Eu vi.
Viste o quê?   Nada.
É de ler ou de dizer?   Do jornal ou do conto?
O que te parece?   ...
(Repete o texto)   Uma senhora já me contou.
E como se inteirou?   Porque ela foi.
Onde?   Lá, no incêndio.

O enunciado escutado é interpretado por Erik como parte de um diálogo (que o experimentador inicia e ele responde por identificação com o interlocutor) e não como um objeto sobre o qual é preciso refletir. O diálogo é atualizado e os elementos linguísticos são tomados como índices referenciais da situação concreta.

A psicolinguística estudou os processos de uso e de conhecimento da linguagem (fazendo esta distinção entre uso e conhecimento); porém, dentro do campo do conhecimento do estilo "língua escrita". Este problema é um campo aberto para novos estudos. A capacidade de diferenciar língua escrita-língua oral é sumamente importante para a iniciação à lectoescrita. Com efeito, ao aprender a ler e a escrever, a criança defronta-se com enunciados puros de língua escrita (tão língua escrita que ninguém fala assim em nenhum lugar). Aqueles que já vierem preparados e forem capazes de fazer tal diferenciação, esperarão encontrar determinado tipo de orações nos textos escritos. São, evidentemente, estas crianças as que passarão mais facilmente pelo momento de aprender a ler com "livros de leitura". Como nota final, citaremos a opinião de Mafalda (personagem criado pelo humorista Quino) coincidente com a nossa:

NOTAS

1. Denominaremos "portador de texto" ou "suporte material" qualquer objeto que leve um texto impresso. Sob esta denominação incluamos livros, invólucros de medicamentos ou de alimentos, jornais, cartazes de propaganda, etc.
2. Na atualidade, temos abordado mais amplamente esta problemática, através de um estudo longitudinal que se realiza no México.
3. A informação a que se refere a menina, como comentário reafirmativo da informação escutada, é um acontecimento real. Dizer que é um acontecimento real implica admitir de fato que os jornais transmitem acontecimentos reais, porque nós, assim como Anabela e sua mãe, tivemos conhecimento do fato através dos jornais.

CAPÍTULO 6

Evolução da Escrita

Até aqui temos falado principalmente da leitura tal como a criança a concebe no curso de seu desenvolvimento, isto é, de suas interpretações de um texto impresso ou produzido pelo adulto. Porém, obviamente, a criança é também um produtor de textos desde a tenra idade. Numa criança de classe média, habituada desde pequena a fazer uso dos lápis e dos papéis que encontra na sua casa, podem-se registrar tentativas claras de escrever – diferenciadas das tentativas de desenhar – desde a época das primeiras garatujas ou antes ainda (2 anos e meio ou 3 anos).

Estas primeiras tentativas de escrita são de dois tipos: traços ondulados contínuos (do tipo de uma série de *emes* em cursiva), ou uma série de pequenos círculos ou de linhas verticais. Naquele momento, já existe escrita na criança: é a maneira de escrever aos 2 anos e meio ou 3 e, ainda que a semelhança do traçado em relação à do adulto não passa de ser global, os dois tipos básicos de escrita aparecem: os traços ondulados contínuos (com a continuidade da escrita cursiva); os círculos e riscos verticais descontínuos (com a descontinuidade da escrita de imprensa).

Agora: imitar o ato de escrever é uma coisa, interpretar a escrita produzida é outra. Uma das perguntas importantes a se colocar é a seguinte: A partir de que momento a criança dá uma interpretação à sua escrita? Em outras palavras, a partir de que momento deixa de ser um traçado para se converter num objeto substituto, numa representação simbólica? Estas perguntas somente podem ser

192 Ferreiro & Teberosky

respondidas mediante estudos longitudinais pormenorizados, a partir de 2 ou 3 anos (coisa que estamos realizando atualmente). Mesmo que ainda não possamos dar os resultados dessas investigações em curso, uma coisa torna-se clara desde já: a grande importância do nome próprio, pelo menos em crianças de classe média. (Obviamente, é preciso fazer estudos comparativos para demarcar o respectivo peso das influências ambientais e das concepções infantis.)

No começo da interpretação da própria escrita, a criança pode acompanhar seus desenhos de outros sinais que representam seu próprio nome. Se trabalha sobre o modelo da escrita de imprensa (grafias separadas), pode usar várias grafias similares, mas de tal maneira que em todas elas, como conjunto, diz seu próprio nome, mas em cada uma delas tomadas separadamente, também diz seu nome. A hipótese de que o que escrevem são os nomes logo se generaliza progressivamente aos nomes de objetos. Liliana Lurçat (1974) narra assim alguns exemplos de escrita de sua própria filha:

> Aos 3 anos e 4 meses, Elena desenha dois retângulos de tamanhos diferentes, um representando uma cama grande, e o outro uma cama pequena. Cada desenho vai acompanhado de um signo. O comentário é o seguinte: "Marquei uma cama grande, marquei uma caminha". O signo utilizado é uma curva semifechada; o notável é que a dimensão dessa curva é proporcional à da cama: uma curva grande para a cama grande e uma pequena para a caminha. O signo se separa mal do objeto, é próximo ao ideograma, manifestando uma confusão entre o que é significado pelo signo e o significante em si. Pode-se citar outro exemplo da dependência na qual se encontra o signo em relação ao desenho. É a realização de uma série de círculos que representam bombons; cada um deles está acompanhado de um signo em forma de curva semifechada e do comentário: "Marquei". A correspondência termo a termo do objeto e do signo é também uma ilustração do sincretismo inicial do desenho e da escrita (p. 84).

(Esclarecemos que, em francês, as crianças utilizam, de preferência, as expressões "j'ai marqué" ou "j'ai fait des marques", no lugar de "écrire". "Marquer" é ao mesmo tempo mais amplo e mais vago que "écrire", porque abarca tanto a escrita como a realização de outras marcas, incluindo os números.)

Este exemplo de L. Lurçat nos introduz à apresentação de nossos próprios dados, já que várias das crianças que interrogamos estão, aos 4 anos, num nível similar.

1 – COMO AS CRIANÇAS ESCREVEM SEM AJUDA ESCOLAR

A exploração sobre a escrita da criança foi realizada de várias maneiras:

1) pedindo-lhes que escrevessem o nome próprio;
2) pedindo-lhes que escrevessem o nome de algum amigo ou de algum membro da família;

Psicogênese da Língua Escrita **193**

3) contrastando situações de desenhar com situações de escrever;
4) pedindo-lhes que escrevessem as palavras com as quais habitualmente se começa a aprendizagem escolar (mamãe, papai, menino, urso);[*]
5) sugerindo que experimentassem escrever outras palavras, as quais seguramente não lhes haviam sido ensinadas (sapo, mapa, pato, etc.);
6) sugerindo que experimentassem escrever a seguinte oração: "Minha menina toma sol".

Esclarecemos que estas situações não se sucediam umas às outras de uma maneira fixa nem de um modo contínuo: eram tarefas que íamos propondo no curso de nossa exploração com a criança, buscando os momentos mais propícios. Como veremos, as crianças que se negaram a escrever são poucas e, geralmente, estas negativas são interpretáveis no marco da evolução total. Várias crianças disseram, é claro, que não sabiam escrever, mas bastou aceitar esse fato e incitá-las a que o fizessem "como te pareça melhor, como tu pensas", para obter delas uma resposta escrita. Sempre fizemos ler o texto produzido pela criança (imediatamente após, e também, na medida do possível, alguns minutos depois).

Os resultados obtidos com as crianças de 4 a 6 anos de CM e CB nos permitem definir cinco níveis sucessivos (que propomos, provisoriamente, como níveis ordenados, sujeitos às retificações e aos complementos que suscitem as atuais investigações em curso, já que, como veremos, os resultados obtidos superam em novidade as nossas previsões, e as técnicas que empregamos ficaram para trás com respeito à informação que potencialmente pode ser obtida). Faremos uma breve referência à escrita do nome próprio no contexto de todas as escritas realizadas pela criança; porém, em seguida, retornaremos a isso, já que o nome próprio requer uma análise particular.

NÍVEL 1 – Neste nível, *escrever é reproduzir os traços típicos da escrita que a criança identifica como a forma básica da mesma*. Se esta forma básica é a escrita de imprensa, teremos grafismos separados entre si, compostos de linhas curvas e respostas ou de combinações entre ambas. Se a forma básica é a cursiva, teremos grafismos ligados entre si com uma linha ondulada como forma de base, na qual se inserem curvas fechadas ou semifechadas.

No que diz respeito à interpretação da escrita, está claro que, neste nível, a *intenção subjetiva do escritor conta mais que as diferenças objetivas no resultado:* todas as escritas se assemelham muito entre si, o que não impede que a criança as considere como diferentes, visto que a intenção que presidiu a sua realização era diferente (se quis escrever uma palavra num caso, e outra palavra no outro caso). Com essas características, torna-se claro que a escrita não pode funcionar como veículo de transmissão de informação: cada um pode interpretar sua própria escrita; porém, não a dos outros. Como diz claramente Gustavo (4a CB), quando lhe

---

[*]N. de T. Palavras usadas habitualmente na iniciação escolar em espanhol: mamá, papá, nene, oso.

194 Ferreiro & Teberosky

pedimos que interprete uma escrita nossa: "Não sei, porque cada um sabe o que escreve, e eu sabia o que escrevia". Se alguém não sabe o que escreveu, mal pode perguntar tal coisa a outro; a escrita é ininterpretável se não se conhece a intenção do escritor (ver Figuras 6.1, 6.2 e 6.3).

Entretanto, no mesmo nível, podem aparecer *tentativas de correspondência figurativa entre a escrita e o objeto referido*. Um exemplo disso nos dá o mesmo Gustavo. Ele trabalha sobre o modelo da cursiva, e todas suas escritas são linhas onduladas extremamente parecidas entre si. Gustavo acaba de escrever desta maneira "pato". Então lhe perguntamos:

Podes escrever uso (oso)? Será mais comprido ou mais curto?	Mais grande.
Por quê?	(Gustavo começa a fazer uma escrita inteiramente similar, mas que resulta mais comprida que a anterior, enquanto pronuncia as sílabas). Ur-so. Você viu? Sai mais grande.
Sim, mas por quê?	Porque é um nome mais grande que o pato.

Esta claro que aqui "um nome mais grande que o pato" quer dizer "o nome de um animal maior que o pato". Outro exemplo desse tipo de conduta, no mesmo nível que Gustavo, é o de David (5a CB) que, trabalhando também sobre o modelo da cursiva, acaba por propor uma determinada escrita para "meu irmão vai à escola" e, quando lhe pedimos, imediatamente após, que escreva somente "papai", nos diz: É mais difícil porque é mais comprido".

Este é um ponto muito interessante: a criança espera que a escrita dos nomes de pessoas seja proporcional ao tamanho (ou idade) dessa pessoa, e não ao comprimento do nome correspondente. Vejamos vários exemplos: o mesmo David acha que "papai" se escreve "mais comprido" que David Bernardo Méndez (seu nome e sobrenome completos).[1] Num contexto completamente diferente, uma menina que acaba de completar 5 anos e que está em psicoterapia por um problema afetivo leve e que pede, regularmente, em cada sessão, à sua terapeuta que lhe escreva seu nome, desta vez pede: "Escreva-me meu nome. Mas tens que fazê-lo mais comprido, porque ontem fiz aniversário". Em outro contexto diferente, uma menina mexicana de 5 anos, chamada Verônica, escreve seu nome assim: VERO, mas pensa que, quando for grande, vai escrever com "o ve grande" (isto é, BERO, já que no México o *v é* chamado "be pequeno" e o B é o "be grande"). Jorge (4a CM), que conhece suas próprias iniciais (ainda que não saiba escrever, "Jorge") nos explica: "A(s) letra(s) de meu nome é tão comprido...! Mais que o nome do meu papai. O nome de meu papai teria que ser mais comprido porque é mais grande, e o meu é mais comprido" ("e o meu" deve entender-se como "porém o meu" ou como "e resulta que o meu", em função da entonação).

Estes dados e outros recolhidos nos mais diversos contextos evidencia uma tendência da criança a tratar de refletir na escrita algumas das características do

FIGURA 6.1 Exemplos de escrita própria do nível 1. *a)* Alejandra (5a CM). *b)* Ximena (4a CM).

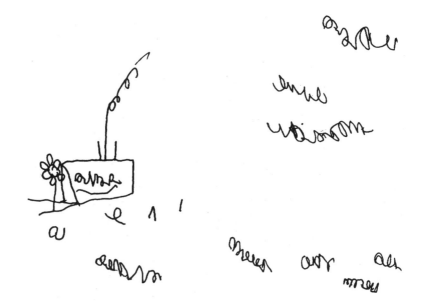

FIGURA 6.2 Exemplo de escrita. David (5a CB).

Psicogênese da Língua Escrita **197**

FIGURA 6.3 Exemplos de escrita própria do nível 1. *a)* Debora (4a CB); *b)* Diego (4a CM).

198 Ferreiro & Teberosky

objeto. (Os exemplos de L. Lurçat que antes citamos são também desta categoria.) *A escrita é uma escrita de nomes, mas os portadores desses nomes têm, além disso, outras propriedades que a escrita poderia refletir, já que a escrita do nome não é ainda a escrita de uma determinada forma sonora.*

O notável é que, até agora, não encontramos exceção a esta regra: *a correspondência se estabelece entre aspectos quantificáveis do objeto e aspectos quantificáveis da escrita,* e não entre aspecto figural do objeto e aspecto figural do escrito. Isto é, não se buscam letras com ângulos marcados para escrever "casa", ou letras redondas para escrever "bola", mas sim um maior número de grafias, grafias maiores ou maior comprimento do traçado total se o objeto é maior, mais comprido, tem mais idade ou há maior número de objetos referidos.

Esta busca – momentânea e não sistemática – de correspondência entre objeto referido e escrita faz par com certa indiferenciação entre desenhar e escrever que se pode apresentar – também momentaneamente – neste nível. Vejamos um exemplo de Silvana (4a CB):

Sabes escrever?	Não. Desenhar sei: uma casa, uma menina, um sol, uma nuvem.
(Faz um desenho) Isto é escrever ou desenhar?	Desenhar.
Escreve uma casa.	(Desenha uma casa).
O que escreveste?	Uma casa.
Desenhaste ou escreveste casa?	Escrevi.
E se queres desenhar?	(Mostra seu próprio desenho).
É o mesmo, escrever ou desenhar?	Não.
O que fizeste no papel?	Desenhei.
(Escreve algo) Escrevo ou desenho?	Escreve.
Desenha um sol.	(Desenha um sol).
Escreve sol.	... Não sei.
Desenhaste ou escreveste?	Desenhei.
Escreveste também?	Não.

Torna-se claro que a dificuldade de diferenciar as atividades de escrever e de desenhar é apenas momentânea: Silvana propõe desenhar como uma alternativa ao escrever, o que lhe resulta demasiado problemático. Mas não tem dificuldade em identificar os atos do adulto na oposição desenhar/escrever. Reencontramos aqui a mesma problemática que abordamos no Capítulo 2 sobre a distinção imagem/texto num livro: as dificuldades momentâneas de distinguir "o que é para ler" em um livro correspondem aqui às dificuldades momentâneas entre as atividades de escrever e de desenhar: ambas são produtoras de grafias interpretáveis, mas o modo de remeter ao objeto próprio do desenho não é o mesmo que o modo de remeter ao objeto próprio da escrita (nem sequer a este nível).

Outro exemplo interessante desta problemática é o de Edith (4a CB): ela acaba de escrever, sobre o modelo da cursiva, várias palavras soltas, e então lhe pedimos que escreva uma oração.

Podes escrever "minha menina toma sol"?	
(mi nena toma sol)	Minha menina toma sol? Faço o sol?
(Repete a ordem)	Uma menina? (Desenha um sol).
O que diz?	Sol diz... depois vou fazer uma menina.
Diz sol ou é um sol?	O sol.
Eu te pedi que escrevesses "minha menina toma sol".	Como isso? (mostra uma de suas escritas anteriores).
Como queiras.	(Faz uma escrita muito parecida às anteriores, sobre o modelo de "mamãe" em cursiva).
O que diz?	Minha menina toma sol.
E isto o que é? (o sol desenhado previamente).	Sol.
Diz sol?	Não, um sol, nada mais.

Um último exemplo que podemos citar e que mostra ainda mais claramente os problemas de encontrar uma diferença precisa entre escrever e desenhar é o de Roxana, um dos sujeitos menores da amostragem de 4a CB:

Sabes escrever?	Sim, um brinquedinho (desenha um boneco).
Diz brinquedinho ou é um brinquedinho?	É um brinquedinho.
Escreve para que diga brinquedinho.	(Debaixo do desenho junta uma escrita sobre o modelo da cursiva).
Agora escreve menino (nene)	(Desenha outro boneco semelhante ao anterior e diz): é um menino.
Então, escreve menino.	(Junta debaixo uma escrita tipo cursiva onde alternam curvas com traços ondulados, que poderia corresponder a *enene*).
Escreve "minha menina toma sol".	(Desenha um sol).
(Repete a ordem).	(Desenha outro sol).
Aí diz "minha menina toma sol"?	Não.
Eu quero que escrevas para que diga "minha menina toma sol".	(Acima do desenho de um sol, junta uma escrita tipo cursiva, composta de traços curvos, próximos a *e* e *a*).

Podes escrever "o menino come um alfajor"?*	(Faz um traçado em espiral que se fecha sobre si mesmo).
O que é?	Um alfajor.
O que diz?	(Junta um texto tipo cursiva, como uma série de varinhas *e*). Meu menino come alfajor.
Podes escrever "pau"?	(Desenha cinco traços verticais).
O que escreveste?	Paus.
E para que diga pau?	(Junta uma escrita tipo cursiva, com traços tipo *e* e tipo *n*).

Edith e Roxana já têm uma maneira de escrever bem diferenciada do desenho. Caberia perguntar-se se estas crianças usam o desenho como "escapatória" à difícil ordem de escrever, ou se o desenhar cumpre, além disso, uma certa função a respeito da escrita. Os dados que possuímos nos levam a preferir esta segunda interpretação. Assim como antes (Capítulo 2) vimos que a imagem não ficava totalmente excluída do que "é para ler" e podia funcionar como um complemento do texto; e da mesma maneira que, lendo um texto acompanhado de uma imagem (Capítulo 2) assinalamos que num primeiro nível a criança pode ler, passando do texto à imagem e da imagem ao texto com a maior fluidez, aqui também aparece o desenho *como que provendo um apoio à escrita, como que garantindo seu significado*. A aparição da representação gráfica do objeto nos parece significativa, já que não está sugerida por nós (nossas intervenções, tratando de ver se a criança distinguia desenhar ou escrever, funcionavam melhor em sentido contrário). Em Roxana, particularmente, o desenho, que sempre precede a escrita, pareceria funcionar como uma garantia da significação desta última: como se a escrita sozinha não pudesse "dizer" tal ou qual coisa, mas emparelhada com o desenho pode servir para "dizer" o nome deste. Este emparelhamento pode levar, às vezes, a uma tentativa de inserir a escrita dentro do desenho, como ocorre com David (5a CB):

Queres escrever?	Desenho?
É o mesmo?	Não. Eu não sei fazer desenhos. Eu sei fazer uma casa (desenha uma casa com uma árvore; acrescenta a fumaça que sai da chaminé).
O que diz?	Aqui? Fumaça.
Diz ou está desenhado?	Está desenhado.
Sabes escrever "casa"?	Vamos ver se sai... aqui dentro... (faz grafismo tipo cursiva dentro da casa. Cf. ilustração 2; há uma proximidade mar-

---

*N. de T. Um tipo de doce muito comum na Argentina e no Uruguai.

Psicogênese da Língua Escrita **201**

cante entre esses grafismos e os correspondentes à representação simbólica da fumaça).

Uma limitação de nossa técnica – que talvez seja parcialmente responsável pela aparição de tais desenhos – é que, pedindo à criança que escreva substantivos isolados e , em seguida uma oração, agíamos com a suposição de que essas coisas podem ser escritas sem ter indagado previamente a opinião da criança a respeito. Depois do que vimos no Capítulo 4, relativo à diferença de *status* das distintas classes de palavras em relação à escrita, esta objeção nos parece válida. Em trabalhos que estamos realizando atualmente, procuramos explorar mais a fundo este problema.

Em todos os exemplos que analisamos, correspondentes a este primeiro nível, o tipo de escrita-modelo é a cursiva. Assim, escrevem um total de seis crianças de nossa amostragem (três de 4a CB, um de 5a CB e dois de CM, de 5 e 6 anos).

Porém, a escrita-modelo também pode ser a imprensa. Neste caso, estamos na presença de grafismos que se aproximam dos números ou das letras. Liliana (5a CB), tanto como Diego (4a CM), apresentam caracteres mesclados (além de múltiplas inversões). Simplificação e modificações na orientação dos caracteres são a regra. L. Lurçat também o demonstra (Elena tem então 4;1):

> As primeiras letras, ainda que muito alteradas, distinguem-se dos híbridos anteriormente utilizados na imitação da escrita (...) As esquematizações são frequentes: as letras são reduzidas a seus elementos, barra e círculo, barra e dois círculos; aparecem ângulos, retângulos e triângulos que se substituem às letras. Quando as letras são identificáveis, as inversões de orientação aparecem (p. 87).

As razões da aparição simultânea de letras e de números já foram expostas no Capítulo 11. No que se refere à modificação da orientação espacial dos caracteres, neste nível e em níveis subsequentes, assinalamos que não pode ser tomada como índice patológico (prenúncio de dislexia ou disgrafia), mas como algo totalmente normal. Não somente normal como também, em alguns casos, estas inversões são voluntárias, e testemunham um desejo de exploração ativa dessas formas dificilmente assimiláveis. Assim, por exemplo, Cynthia (5a CM) escreve-nos todos os números que conhece, uma vez com a orientação correta, e outra invertendo as relações direita/esquerda ou em cima/embaixo. Essas inversões são voluntárias, algumas aparentemente gratuitas, e outras motivadas: assim, quando inverte as relações esquerda/direita ao número 2, diz que assim serve para fazer um pato; quando inverte as relações em cima/embaixo no número 9, explica-nos que, na nova posição, não é mais o 9, mas sim o 6.

Que o modelo de escrita escolhido seja a cursiva ou a imprensa, parece pouco importar para que um dos traços distintivos de nossa escrita já apareça: *a ordem linear.* (Somente Diego – 4a CM – usa, na primeira entrevista, de uma maneira mais livre, o espaço de folha sem alinhar os caracteres sobre uma reta imaginária. Ver Figura 6.3.)

Porém, somente quando o modelo escolhido é o de imprensa, se evidenciam duas hipóteses de base sobre as quais trabalha a criança, e, acerca de sua importância, teremos muito a dizer no que se segue: *as grafias são variadas e a quantidade de grafias é constante.*

As crianças deste nível pareceriam trabalhar sobre a hipótese de que faz falta um certo número de caracteres – mas sempre o mesmo – quando se trata de escrever algo. Que este "algo" seja uma só palavra ou seja uma oração inteira, pouco importa. Assim, Gustavo e José escrevem sempre três grafias, e Alejandro sempre quatro (todos são de 4a CB). Uma variação na quantidade de grafias não surge pela oposição palavra/oração, mas sim pela oposição nome de um objeto pequeno/nome de um objeto grande, a que previamente aludimos.

Essas 3 ou 4 grafias são diferentes entre si (no máximo aparecem duas grafias iguais na mesma linha), ainda que, quando a criança esteja cansada, a variedade tenda a desaparecer. Assim, por exemplo, Diego (4a CM) utiliza, desde o princípio, 4 ou 5 grafias para qualquer proposta de escrita, mesclando números com letras e múltiplas inversões, mas cuidando a variedade. No final da sessão, obviamente cansado, conserva a quantidade, mas perde a variedade: *urso* dá lugar a uma série de cinco círculos, *e pato* a uma série de quatro (4) invertidos.

Assinalemos, finalmente, que, neste nível, *a leitura do escrito é sempre global,* e as relações entre as partes e o todo estão muito longe de serem analisáveis: assim, cada letra vale pelo todo, como o veremos a propósito da leitura do nome próprio.

NÍVEL 2 – A hipótese central deste nível é a seguinte: *Para poder ler coisas diferentes (isto é, atribuir significados diferentes),deve haver uma diferença objetiva nas escritas.* O progresso gráfico mais evidente é que a forma dos grafismos é mais definida, mais próxima à das letras. Porém, o fato conceitual mais interessante é o seguinte: segue-se trabalhando com a hipótese de que faz falta uma certa quantidade mínima de grafismos para escrever algo e com a hipótese da variedade nos grafismos. Agora, em algumas crianças, a disponibilidade de formas gráficas é muito limitada, e a única possibilidade de responder ao mesmo tempo a todas as exigências consiste em utilizar a posição na ordem linear. É assim como estas crianças expressam a diferença de significação por meio de variações de posição na ordem linear, descobrindo, dessa maneira, em pleno período pré-operatório, os antecessores de uma combinatória, o que constitui uma aquisição cognitiva notável.

Três crianças de 4a CM dão exemplos impressionantes de uso deste recurso (cf. Figuras 6.4 e 6.5). (Para facilitar a apresentação, faremos uma transcrição dessas escritas em termos da proximidade com o modelo adulto, sem levar em conta as inversões.) A série de escrita de Marisela, com suas correspondentes interpretações, é a seguinte:

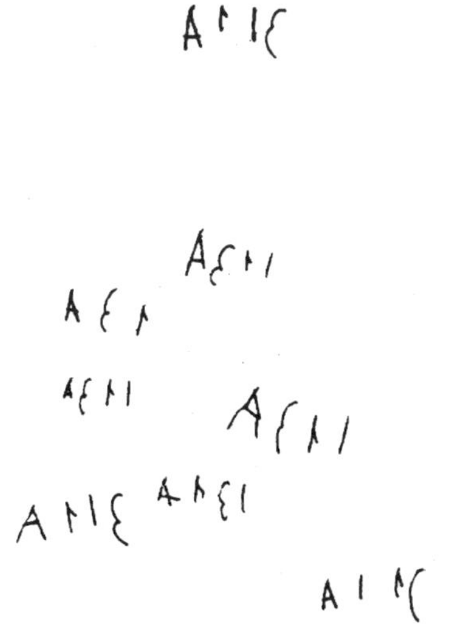

Psicogênese da Língua Escrita **203**

FIGURA 6.4 Exemplo de escrita do nível 2. Maristela (4a CM).

FIGURA 6.5 Exemplo de escrita do nível 2. Romina (4a CM).

A 1 I 3 = Marisela.
A 3 1 I = Romero (seu sobrenome).
A 3 1 = Silvia (sua irmã).
A 3 1 I = Carolina (sua mãe).
A 1 3 I = papai (*papá*).
A I 1 C = urso (*oso*).
A 1 I 3 = cachorro (*perro*).

Está claro que a combinatória não é exaustiva por duas razões: primeiro, porque Marisela começa sempre com a mesma letra (o A não está sujeito a variações de ordem, e talvez funcione, como em outros casos que logo veremos, como indicador simbólico de começo de escrita); segundo, porque Marisela não tem nenhum método para comparar entre si escritas que não sejam espacialmente próximas (em outras palavras, para saber quais das combinações possíveis já foram realizadas). Porém, a intenção de usar as permutas na ordem linear para expressar diferenças de significado, mantendo constante a quantidade e a exigência de variedade, é indubitável.

Valeria faz algo semelhante:

A r o n = sapo.
A o r n = pato.
I A o n = casa.
r A o l = mamãe sai de casa. (*mamá sale de casa*)

Finalmente Romina é talvez quem mais exaustivamente explora as possibilidades de permuta na ordem linear, com um registro de formas gráficas extremamente limitado. Ainda que se negue posteriormente a interpretá-las, propõe como escritas diferentes entre si as seguintes:

R I O A
O A I R
A R O I
O I R A

Parece-nos que casos como estes são particularmente instrutivos para apreciar a eventual contribuição do desenvolvimento da escrita ao progresso cognitivo. Tratando de resolver os problemas que a escrita lhe apresenta, as crianças enfrentam, necessariamente, problemas gerais de classificação e de ordenação. Descobrir que duas ordens diferentes dos mesmos elementos possam dar lugar a duas totalidades diferentes é uma descoberta que terá enormes consequências para o desenvolvimento cognitivo nos mais variados domínios em que se exerça a atividade de pensar.

No curso deste desenvolvimento, a criança pode ter tido a oportunidade de adquirir certos modelos estáveis de escrita, certas *formas fixas* que é capaz de reproduzir na ausência do modelo. Destas formas fixas, o nome próprio é uma das mais importantes (se não for a mais importante). Falamos de formas fixas porque, como veremos, a criança deste nível tende a rejeitar outras possíveis escritas de seu nome que apresentem as mesmas letras, mas em outra ordem. Porém, a correspondência entre a escrita e o nome é ainda *global e não analisável:* à totalidade que constitui esta escrita faz-se corresponder outra totalidade (o nome correspondente), mas as partes da escrita ainda não correspondem a partes do nome. Cada letra vale como parte de um todo e não tem valor em si mesma. (Isto se verá mais claramente quando analisemos em detalhe as condutas relativas ao nome próprio).

O que é importante aqui ressaltar é que a aquisição de certas formas fixas está sujeita a contingências culturais e pessoais: culturais, porque uma família de CM oferece, com maior frequência, contextos para essa aprendizagem (ainda que não seja mais do que pelo simples fato de escrever o nome da criança em seus desenhos, para identificá-los); e pessoais, porque, às vezes, a presença de um irmão maior, que começa a escola de ensino fundamental, costuma ser um fator de incitação compensador de outras incitações culturais ausentes.

Mas também é importante observar que a partir desta aquisição (possibilidade de reproduzir um certo número de formas gráficas fixas e estáveis) aparecem dois tipos de reações de signo oposto: a) bloqueio e b) utilização dos modelos adquiridos para prever outras escritas. Vamos analisá-las separadamente.

O bloqueio parece responder ao seguinte raciocínio: se aprende a escrever, copiando a escrita de outros; na ausência do modelo, não há possibilidade de escrita. Por exemplo, Eugenia (4a CM) conhece somente a inicial de seu nome (diz "uma que tenha todos os risquinhos iguais", enquanto desenha um E com seis linhas horizontais paralelas); porém, diz "eu sei escrever papai e Laurinha", e o faz em maiúsculas de imprensa assim: PAPAI, LAURA. Ela se nega a escrever qualquer outra coisa com o seguinte argumento: "Não sei. Nenhuma coisa que não me ensine minha mamãe, não sei". (Na segunda entrevista, Eugenia nos diz que sabe escrever Ana. Começa escrevendo AM, detém-se e objeta: "Falta outra letra, a, para por Ana", e a acrescenta: AAM; mas, tampouco está satisfeita, e dizendo "um erre primeiro", acrescenta M, de tal maneira que o resultado final é MAAM, obviamente uma tentativa de reprodução de MAMÃE (*mamá*). O que acontece é que Ana é o nome de sua mãe, e Eugenia, como muitas outras crianças, crê que tanto o nome próprio como o nome genérico de mãe podem ser lidos na mesma escrita.)

Roxana (5a CB) sabe escrever mamãe em cursiva e papai em maiúsculas de imprensa, mas se nega a escrever qualquer outra coisa com o seguinte argumento: "Minha mamãe fez assim para saber as coisas, primeiro ela fez tudo para mim e deu-me uma folha e o fiz tudo eu", aludindo, obviamente, a uma situação de cópia de modelos escritos.

Marina (5a CM) sabe escrever seu nome em maiúsculas de imprensa e papai em cursiva, e tampouco se arrisca a escrever outros nomes, ainda que esteja sempre disposta a copiar nossas próprias escritas (assim, copia espontaneamente, mas em espelho, GATO e CACHORRO).

O bloqueio pode ser profundo (manifestando uma alta dependência do adulto e uma concomitante insegurança a respeito de suas próprias possibilidades) ou

206 Ferreiro & Teberosky

simplesmente momentâneo (na situação com o experimentador ou por um certo tempo). Um exemplo deste último nos dá Laura (5a CB). Quando lhe perguntamos o que sabe escrever, responde assim: "mamãe, papai, urso, Laura. Laura me ensinou minha mamãe, e papai, urso e mamãe aprendi eu de um livrinho para começar a ler". A diferença de origem de seus conhecimentos se reflete na diferença de letra: escreve Laura em maiúsculas de imprensa e o resto em cursiva (corretamente, exceto para papai (papá) que se converte em "popó"). Nega-se a escrever as outras palavras que lhe propomos, porque "isso não aparece no meu livrinho". É interessante notar – a respeito do que em seguida veremos – que Laura, na situação de ler palavras acompanhadas de uma imagem, afirma que diz "urso" num texto em que diz brinquedos, em cursiva; porém, que está junto com a imagem de um urso de brinquedo; quando lhe perguntamos se ela sabe escrever urso, nos responde: "Eu *sei escrever de outra maneira"*, e escreve urso corretamente, em cursiva. Finalmente, na segunda entrevista com Laura, conseguimos romper o bloqueio: ela escreve *atoao*, em cursiva, para representar "minha menina toma sol", usando assim as letras conhecidas para antecipar uma nova escrita (ver Figura 6.6).

A utilização dos modelos conhecidos para prever novas escritas compartilha as características das escritas de nível precedente: quantidade fixa de grafias e variedade de grafias. Somente difere do procedente em que as letras são facilmente identificáveis (salvo raras exceções) e em que as disponibilidades de formas gráficas é maior. Exemplos:

Mario (5a CM) sabe escrever corretamente seu nome, papai e mamãe em maiúsculas de imprensa. Mantém uma quantidade constante de quatro grafias para todas suas escritas:

FIGURA 6.6 Exemplo de escrita. Laura (5a CB).

OMOP = urso. (*oso*)
MOPB = menino. (nene)
OMPB = sapo. (sapo)
OPBI = minha menina toma sol. (mi nena toma sol)

Rafael (6a CM) sabe escrever corretamente seu nome em maiúsculas de imprensa, mas conhece, além disso, outras letras e propõe:

SAIFAR = papai. (papá)
MRAFRS = menino. (nene)

Mantém, assim, um número constante de seis letras, número igual ao das letras de seu próprio nome.

Martín (5a CM, ver Figura 6.7) sabe escrever, sempre em maiúsculas de imprensa, seu nome, papai (escrita em espelho de direita para esquerda) e mamãe (mamá) (= MIMI, pelas confusões típicas entre as vogais, tomadas como mutuamente substituíveis por formar um conjunto, e as alternâncias próprias à escrita

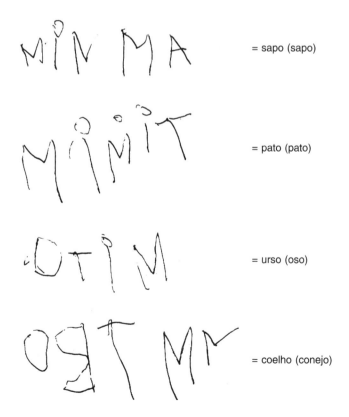

FIGURA 6.7 Exemplo de escrita do nível 2. Martín (5a CM).

deste nome). A partir desses modelos, Martín, conservando um número fixo de 4 ou 5 grafias, propõe:

MINMA = sapo.
MIMIT = pato.
OTIM = urso.
OBTMN = coelho. (*conejo*)
MILTE = minha menina toma sol.

Gustavo (5a CM) sabe escrever seu nome em maiúsculas de imprensa: papai (papá), com a mesma letra; porém, com alterações da ordem (= APAP), e mamãe com uma mistura de cursiva e de imprensa. Sobre o modelo das letras de imprensa, propõe:

GAELF = sapo (iê"sa-po", mas sem correspondência entre fragmentos).
GEVAO = pato (lê "pa-to", idem).
MNEO = gato (lê "ga-to", idem).
RLEO = urso (escreve primeiro RLE, olha o resultado e objeta "com três letras não diz nada", e junta *o*; lê o-so ("ur-so"), idem).
AOVE = minha menina toma sol (escreve primeiro AOV, como antes, e logo acrescenta E; em A diz "minha menina" e no E diz "sol", sem que haja correspondência para os elementos centrais).

Estes exemplos nos colocam na pista de uma interpretação que se impõe: até aqui temos visto que a criança trata de respeitar duas exigências, a seu ver básicas, que são a quantidade de grafias (nunca menor que 3) e a variedade de grafias. Porém, ocorre que quando lhe apresentamos outra tarefa, não já a de escrever algo, mas a de decidir – sem interpretar formosamente – quais coisas escritas podem dar ou não lugar a um ato de leitura (cf. Capítulo 2, parte 1), encontramos exatamente as mesmas exigências: que faz falta certa quantidade mínima de grafias (geralmente 3 como mínimo) e que essas grafias sejam variadas. Reencontrar essas exigências na própria escrita da criança não faz nada mais do que reforçar sua importância (Gustavo diz "com três letras não diz nada", empregando, para julgar sua própria escrita, uma expressão que temos escutado repetidas vezes na tarefa de classificação de cartões.) Como esta exigência é puramente interna, isto é, é a expressão das ideias infantis sobre a escrita (já que nenhum adulto pode ter ensinado que palavras tais como "em/de/o/a/e/é", etc. não se leem, nos parece extremamente importante tê-la encontrado nos mais diversos contextos, o que é, na nossa opinião, índice da sua força.

Para terminar, ressaltemos que a aquisição de certas formas fixas e estáveis que podem servir de modelos de outras escritas é – fato previsível – mais frequente em CM do que em CB, em função de influências culturais exteriores à própria criança, e de pautas culturais que já podem ter sido incorporadas no período pré--escolar. Porém, além disso, assinalemos que a regra geral é *uma proeminência marcante da escrita em maiúsculas de imprensa sobre a cursava*. Proeminência em dois sentidos: primeiro, porque as formas estáveis em maiúsculas de imprensa precedem majori-

Psicogênese da Língua Escrita **209**

tariamente, no total da amostragem, as formas em cursiva, indicando claramente a origem extraescolar deste conhecimento (já que, recordemos, na Argentina, a letra escolar é a cursiva); segundo, porque a qualidade da escrita é nitidamente superior em imprensa do que em cursiva (em termos de semelhança com o modelo reproduzido). L. Lurçat assinala também este fato, indicando que sua filha aos 4 anos e meio é capaz de copiar corretamente várias palavras em imprensa, mas não em cursiva, na qual essas mesmas palavras "são rapidamente deterioradas", e conclui: "a precedência do modelo em caracteres de imprensa parece clara" (p. 90).

NÍVEL 3 – Este nível está caracterizado pela tentativa de dar um *valor sonoro a cada uma das letras que compõem uma escrita*. Nesta tentativa, a criança passa por um período da maior importância evolutiva: *cada letra vale por uma sílaba*. É o surgimento do que chamaremos a *hipótese silábicas*. Com esta hipótese, a criança dá um salto qualitativo com respeito aos níveis precedentes.

A mudança qualitativa consiste em que: a) se supera a etapa de uma correspondência global entre a forma escrita e a expressão oral atribuída, para passar a uma correspondência entre partes do texto (cada letra) e partes da expressão oral (recorte silábico do nome); mas, além disso, b) pela primeira vez a criança trabalha claramente com a hipótese de que a escrita representa partes sonoras da fala.

A hipótese silábica pode aparecer tanto com grafias ainda distantes das formas das letras como com grafias bem diferenciadas. Neste último caso, as letras podem ou não ser utilizadas com um valor sonoro estável. Vamos analisar cada uma dessas variantes.

Que a hipótese silábica possa aparecer sem que haja grafias suficientemente diferenciadas é absolutamente surpreendente. Porém, há, pelo menos, um caso nítido: Erik (5a CB) usa somente formas circulares, fechadas ou semifechadas, às quais, ocasionalmente, acrescenta uma linha vertical (dando como resultado algo próximo a P). Com essas formas, e trabalhando com caracteres separados entre si, Erik propõe dois caracteres para "sapo" (lido silabicamente como "sa/po" enquanto vai mostrando, fazendo uma clara correspondência: para cada grafia, uma sílaba); escreve também dois caracteres para "urso" (oso) (lido silabicamente "ur/so" como antes); porém, escreve três caracteres para "patinho" (lido como "pa/ti/nho" com o mesmo método de correspondência). (Cf. Figura 6.8.)

Um exemplo de uso da hipótese silábica com grafias diferenciadas, mas sem utilizar as letras com valor sonoro estável, oferece-nos Javier (4a CB), o qual escreve assim: AO é "sa/po" e PA é "ur/so" (oso). (Cf. Figura 6.9.) A escrita de "sapo" como AO poderia fazer pensar numa escrita silábica baseada em correspondência estável das vogais, mas, no contexto total dos textos escritos produzidos por Javier, não há traços disso (assim, o A aparecerá frequentemente e assumirá os mais diferentes valores sonoros).

Pelo contrário, há outros casos (todos eles de 6a CM) em que a mesma escrita ("sapo" como AO) adquire outra significação graças à estabilização do valor sonoro de algumas letras e, muito particularmente, das vogais. Facundo, que sabe escrever corretamente seu nome, escreve "pau" como AO, e escreve outro A como

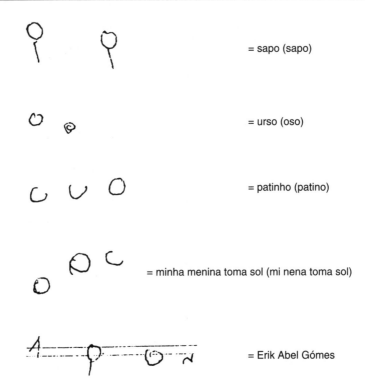

FIGURA 6.8 Exemplo de escrita. Erik (5a CB).

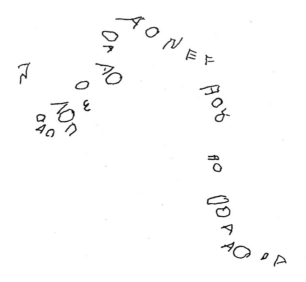

FIGURA 6.9 Exemplo de escrita. Javier (4a CM).

começo de "mapa", palavra que não consegue terminar de escrever por defrontar-se com um conflito impossível de resolver: não pode agregar outro A, já que o resultado final seria AA, que é rejeitado pelo critério de variedade de caracteres, e tampouco pode por um P, porque é "o pé" e ele necessita "o pa".

Juan propõe AO para "pau" (palo), e logo escreve também AO para "sapo", sem que a identidade de grafias o perturbe, já que uma das letras A é "pa" num caso e "sa" no outro, e um dos O é "lo" num caso e "po" no outro. Ele aplica a mesma análise silábica para escrever a oração "minha menina toma sol", que dá por resultado IEMAO (a única sílaba não apresentada é "to", já que, para Juan, M é "o ene" e, no caso particular, funciona como representação da sílaba "na").

Mariano também escreve "sapo" como AO; no entanto, escreve "pau" (palo) como PO; ele faz uma análise silábica exaustiva na oração "minha menina toma sol" e escreve IEAOAO (ver Figura 6.10).

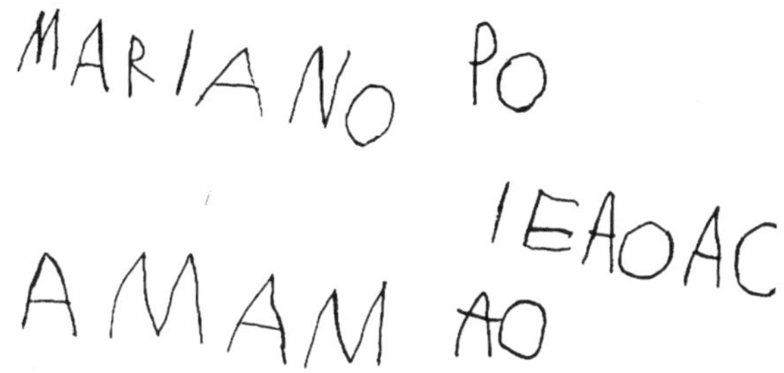

a)

Mariano (5a CM). Exemplo de escrita do nível 3 (silábica)

b)

Mariano (6a CM). Exemplo de escrita do nível 5

FIGURA 6.10 Exemplos de escrita. *a)* Mariano (5a CM), nível 3 "silábica"; *b)* Mariano (6a CM), nível 5.

Se bem que as vogais em sua representação escrita têm valor estável como tais em todos esses exemplos, também é certo que podem funcionar como representação de qualquer sílaba na qual essas vogais apareçam. Nossos dados são insuficientes para responder à pergunta equivalente no que diz respeito às consoantes.

Um ponto interessante é o seguinte: estas quatro crianças de 6a CM às quais estamos nos referindo utilizam a hipótese silábica para escrever as palavras que lhes propomos, apesar de que todas elas saibam escrever corretamente o próprio nome e outras palavras (como "mamãe" e "papai"). Cabe, então, perguntar-se como é possível que tal coisa ocorra. O certo é que estamos frente a um caso evidente de conflito potencial entre noções diferentes que levam a resultados contraditórios: por um lado, as formas fixas, promovidas por estimulação externa e aprendidas como tais, com uma correspondência global entre o nome e a escrita; pelo outro lado, uma hipótese construída pela criança ao tentar passar da correspondência global para a correspondência termo a termo, que leva-a a atribuir valor silábico a cada letra. Como veremos a propósito da leitura do nome próprio, a coexistência de formas fixas de escrita com a hipótese silábica é fonte de múltiplos conflitos da maior importância para o desenvolvimento posterior do processo do qual nos ocupamos.

Quando a criança começa a trabalhar com a hipótese silábica, duas das características importantes da escrita anterior podem desaparecer momentaneamente: as exigências de variedade e de quantidade mínima de caracteres. Assim, é possível ver aparecer novamente caracteres idênticos (por certo, quando ainda não há valor sonoro estável para cada um deles) no momento em que a criança, demasiado ocupada em efetuar um recorte silábico da palavra, não consegue atender simultaneamente a ambas as exigências. Porém, uma vez já bem instalada a hipótese silábica, a exigência de variedade reaparece. (Cf. a escrita de Erik e o caso de Facundo, já aludido, quando evita a escrita AA como representação de "mapa".)

No que diz respeito ao *conflito entre a quantidade mínima de caracteres e a hipótese silábica,* o problema é ainda mais interessante, em virtude de suas consequências. Trabalhando com a hipótese silábica, a criança está obrigada a escrever somente duas grafias para as palavras dissílabas (o que, em muitos casos, está abaixo da quantidade mínima que lhe parece necessária), e o problema é ainda mais grave quando se trata de substantivos monossílabos (pouco frequente em espanhol, ainda que "sol" e "sal" constituam conhecidos exemplos das palavras iniciais na aprendizagem tradicional). O exemplo mais claro de conflito encontramos num menino de 5 anos, interrogado no México: ele desenha um automóvel, e logo lhe sugerimos que escreva "carro" (a denominação habitual no México); o menino escreve quatro letras AEIO e, quando lhe pedimos que leia o que escreveu, diz "ca/rro", mostrando somente AE; perguntamos, então, "e aqui?", mostrando as restantes; ele vacila e logo diz "mo/tor", mostrando IO (em seu desenho o motor do automóvel era bem visível por transparência, e a essa parte do desenho, havia dedicado a maior atenção). Não resta dúvida de que aqui estamos na

Psicogênese da Língua Escrita **213**

presença de um *conflito cognitivo:* em virtude da exigência de quantidade mínima de caracteres (quatro, para este menino) chega a certo resultado; em virtude da hipótese silábica que utiliza quando lê, encontra-se com um "excedente", que é preciso interpretar, já que não o pode eliminar (ficaria com somente duas letras, e com duas letras "não se pode ler"). Tratando de interpretar essa "sobra", vemos reaparecer, neste menino, uma das condutas que no Capítulo 4 caracterizamos como condutas de tipo F: quando no texto se encontra uma "sobra", se faz a hipótese de que estão escritos outros nomes, pertencentes a objetos congruentes com a significação total. No caso da oração "papai chuta a bola", víamos aparecer interpretações, tais como "cancha", "jogadores", "arco", "cadeira". Aqui vemos aparecer "motor", uma parte inerente ao objeto, algo que "vai com o automóvel", necessariamente, algo a que aludimos implicitamente quando o nomeamos.

Já quando as letras começam a ser usadas com um valor silábico fixo, o conflito entre a hipótese silábica e a quantidade mínima adquire novas características. Isabel (6a CM) o resolve de uma maneira muito original, intercalando a letra U, como "elemento coringa", e sem dar-lhe valor sonoro:

AUO é "pato"

IEAOAUO é "minha menina toma sol" (mi nena toma sol) (vai realizando uma correspondência silábica perfeita, utilizando as vogais; quando chega a "sol", em lugar de escrever simplesmente o *o*, escreve UO).

TUE é "mate". A escrita é acompanhada das seguintes verbalizações: "não sei fazer o *te*. Ah, sim! (escreve T). Minha mamãe, com essa letra, põe 'tia' para o telefone. Tem que juntar *u* (escreve U). Falta o *e* (escreve E)".

Antes de passar ao nível seguinte, é preciso ressaltar três pontos importantes:

- Já assinalamos, a propósito do reconhecimento de letras individuais (Capítulo 2) que uma das primeiras maneiras estáveis de identificar as consoantes consistia em *outorgar-lhes um valor silábico em função do nome a que pertencem* (assim, vimos como G é "o gu" para Gustavo; F é "o fe" de Felisa, etc.). Isto, obviamente, também pode ocorrer com as vogais, mas ali não podemos testar a presença da hipótese silábica, já que as vogais constituem sílabas por si mesmas. Neste Capítulo, pelo contrário, vimos que A pode representar "pa", "ma" ou "sa", em função do nome que se deseja escrever.
- A hipótese silábica é *uma construção original da crianças* que não pode ser atribuída a uma transmissão por parte do adulto. Não somente pode coexistir com formas estáveis aprendidas globalmente (Isabel, por exemplo, sabe escrever MARIA, PAULO, MAMÃE e PAPAI; porém, utiliza a hipótese silábica para o resto), mas que pode aparecer quando ainda não tem letras escritas no sentido estrito (como é o caso de Erik).
- Quando passamos da escrita de substantivos à escrita de orações, a criança pode seguir usando a hipótese silábica (casos de Isabel, Mariano e

Juan, já citados), ou passar a outro tipo de análise, mas *buscando sempre as unidades menores que compõem a totalidade que se tenta representar por escrito*. Em outras palavras, a análise linguística da emissão depende da categorização inicial: quando se parte de uma palavra, trabalha-se com seus constituintes imediatos (as sílabas); quando se parte de uma oração, trabalha-se com seus constituintes imediatos (sujeito/predicado ou sujeito/verbo/complemento).

Erík (5a CB) (ver Figura 6.8) propõe sistematicamente tantos caracteres circulares como sílabas para os nomes, escreve algo assim como OOC para "minha menina/toma/sol ".

Atilio (5a CB) escreve 000 para "minha menina toma sol" e algo assim como P65 (com o 5 em rotação de 90° para a direita) para "o sapo/olha/a flor".

Javier (4a CB, ver Figura 6.9) utiliza regularmente duas letras para os nomes dissílabos, e também duas para as orações, porque faz um recorte em sujeito/predicado. Assim, escreve OA para "minha menina/tomando sol" e OW (na realidade, W é um 3 invertido) para "os meninos brincam com a bola". Neste último caso, quando lê sua escrita, o faz assim: "os meninos (O)/brincam (sem mostrar nada)/com a bola (W)

NÍVEL 4 – *Passagem da hipótese silábica para a alfabética*. Vamos propor, de imediato, nossa interpretação deste momento fundamental da evolução: *a criança abandona a hipótese silábica e descobre a necessidade de fazer uma análise que vá "mais além" da sílaba pelo conflito entre a hipótese silábica e a exigência de quantidade mínima de granas* (ambas exigências puramente internas, no sentido de serem hipóteses originais da criança) *e o conflito entre as formas gráficas que o meio lhe propõe e a leitura dessas formas em termos de hipótese silábica* (conflito entre uma exigência interna e uma realidade exterior ao próprio sujeito).

O conflito entre a hipótese silábica e as formas fixas recebidas do meio ambiente se evidencia com maior clareza no caso do nome próprio. Antecipando-nos ao que veremos na parte seguinte, é preciso mostrar aqui alguns dados para que se compreenda a importância desse fato. María Paula (4a CM) nos oferece um excelente exemplo. Tratando de compor seu nome em letras móveis, realiza a sequência seguinte, que se desenvolve com uma só intervenção do experimentador:

(Coloca um M e um P, bem separados entre si) "O pe, vai em Ma-rí-a-Pa, Paula". (Referindo-se ao M, acrescenta) "María, o i, falta o i".

(Acrescenta A e I junto ao M) MAI P. (O experimentador lhe apresenta um R e lhe pergunta se vai no seu nome.) "O erre? Sim. Ma-rí-a-Pa-u-la; não sei não vai. Não vês? María Paula".

(Busca um L e o acrescenta): M AI P L (sobre cada uma das letras dessa configuração lê assim): "Ma (M)-rí (A), o i (I); Paula (P), o/i/(L)". (Logo segue refletindo para si): "pau ... ia a; pau ia ou María Paula (acrescenta um U e troca o L de lugar): MAI LPU.

Psicogênese da Língua Escrita **215**

(Reflete sobre esta última configuração, troca de lugar o L e introduz outro A): MAI L PAU.

(Reflete novamente e diz, silabeando sobre cada uma das letras iniciais): "Ma (M)-rí(A)-a (I); este "ele" não se encontra aqui".

(Troca de lugar o L e o segundo A introduzido, e lê assim): MA I A P U L. ma/rí/a pa/u/la ... o a, falta o a".

(Porém, no lugar de introduzir outro A, tira um dos A do primeiro nome e lê assim):

MIA
"ma/rí/a ... não!" (corrige):
M A I A
"m/a/rí/a".

(Hesita durante longo tempo entre uma interpretação silábica ou fonética das duas letras iniciais; várias vezes põe e tira o A que segue imediatamente ao M; quando lhe restam somente três letras, tem tantas letras quanto sílabas; porém, está obrigada a deixar de lado a imagem visual do nome, na qual sabe que se encontram MA como as duas letras iniciais; quando introduz este A, tem duas maneiras de ler o resultado, e ambas lhe resultam insatisfatórias; ou tomar duas letras para a primeira sílaba e somente uma para as restantes, ou realizar uma leitura que começa sendo fonética e prossegue como silábica – "m/alrí/a".)

(encontra uma solução de compromisso):

M MA IA PUL
"ma/m/a/ría Pa/u/l ... la".

(Resulta-lhe também insatisfatória e volta a MAIA PUL, com a impressão de que María está escrito certo, mas Paula está incompleto.)

Resumindo a série de escritas de María Paula com as leituras correspondentes temos:

M	P	"o pe, vai em Ma/rí/a/pa, Paula".
		"María, o i, falta o i".
MAI	P	
MAI	PL	"Ma/rí/la i; Paula, o *l*".
MAI	LPU	
MAIL	PAU	"Ma/rí/a; este "ele" não se encontra aqui".
MAIA	PUL	"Ma/rí/a/Pa/u/ia ... o a, falta o a".
MIA	PUL	"Ma/rí/a ... não!
MAIA	PUL	"M/a/rí/a".
MM/AIA	PUL	"Ma/m/a/rí/a Pa/u/l ... l-a".
MAIA	PUL	

216 Ferreiro & Teberosky

Apresentamos com detalhes – ainda que de maneira resumida – esta longa série de tentativas de escrita do nome próprio, porque nos parece extremamente ilustrativo para compreender a quantidade de noções que a menina trata penosamente de coordenar: na base, há uma hipótese silábica, que exige tantas letras como sílabas (por isso, a escrita de "María" passa penosamente de 3 a 4 letras; por isso mesmo a escrita de "Paula" nunca supera as 3 letras, e isso graças à dissociação entre as duas vogais da primeira sílaba). A hipótese silábica entra em contradição com o valor sonoro atribuído às letras quando MAI é a escrita de "María", visto que neste caso se lê a sílaba "rí" sobre um A e a sílaba "a" sobre um l; esta contradição se resolve com a escrita MIA. Porém, a escrita MAI é mais próxima da imagem visual do nome que a escrita MIA, por causa da força particular das duas letras iniciais. O longo período de dúvidas entre MAIA e MIA tem um breve momento de resolução, quando se tenta MMAIA, que apresenta a vantagem de desdobrar os dois valores potenciais de M ("ma" e "m"); porém, a desvantagem de distanciar-se novamente da imagem visual do nome que exclui dois M iniciais. (Assinalemos que M também é "eme" para esta menina, como P é "pe" e L é "ele", sem que se origine nenhum conflito deste fato.)

O conflito entre a hipótese silábica e a exigência de quantidade mínima de caracteres torna-se mais evidente quando se trata da escrita de nomes para os quais a criança não tem uma imagem visual estável:

Pablo (6a CM) que trabalha basicamente com a hipótese silábica, consegue escrever "mesa" como EZA.

Gerardo (6a CM) em plena transição entre a hipótese silábica e a escrita alfabética propõe:

MCA = "mesa" (mesa)*
MAP = "mapa" (mapa)
PAL = "pau" (palo)

Carlos (6a CM) no mesmo nível que Gerardo, escreve assim:

PAO = "pau" (paio)
SANA = "Susana", mas logo corrige para SUANA.
SAB = "sábado", mas logo corrige para SABDO.

Quando passamos da escrita de nomes para a escrita de orações, a alternância do valor silábico ou fonético para as diferentes letras torna-se manifesta: *Carlos* escreve "pato" da mesma maneira que "pau" (palo):

PAO OMSO = "o pato/toma sol". (el pato toma sol)

Gerardo também utiliza o espaço para separar sujeito/predicado:

---

*N. de T. Como se pode observar, estamos dando em todos os casos entre parênteses a versão original em espanhol. Nos casos em que não há parênteses é porque o português corresponde ao espanhol. A escrita das crianças tem sido respeitada idêntica ao original.

MINENA TOMCSO = "minha menina/toma sol" (mi nena toma sol) (porém, é de se registrar que TO é dado pelo experimentador, por pedido de Gerardo que pergunta "Qual é o to?").

Martín (6a CM) escreve "pato" como PO, mas reconhece que falta algo. A escrita da oração "minha menina toma sol", com a leitura subsequente, é esta:

NI N APO MA S
"mi/ne/na/to/ma/s[*] ...não me lembro" (isto é, "não sei como continuar").

Miguel (6a CM) defronta-se com os mesmos problemas; porém, ainda com outros mais quando tenta escrever a mesma oração:

MINAT é lido como *"mi/ne/na/t* ...leva o"; acrescenta O L assim:

MINAT OL, com plena consciência de que falta algo no meio; no entanto, refletindo sobre isso, muda de hipótese, como se o único que realmente tivesse que escrever, neste caso, fosse menina (nena) e "sol", e termina assim:
MINATENAOL, na qual a parte acrescentada ENA significa *"nena"* (menina) e o final OL significa "sol".

Quisemos apresentar vários exemplos para que se perceba claramente a extraordinária riqueza deste momento de passagem e o difícil que se torna, para a criança, coordenar as múltiplas hipóteses que foi elaborando no curso dessa evolução, assim como as informações que o meio forneceu. A criança elaborou duas ideias muito importantes, que resiste – e com razão – em abandonar: que faz falta uma certa quantidade de letras para que algo possa ser lido (ideia reforçada agora pela noção de que escrever algo é ir representando, progressivamente, as partes sonoras desse nome), e que cada letra representa uma das sílabas que compõem o nome. O meio ofereceu um repertório de letras, uma série de equivalentes sonoros para várias delas (equivalentes sonoros que a criança pôde facilmente assimilar para as vogais, que constituem de per si sílabas, mas que necessariamente assimilaram de uma maneira deformante no caso das cosoantes), e uma série de formas fixas estáveis, a mais importante das quais é, sem dúvida, o nome próprio.

Quando o meio não provê esta informação, falha uma das ocasiões de conflito: isso vemos as crianças de CB chegarem até o nível da hipótese silábica, mas não além disso.

Mas o meio, de per si, não pode criar conhecimento. É assim com várias crianças de CM, as quais apesar da estimularão do meio, aprendem algo diferente do que o meio supõe. Alejandro (6a CM) é um exemplo eloquente: sabe escrever seu nome em maiúsculas de imprensa e "mamãe" (mamá) e "papai" (papá)

---

[*]N. de T. Para que as letras e sílabas correspondessem, a oração não foi traduzida.

em cursiva. Porém, quando vê a escrita "pi", em cursiva, num cartão (da tarefa de classificação de cartões) inicia o seguinte diálogo:

	É uma parte de papai, a primeira parte, a de pa.
E o que falta? (Confronta o cartão *pi* com a escrita anterior da criança *papá* (papai).	Outro um, outra corcundinha e outro i.
	Ah! Me esqueci do i. Se quer, faço de novo. (escreve *pipi*, em cursiva.) Aí diz papai (papá).
(Propõe *pepe*, em cursiva).	Também papai, de outra forma.
(Propõe *pupu*, em cursiva).	Também, de outra forma.
O que diz aqui (*papa* escrita da criança)?	Aí papai, mas de uma forma ... estranha.
E aqui (*pipi*)?	Esta é a que todos sabemos, é a mais fácil. Esta (*pepe*) é um pouco difícil, e esta (*pupu*) dificílima.
O que é isto (*mimi* em cursiva)?	Mamãe; já estava esquecendo; pensei e me lembrei.
E isto (*mamá* – mamãe) em cursiva)?	Outra forma de mamãe; essa é a mais fácil (acrescenta acentos sobre ambos os *as*).
E isto (*meme* em cursiva)?	Mamãe, essa também sei.
E isto (*mumu* em cursiva)?	Diz mamãe. Todas as formas que tenha *a* tem que pôr isto (= acento). Se não tem não é.

Obviamente, nem os pais nem a professora de Alejandro lhe ensinaram isso. Porém, o que Alejandro crê tampouco é distante a esse ensino do meio. Simplesmente, o que o menino reteve é o que pôde reter e não o que se supunha que deveria reter: "papai" e "mamãe" se compõem de uma alternância de caracteres, e enquanto esta alternância se respeite, pode continuar dizendo "mamãe". Porém, isso sim, como remarca Alejandro: Se escrevemos "mamãe" (mamá) com o *a*, tem que pôr-lhe o acento! (Ressaltemos, nos finais da análise posterior, que isso ocorre numa criança que reconhece por seu nome várias letras e que recita verbalmente, na sua ordem, as vogais, e as dez primeiras letras do alfabeto – ou, como ele diz, do "dicionário".)

Finalmente, indiquemos que algumas negativas em escrever podem ser atribuídas às dificuldades próprias a este nível de transição. Gustavo (6a CM) é, sem dúvida, um exemplo de bloqueio por consciência aguda das dificuldades impossíveis de transpor:

(Sabe escrever GUSTAVO e MAMÃE
mas se nega a escrever "papai"
(pápá) e "urso" (oso).

Podes escrever "sapo"?	Não.
Com qual começa?	Com o s. Porém não sei escrevê-lo.[2]
(Oferece cartões com letras para que a procure).	Esta é (Z).
Qual outra vai?	Não sei. Por último diz *o*.
Podes escrever "mapa"?	Começa com ma.
	MA A
	Aqui (espaço vazio) tem que fazer outras letras.
Uma ou muitas?	Muitas.
Podes escrever "gato"?	Começa com o *a*, depois o *m;* é ao contrário de mamãe. (mamá)
	AM
	Aqui diz ga; o *o* é a última.
	AM O
	(Não sabe o que falta no meio; pensa que talvez outro M).

A esta mesma época pertencem, na nossa opinião, as longas e seguidamente infrutuosas análises sonoras da palavra e as múltiplas perguntas e pedidos de reasseguramento, perguntas que, às vezes, se referem a uma sílaba e, às vezes, a um fonema isolado (a mesma criança pode perguntar "Qual é o to?" e pouco depois "Qual é o *t?*

NÍVEL 5 – *A escrita alfabética* constitui o final desta evolução. Ao chegar a este nível, a criança já franqueou a "barreira do código"; compreendeu que cada um dos caracteres dá escrita corresponde a valores sonoros menores que a sílaba e realiza sistematicamente uma análise sonora dos fonemas das palavras que vai escrever. Isto não quer dizer que todas as dificuldades tenham sido superadas: *a partir desse momento, a criança se defrontará com as dificuldades próprias da ortografia, mas não terá problemas de escrita, no sentido estrito.* Parece-nos importante fazer esta distinção, já que amiúde se confundem as dificuldades ortográficas com as dificuldades de compreensão do sistema de escrita. Vanina (6a CM) é um excelente exemplo para compreender o alcance desta distinção:

Podes escrever "mesa"?	(Escreve MESA.) Creio que vai com "esse".
E se não é com "esse"?	Com "ze".
Com qual começa *zapatero* (sapateiro) ?	Creio que com "ze", não sei bem.
E se eu o escrevo com "esse"?	Não acontece nada.
Podes escrever *palo* (pau)?	(Escreve PALO) Esta estou certa que vai assim, porque não tem nenhuma, nem outro "pe", nem outro "a", nem outro "ele", nem outro "o", a não ser que seja em cursiva.

Escreva *"yo me llamo Vanina"* ("eu me chamo Vanina")	(Escreve LLO ME LLAMO VANINA, silabeando, enquanto escreve.) Não estou certa se vai "ELLE"* ou com ípsilon (LLO). Com as duas quer dizer o mesmo, só que em diferentes ...
Trate de escrever "lluvia" (chuva)	(Escreve LLUBIA, hesita.) Não sei com qual vai (hesita com LL e com B). O "elle" é como *ye* (pronúncia rio-platense).
Que letra é esta (H)? Para que serve?	O agá. Por exemplo, *huevos* (ovos) se escreve com agá antes do u.
Por quê? E como se lê?	Porque se escreve assim. Quando o leio em *huevos* se diz sempre *huevos*; porém, quando o leio em ... em chapa, se faz *ch*.
Escreva *huevos*.	(Escreve HUEVOS) Se está comum se na frente se diz *"chuevos"*.
E assim? (tapa H inicial, fica visível UEVOS).	*Huevos também*. O agá é para escrever *huevos*; porém, se tu não sabes que tem o agá e não o põe, também diz *huevos*.
CIELO – ("céu") O que diz aqui? Há outra maneira de escrevê-lo?	*Cielo*. (SIELO) Não sei se vai com "ze" ou com "esse".
Podes escrever *cubierto* (TALHER)?	(CUBIERTO). Ou com ca (K). Com, "esse" não, porque diria *"subierto"*.
Poderia ser de outra maneira?	(QUUBIERTO) O "u" é para que diga K; sem o "u" não diz nada; é uma bola sem o "u".
Como achas que se pode escrever *examen* (exame)?	(ESAMEN). Porém, pode ser também assim (ECSAMEN), ou assim (EKZAMEN), ou assim (EQUZAMEN).

Quando perguntamos a Vanina como faria para saber qual é a maneira (convencional) de escrever uma palavra, nos diz "perguntaria a mamãe"; ela sabe, porque perguntou à sua mamãe quando era pequena; se não, lhe ensinaram na escola".

Parece-nos evidente que Vanina já não tem mais nenhuma dificuldade relativa às leis de composição do código alfabético; todas as suas dificuldades se centram

---

*N. de T. "ELLE" refere-se a "LL", que pode ter a mesma pronúncia de "Y". (Em português: som igual ao "J").

nas grafias que correspondem a vários valores sonoros ou, inversamente, nas distintas grafias que correspondem a um mesmo valor sonoro. Quando Vanina nos explica que para escrever "palo" (pau) todas as suas dúvidas desaparecem "porque não tem nenhuma, nem outro pe, nem outro a, nem outro ele, nem outro o, a não ser que seja em cursiva", tanto como quando nos apresenta as diferentes escritas possíveis para *"cillo"* (*céu*), *"cubierto"* (talher) ou *"examen"* (exame), nos está explicando também com a maior clareza qual é a diferença entre a compreensão dos mecanismos internos do código alfabético e as convenções ortográficas.

Gostaríamos, aqui, de fazer uma observação: Vanina não teme cometer erros de ortografia (um temor que é quase "terror" em muitas crianças que iniciam a escola primária). Como ela mesma diz, se se escreve de outra maneira – diferente da convencional – "não acontece nada", ou, no caso do a 'gá, "se tu não sabes que tem o agá e não o pões, também diz *huevos"*. Em outras palavras, com fins comunicativos, as diferentes formas de escrita poderiam funcionar porque "com as duas quer dizer o mesmo". Entretanto, Vanina sabe que há uma maneira habitual de escrever cada palavra e seguramente não teve maiores dificuldades ortográficas futuras.

Um total de 4 crianças de CM (duas de 5 anos e duas de 6 anos) situam-se claramente neste nível. Todas elas (exceto Vanina) escrevem sem deixar espaços entre as palavras quando se trata de uma oração (isto é, MINHAMENINATOMASOL), e somente quando lhes sugerimos que façam alguma separação, indicam que se poderia separar (como uma eventualidade, mas não como uma necessidade). A única separação que elas propõem é a que consiste em distinguir o sujeito da oração de seu predicado (isto é: MINHAMENINA TOMASOL, ver Figura 6.10).

Todas elas enfrentam problemas ortográficos semelhantes aos de Vanina (Mariano escreve KESO* e CAMION (queijo e caminhão), mas aceita também KAMION; Rafael escreve CUEJO para "cuello" (pescoço), etc.).

Todas essas crianças escrevem em maiúsculas de imprensa, o que ressalta, uma vez mais, o caráter extraescolar dessa aprendizagem ("A manuscrita não a sei bem; sei a de imprensa", diz uma; "Não a sei em cursiva", diz outra).

2 – O NOME PRÓPRIO

O nome próprio como modelo de escrita, como a primeira forma escrita dotada de estabilidade, como o protótipo de toda escrita posterior, em muitos casos, cumpre uma função muito especial na psicogênese que estamos estudando.

A escrita de nomes próprios pareceria haver tomado um papel muito importante no desenvolvimento das escritas através da história. Assim, Gelb (1976),

---

*N. de T. O correto em espanhol é *queso e camión*.

estudando os começos da escrita sumeriana (aproximadamente até 3100 a.c.), sustenta esta interessante tese:

> Os sinais utilizados na escrita Uruk mais antiga são claramente sinais verbais limitados à expressão de numerais, de objetos e de nomes de pessoas. Esta é a etapa da escrita que denominaremos *logografia* ou escrita léxica, o que deve ser diferenciado radicalmente da chamada "ideografia". [...]
>
> Nas fases mais primitivas da logografia, torna-se fácil expressar palavras concretas, como uma ovelha pelo desenho de uma ovelha e o sol pelo desenho do sol, mas logo se faz necessário imaginar um método que permita que os desenhos possam expressar não somente os objetos que originalmente descrevem, mas também palavras com as quais podem estar associados secundariamente. Assim, um desenho do sol pode representar secundariamente as palavras "brilhante, branco", mais tarde também "dia"; de igual forma, o desenho de uma mulher e uma montanha significa "moça escrava" – combinação derivada do fato de que as jovens escravas eram levadas, geralmente, à Babilônia das montanhas ao redor.
>
> A logografia deste tipo oferece, por certo, inconvenientes por sua incapacidade para expressar muitas partes da língua e das formas gramaticais; isto, entretanto, não é muito grave, já que o significado que se pretende pode ser entendido com frequência por meio do "contexto de situação", para usar uma expressão introduzida por B. Malinowski, no seu estudo sobre o significado nas línguas primitivas. *Muito mais sérias são as limitações do sistema quanto à escrita dos nomes próprios.* O recurso primitivo dos índios americanos para expressar nomes de pessoas pode ter sido suficiente nas condições tribais, mas não há dúvida de que não podia satisfazer as exigências de grandes centros urbanos como os de Sumer. Numa tribo índia, onde todos se conhecem, é normal que cada indivíduo tenha um nome exclusivo. Nas grandes cidades, apesar da proximidade em que se vive, as pessoas não se conhecem entre si e pessoas muito diversas levam nome igual. Portanto, nos documentos, as pessoas de nome igual necessitam ser identificados com maior detalhe por sua filiação e lugar de origem. Além disso, nomes de tipo índio, como "Búfalo Branco" ou "Urso Grande", que podem expressar-se por escrito com certa facilidade [...] eram relativamente raros entre os sumerianos, enquanto que nomes sumerianos comuns, do tipo de "Enlil-deu-a-vida" são difíceis de expressar com o sistema índio (p. 97-99).
>
> Estas observações levam Gelb à conclusão seguinte:
>
> *A necessidade de uma representação adequada para os nomes próprios levou finalmente ao desenvolvimento da fonetização.* Isto se acha confirmado pelas escritas asteca e maia, que utilizam só raramente princípio fonético e, em tais casos, quase que exclusivamente para expressar nomes próprios. [...]
>
> A fonetização, portanto, surgiu da necessidade de expressar palavras e sons que não podiam ser indicados apropriadamente com desenho ou combinações de desenhos (p. 99; os grifos são nossos).

Quisemos citar Gelb extensamente pela clareza de sua argumentação. Quando Gelb fala da passagem à "fonetização", não se refere ainda à utilização de caracteres convencionais com valor sonoro estável (como nossas letras), mas ao princípio seguinte: usar as identidades ou semelhanças sonoras entre palavras para representar novas palavras, como seria o caso de usar um desenho que representa um "palo" (pau) combinado com outro que representa o mar, para expressar "palomar" (pombal), ou o desenho de um sol com o de um dado para expressar "soldado". Está claro que nestes casos o que se escreve não leva ao significado vinculado com o objeto e, por isso, como afirma Geib, difere radicalmente da "ideografia" – mas sim à sonoridade do nome correspondente. Geib afirma que, uma vez introduzido, este princípio de "fonetização" desenvolve-se muito rapidamente, exigindo progressivamente a convenção das formas empregadas, uma correspondência estável entre sinais e valores silábicos, a adoção de convenções relativas à orientação e direção da escrita, e a necessidade de adotar uma ordem de sinais que corresponda à ordem de emissão na linguagem.

Finalmente, queremos também fazer notar que Geib rejeita a hipótese de que tenha sido a necessidade de representar os elementos gramaticais (tão difíceis de "desenhar" como as ideias abstratas), o que teria conduzido à "fonetização".

> O fato de que a necessidade de indicar elementos gramaticais não teve grande importância na origem da fonetização pode ser deduzido do fato de que, inclusive depois do completo desenvolvimento da fonetização, a escrita deixou durante longo tempo de indicar adequadamente os elementos gramaticais (p. 99).

Este ponto nos parece muito importante, porque também na gênese individual, como vimos no Capítulo 4, a criança não espera senão muito tardiamente que os elementos propriamente gramaticais estejam representados na escrita. Sobre isso, voltaremos mais adiante.

O nome próprio, como dissemos, pareceria funcionar, em muitos casos, como a primeira forma estável dotada de significação. Suspeitamos – ainda que não haja dados precisos a respeito – de que uma pauta cultural típica de classe média consiste em prover a criança de ocasiões prematuras para tal aprendizagem. Seja porque os pais marcam com nome e data as reproduções gráficas de suas crianças (desenhos ou pinturas), ou porque marcam a roupa da criança. Porém, além disso, não devemos esquecer que todas as crianças de nossa amostragem frequentam jardim de infância (ou o primeiro ano do ensino fundamental), e que, na Argentina, onde o uso do avental escolar é a normal geral, pede-se aos pais que marquem esse avental com o nome da criança para evitar confusões.

No momento em que as interrogamos, muitas crianças sabiam escrever seu nome corretamente, e sempre em caracteres de imprensa maiúscula. Porém, as diferenças sociais são evidentes neste ponto, como mostra a tabela a seguir:

	Escrita correta	Escrita aproximada (algumas letras)	Não sabem
4a CM	1	4	7
5a CM	13	–	2
6a CM	19	1	–
4a CB	1	1	7
5a CB	5	1	5
6a CB	–	–	9

Se bem que aos 4 anos ambos os grupos se pareçam, visto que a maioria das crianças dessa idade não sabe ainda escrever seu nome, independentemente da origem social, aos 5 anos as diferenças são marcantes, e aos 6 anos são maciças: todas as crianças de CM sabem escrever seu nome (exceto uma que conhece somente algumas letras), enquanto que nenhuma de CB sabe escrever o nome. A diferença entre os grupos de 5 e 6 anos CB se deve, na nossa opinião, ao seguinte fato: as crianças de 6 anos interrogadas não tinham frequentado antes, na quase totalidade dos casos, o jardim de infância. Fora de uma estimulação do tipo escolar específica, e na ausência de uma pauta cultural incitadora, chegam à escola de ensino fundamental não somente sem saber escrever seu nome, mas também sem possuir outras formas gráficas estáveis.

Esclarecemos que, quando a criança não era capaz de realizar por si mesma as grafias, lhe oferecíamos letras móveis para que com elas compusesse seu nome; se a criança era incapaz de escrever ou de compor seu nome, tratávamos de ver se podia reconhecê-lo quando nós o escrevíamos.

Visto que, além dos problemas relativos à escrita do nome, interessava-nos saber de que maneira a criança podia proceder a lê-lo, outorgando um valor às distintas partes, acrescentamos na continuação as seguintes situações:

- Ocultávamos, por meio de um cartão, uma parte do nome, e perguntávamos se, na parte visível, "diz ainda x" (x = o nome da criança); se a resposta era negativa, perguntávamos "então o que diz?";
- Efetuávamos diversas transformações, modificando a ordem das letras dos nomes; estas novas escritas se realizavam sob a primeira escrita do nome, indicando, ao mesmo tempo, a nova posição de cada letra ("esta ponho aqui, esta aqui", etc.); também perguntávamos aqui se "diz, ainda x" e, em caso negativo, "o que diz?", insistindo em que todas as letras iniciais tinham sido escritas ("todas as do teu nome estão; por que não diz mais x?").

Vamos apresentar agora os resultados relativos à escrita e à leitura do nome próprio (levando em conta que a leitura envolve tanto leitura de partes como do

Psicogênese da Língua Escrita **225**

todo), assim como as reações às transformações do nome. Tentaremos apresentar estes resultados de maneira que resultem comparáveis com os níveis de escrita apresentados na parte anterior.

NÍVEL 1 – A escrita do nome próprio é impossível ou se realiza segundo as características das outras escritas, com um número indefinido ou variável de grafismos de uma tentativa à outra. O nome pode ler-se tanto na escrita da criança como na que o adulto propõe, sem importar que as grafias difiram sensivelmente. Mais ainda: *na mesma escrita pode ler-se tanto o nome como nome e sobrenome completos,* de uma maneira global, sem buscar correspondência entre as partes. Quando somente uma parte do nome fica visível, também ali se pode ler o nome (por indiferenciação entre o valor do todo e o das partes). A única restrição que costuma aparecer é que, se somente uma letra fica visível, já não se pode ler por intervenção da hipótese de quantidade mínima de grafismos, que tão reiteradamente temos visto aparecer. As transformações do nome são, por certo, irrelevantes. Mas uma variante que pode surgir ao ler essas transformações, ou ao tentar ler partes do nome, é a seguinte: *de uma transformação do nome próprio originam-se os nomes de outros membros da famílias.*

Vejamos alguns exemplos que nos ajudarão a compreender melhor:

Guillermo (6a CB) somente sabe escrever, em cursiva, as vogais que nomeia corretamente. Escrevemos seu nome, também em cursiva, mas não o reconhece. Quando somente a parte final do seu nome fica visível, ali diz "mamãe", e diz "papai" quando somente a parte central do nome fica visível. A primeira transformação do nome (Gulleirmo ao invés de *Guillermo*) "diz avó", e com as seguintes tenta prosseguir com outros membros da família sem que lhe ocorra quais possam ser.

Sílvia (6a CB) tampouco sabe escrever seu nome. Escrevemos em imprensa, e não o identifica:

Aí diz Silvia.	Sílvia Pereyra.
Não, Silvia somente.	Silvia somente? Sil-via (sem mostrar).
(SILV / / /) Continua dizendo	
Silvia?	Sílvia. Um pouquinho só, porque está
	tapado.
E assim(/ / / IA)?	Silvia Pereyra.
E assim (SILV / /)?	... Silvia.
E assim (/ / / IA)?	Silvia.

Alejandra (6a CB) não sabe escrever nem reconhece seu nome. Nós o apresentamos escrito: em qualquer parte de duas letras ou mais – quaisquer que elas sejam – diz seu nome, mas, se somente uma letra fica visível, já "não diz Alejandra".

Flavio (5a CB) usa sempre a mesma quantidade de caracteres para escrever seu nome, mas não os mesmos: na primeira entrevista, compõe seu nome com letras móveis e resulta 3VE (com o 3 espelhado); na segunda entrevista, ele escreve o seu nome e resulta 500 (com o 5 espelhado). Em ambos os casos, lê globalmente "Favio".

Javier (4a CB) compõe seu nome com letras móveis, sem ter uma antecipação da quantidade necessária. Resulta: NEMBPKUA (com duas inversões de sentido, e sem saber se tem que continuar ou não). Quando lhe perguntamos onde diz Javier, vai mostrando uma por uma cada letra: em cada uma diz Javier e, no todo, também diz Javier. Mostramos a ele a marca de seu avental, onde está bordado seu sobrenome, Baldomiro, e lhe perguntamos o que diz ali. Ele responde que diz "Javier".

Diego (4a CM) compõe seu nome com letras móveis, assim: ZDAZD. Nas partes visíveis do nome não diz "nada", mas nas transformações do nome (com todas as letras visíveis) diz "outro nome, não sei qual diz".

O que resulta dos exemplos apresentados não é, precisamente, uma perfeita homogeneidade de resposta, mas uma variedade de respostas que compartilham certos parâmetros que lhes são comuns. Nenhuma dessas crianças sabe escrever seu nome nem o reconhece quando o vê escrito; quando o escrevem ou o compõem com letras móveis, utilizam uma certa quantidade que não deriva de uma análise do comprimento sonoro do nome correspondente, mas das ideias da criança sobre a quantidade de caracteres necessários para que algo possa ser lido (já que usarão a mesma quantidade para qualquer outra escrita); uma indiferenciação entre as propriedades do todo e das partes (o nome pode ser lido tanto em todas as letras como em cada uma delas, ou em grupos de mais de uma letra) alterna com a ideia de que as transformações do nome podem dar lugar a outros nomes, próximos ao primeiro (isto é, nomes de outros membros da família); finalmente, ali onde está escrito o nome próprio pode-se ler também o nome e o sobrenome.

Este primeiro nível está representado em proporções bastante semelhantes aos 4 e 5 anos em CM e CB; não há nenhum exemplo desse tipo no grupo de 6a CM, enquanto que todas as crianças de 6a CB (com uma só exceção) se situam maciçamente neste grupo.

NÍVEL 2 – Comecemos por dar um exemplo intermediário entre os níveis 1 e 2, antes de caracterizar este nível.

Débora (4a CB) escreve a partir do modelo da cursiva com variações sobre a forma fixa "mamãe", que é a única que conhece. Escreve seu nome também em cursiva, o que resulta algo próximo a *nsana, que* lê como "Débora", globalmente. Porém, somente com o inverter a posição da folha, lê na mesma escrita "Elena", seu segundo nome, e termina por ler "Débora Elena" em qualquer posição.

Um pouco mais tarde, na mesma entrevista, pedimos que componha seu nome, com letras móveis, e põe somente duas letras (CZ), uma para cada nome. Duas letras lhe parecem muito pouco, e junta outras duas (EMCZ), com os consequentes problemas para proceder à sua leitura: lê "Débora" no E e "Eleeena" no resto, prolongando a vogal para fazer coincidir gesto e emissão vocal.

Sobre esta última escrita, com letras móveis, efetuamos transformações, modificando a ordem das letras ou ocultando algumas. É precisamente quando somente duas letras ficam visíveis (/ / CZ) que a menina sustenta que ali diz "Débora, e mais nada"; com três letras visíveis diz "Débora Elena" e com quatro letras visíveis diz "Débora Eleeena". Mas, subitamente, a menina decide que uma das letras está demais e, ficando com somente três, lê "Débora Elena Gómez". A partir desta configuração final (CZE) a menina é sistemática: se duas letras quaisquer são visíveis, lê seus dois nomes; se as três letras estão visíveis, lê seus dois nomes e o sobrenome.

O caso de Débora é muito ilustrativo no que se refere às razões que conduzem a este nível 2: tentando encontrar um limite racional para a quantidade de letras do nome próprio – e um limite compatível com a hipótese da quantidade mínima necessária – *a criança descobre a possibilidade de uma correspondência termo a termo entre cada letra e uma parte do seu nome completo*. Insistamos neste ponto importante: a correspondência se estabelece entre as "partes-palavras" do nome próprio e as letras, mas não entre "partes-sílabas" do nome próprio e as letras (que é, justamente, o que caracterizará o nível seguinte).

Este nível 2 tem, então, em comum com o nível 1, que a escrita do nome pode ser, indiferenciadamente, também escrita de todos os nomes e sobrenomes. Porém, difere do nível 1 no que a criança começa a desligar-se da leitura global e a tentar uma correspondência das partes entre si. A limitação inerente a este nível é a seguinte: a correspondência se buscará entre partes "completas" do próprio nome, e não entre as partes que constituem cada nome (suas sílabas).

Este nível é o único que está representado em todas as idades estudadas e em ambos os grupos sociais. Isto significa – pelo que vimos antes – que inclusive as crianças de 6a CM, que sabem escrever seu nome, encontram sérios problemas quando se trata de interpretar essa escrita. Assim é porque, obviamente, o nome próprio escrito é recebido, inicialmente, como uma forma global, dificilmente analisável; na dura tarefa de encontrar um valor para as partes, compatível com o valor do todo, nada é óbvio nem imediato.

Vejamos alguns exemplos:

David (5a CB) não sabe escrever seu nome e escolhe letras móveis para compô--lo. Escolhe inicialmente sete letras, mas logo fica somente com três e compõe *vs*/ (com o v numa rotação de 180°), com a seguinte justificativa: "David Bernardo Méndez ... e mais nada porque é curtinho; então, seriam três". (A ordem em que se situem esses três caracteres é completamente irrelevante.)

Silvia (6a CB), tratando de compor seu nome com letras móveis, escolhe TRS, onde diz "Silvia Beatriz Landeros", isto é, um nome para cada letra. (É coerente com esta interpretação quando se ocultam partes desta escrita.)

José (4a CM) escreve seu nome com J LF, o que constitui, na realidade, uma escrita de suas iniciais (José Luis Fernández). Ao escrever J diz "0 jo de José, o jota", mas, ao ler a escrita completa, diz "Jo/sé/Luis". (Com letras móveis faz a mesma composição e lê da mesma forma.) As transformações que consistem em modificar a ordem das letras não o perturbam em nada, porque ele modifica sua ordem de leitura para conservar as correspondências entre

J = jo, L = sé e F = Luis. Assim, em FJL também diz "Jo/sé/Luis", enquanto indica as letras na ordem 2-3-1; o mesmo faz com LJF, mostrando as letras na ordem 2-1-3. Que a hipótese de José é de nível 2 e não de nível 3 fica claro quando tapamos as partes da escrita do nome: em (/LF) diz, "Jorge e Luis"; em (JL/) diz "Luis e Jorge"; em (/L/) não diz "nada, porque tem só uma letra"; e quando as três voltam a ser visíveis e perguntamos onde diz José, limita-se a mostrar tudo dizendo: "Agora Fernández; falta Fernández".

O nível que estamos analisando aparece de uma maneira muito mais pura nas crianças de CB que são, precisamente, as que ignoram a maneira convencional de escrever o nome próprio. As crianças de CM que receberam e assimilaram precocemente a escrita do nome próprio tratam esta forma fixa como um todo composto de partes ordenadas; porém, sem compreender as razões desta ordem. Esta forma gráfica estável terá um papel muito importante a partir do nível 3; mas no nível do qual nos ocupamos, ela pareceria bloquear toda a possibilidade de análise, já que a quantidade de letras escritas supera qualquer tentativa de correspondência entre letras e nomes. É o que ilustra claramente o caso de Mariano:

> *Mariano* (6a CM) sabe escrever seu nome, mas o reconstitui como uma ordem arbitrária, sem conhecer as leis de composição dessa ordem. Por exemplo, depois de escrever MA hesita e diz: "creio que aqui vai o erre ... ou vai assim o a ao lado do eme ... creio que o tenho escrito aqui atrás" (no avental). Finalmente o reconstitui, mas apelando exclusivamente para uma imagem visual, sem nenhuma análise sonora. Em consequência, nas partes visíveis do nome "não diz nada", e rejeita as transformações apelando para ordem rígida memorizada.

NÍVEL 3 – Este nível se caracteriza pela *utilização sistemática da hipótese silábica aplicada ao nome próprio.* A leitura tende a se limitar ao nome, com exclusão do sobrenome. Entretanto, a leitura do nome e do sobrenome não está excluída, podendo aparecer em dois casos: quando o nome próprio é dissílabo (já que duas letras, como sabemos, é amiúde uma quantidade demasiado pequena para que "algo possa ser lido"), ou quando a criança é capaz de escrever corretamente seu nome (já que se encontra com uma "sobra" ao tratar de lê-lo silabicamente, quer dizer, fazendo corresponder uma sílaba a cada letra).

A diferença com o nível anterior não se situa, pois, na maior ou menor correção com que se escreve o nome, mas sim na troca – extremamente importante – da passagem da correspondência entre uma letra e um nome, para a correspondência entre uma letra e uma parte (silábica) do nome.

Quanto à maneira de abordar a leitura de fragmentos do nome (quando ocultamos uma parte), podemos distinguir dois subníveis: um primeiro subnível 3a no qual é possível ler silabicamente o começo do nome, se é esta e a única

Psicogênese da Língua Escrita **229**

parte visível, mas se fracassa ao tentar ler o final do nome; um segundo subnível 3b no qual o recorte silábico é mais sistemático e consegue ser aplicado às distintas partes visíveis do nome.

Vejamos alguns exemplos do subnível 3a:

Walter (5a CB) sabe escrever seu nome em maiúsculas de imprensa. Quando só o começo fica visível (WAL / / /), lê "Gual", já que ele pronuncia "Guálter"; porém, quando somente fica visível, o final (/ / / TER) não pode ler. Se passamos de (WAL / / /) a (WA / / I /) e logo a deixar só a inicial visível, o menino começa a hesitar com uma, duas ou três das letras iniciais pode se ler o mesmo, já que W é, para ele, "guá" ou "guál", por identificação entre a inicial do nome e o começo silábico do mesmo.

Rosario (5a CB) escreve seu nome corretamente; porém, da direita para a esquerda: OIRASOR e o lê também da direita para a esquerda, "Ro/sa/ri ... i, o", fazendo corresponder as três primeiras sílabas às três primeiras letras, deixando sem correspondência sonora as duas seguintes e nomeando corretamente as duas últimas vogais. Quando passamos à leitura de partes do nome, a menina dá a primeira sílaba "Ro" – para qualquer parte visível (/ / /ASOR; O I R / / / ; / / / / /O R), mas logo muda de hipótese: com as quatro letras iniciais visíveis (/ / /ASOR) lê, silabicamente, "Ro/sa/ri/o", mostrando cada uma da direita para a esquerda; se somente as três iniciais estão visíveis lê "Ro/sa/ri". O conflito surge quando cinco ou mais letras ficam visíveis, e sua maneira de solucioná-lo é continuar lendo silabicamente, mas deixando algumas letras sem assinalar (por exemplo, "Ro/sa/ri ... o", indicando as três primeiras e a última quando todo o nome é visível) ou repetindo alguma sílaba (por exemplo, "Ro/sa/ri/ri ... o").

Atilio (5a CB) é, na realidade, um caso intermediário entre os níveis 2 e 3; do nível 3 compartilha o cuidado em encontrar uma correspondência silábica para cada letra escrita, e sobre seu nome – corretamente escrito por ele – lê nome e sobrenome para dar conta da "sobra". Tratando de encontrar uma correspondência exata, procede a múltiplos ensaios, e sobre a escrita ATILIO lê, sucessivamente: "A/ti/li/o ... A/ti/lio/Riva/sio ... Atilio/Ri/va/sio ... Ati/li/o/Riva/sio ... Ati/lio/Ri/va/sio".

Em CM, não faltam exemplos semelhantes. Assim, Gustavo e Rafael (6a CM), ainda que escrevam corretamente o nome, somente podem ler silabicamente o começo e não têm a menor ideia de como se pode ler o final do nome. Marcela (também 6a CM) dá a primeira sílaba – "mar" – para qualquer parte visível do nome que ela mesma escreveu corretamente. O exemplo mais claro das dificuldades inerentes à tarefa – inclusive para uma criança de 6a CM – é o seguinte:

Alejandro (6a CM) escreve corretamente seu nome, mas, quando somente fica visível o começo, iniciam-se as dificuldades.

(ALE / / / / / /)	Alejan-e; a-ie-ja; alejá.
(ALEJA/ / / /)	A-Ie-já; ja-ooo. Não! Fico com esta (mostra o A final). A-leia-já; com o já, jo. A-le-jó. Assim me chamam, Aléjo.
(/ / / JAND RO)	Não sei.

No que diz respeito ao subnível 3b, é fácil de se imaginar quais são as condutas que o caracterizam, já que o avanço consiste na possibilidade de encontrar um recorte silábico para o final do nome. Dois exemplos bastarão para dar uma ideia da magnitude das dificuldades encontradas e para distinguir estas condutas das que veremos no nível 4:

Emilio (4a CM) escreve as letras de seu nome (maiúsculas de imprensa) na ordem correta; porém, invertendo M e L, e lê assim as partes visíveis:

(EM / / / /)	Emi
(/ I LIO)	-milio
(/ / / LIO)	Emili, emili ... mili
(EM / / / /)	Emi (já que M é "mi", por hipótese silábica).

Lorena (5a CM) escreve seu nome correto; quando mudamos a ordem das letras do nome, mas deixando constantes as duas iniciais (LOERNA – LONARE), responde que "não diz Lorena; porém, este pedacinho (LO) diz lo-re". A leitura das partes dá este resultado:

(LOR / / /)	Lo
(/ / / ENA)	re
(/ / RE / /)	Não sei essa.
(L / / / / /)	Tampouco.
(/ / / / / A)	-na.

Com esses exemplos, alcançamos os limites do nível 3: a hipótese silábica, aplicada a uma forma fixa recebida a partir de fora, entra continuamente em conflito com ela. É precisamente este conflito o que, na nossa opinião, engendra a necessidade de ir "mais além da sílaba" para encontrar uma correspondência satisfatória. Isso é precisamente o que ocorre no nível seguinte.

NÍVEL 4 – Apresentaremos este nível e o seguinte de maneira muito breve, já que o que temos dito a propósito da escrita de outras palavras, na Seção anterior, é inteiramente aplicável aqui. Inclusive analisamos detidamente o exemplo de María Paula (4a CM) com relação à escrita do nome próprio (pp. 209-210). É típica deste nível a *mistura de leituras derivadas da hipótese silábica e de um começo alfabético*. Isto, que vimos ao analisar a escrita do nome próprio de María Paula, também se evidencia na leitura de partes do nome, como no seguinte caso:

Gerardo (6a CM) sabe escrever seu nome em imprensa e em cursiva. (Cursiva é, para ele, "a letra com que escrevem os grandes".) Sobre a escrita em imprensa, lê assim:

(GE / / / / /)	Ge-
(GERAR / /)	Gera
(/ / / DO)	-deo
(/ /RARDO)	-ra-deo
(/ /RAR/ /)	-rra.

NÍVEL 5 – Neste nível, *a escrita e a leitura operam sobre os princípios alfabéticos* e, como o dissemos na Seção anterior, os novos problemas que se apresentam são de índole ortográfica. A leitura de partes do nome não oferece já nenhuma dificuldade:

Mariano (5a CM) lê assim:

(MAR / / / /)	Mar
(/ / / / / NO)	*No; diz* no.

Com o nome de sua amiga Florencia, que também sabe escrever:

(FLORENCI/)	Florenci
(FLO / / / / / /)	Flo
(/ / /RENCIA)	-encia.

Os problemas ortográficos estão muito bem exemplificados por Miguel:
Miguel (6a CM) escreve seu nome corretamente; quando modificamos a ordem das letras do seu nome, Miguel tenta ler o resultado da transformação (coisa típica deste nível, antes irrealizável):

(MIUGEL)	Miug-e; miug-e; miug-ele (ri). Aí não diz Miguel!
(MIGULE)	Mi-gue-u-ie; mi-gu-el-ie. É assim. (Ele pega um lápis e escreve MIGUEL). Miguel, mi-g-u ...; mi-gu-e-el ... (totalmente desconcertado com o resultado de sua leitura) ...migu-e-el; migu-eel ...
Diz Miguel ou não? Faça!	Não, aqui tem que ir o e (ao lado do G). (Escreve MIGEUL) Miguel. Mi-g-e-u ... Tem que estar o ele (ao lado de E) ... e então o u não tem! Minha mamãe sempre escreve com u, está louca! (Escreve MIGEL) Aqui sim que diz Miguel!

Miguel é um belo exemplo de surgimento de uma nova problemática, uma vez que outros problemas foram resolvidos. É óbvio que ele escreveu seu próprio

232 Ferreiro & Teberosky

nome durante bastante tempo sem problematizar-se pela existência desse U estranho, interposto entre G e E. Um U que não tem razão de ser, visto que para Miguel o G representa um único som e não dois. Queremos chamar a atenção sobre o fato de que *certos "deteriores ortográficos"* como este *são, na realidade, índices de progresso:* mostram o momento de passagem entre uma forma global repetida tal qual, mas não analisada, e uma composição razoável dessas mesmas formas, na qual as convenções ortográficas não têm, no momento, lugar. (Defrontando um problema inteiramente semelhante ao de Miguel, outra criança, que tinha aprendido a escrever QUESO (queijo), sem "erros", põe-se, um belo dia, a escrever KESO, justamente quando a forma gráfica herdada, porém não possuída, cede seu lugar à forma espontânea, produto da própria construção da criança. Há uma série de trabalhos de Ch. Read (1975) sobre a ortografia espontânea de crianças inglesas que são altamente instrutivos, já que mostram de que maneira esta ortografia espontânea reflete os julgamentos fonológicos das crianças dessa idade).

Nosso diálogo com Miguel não termina aqui. Na segunda entrevista, Miguel nos repreende, devolvendo-nos a responsabilidade da "descoberta ortográfica" que ele mesmo tinha realizado, e nos diz: "Tu me disseste que Miguel não se escreve *com u,* e se escreve com *u!*". Volta a escrever seu nome como antes, mas se nega a lê-lo pormenorizadamente. A "forma *standard*" de seu próprio nome voltou a ocupar seu lugar próprio, obrigando a compreensão de Miguel a efetuar um retrocesso: é assim, e tem suas propriedades; como um objeto físico que segue sendo como é, ainda que o sujeito não seja capaz de compreendê-lo inteiramente.

3 – DISTRIBUIÇÃO DOS NÍVEIS DE ESCRITA POR IDADE E POR PROCEDÊNCIA SOCIAL

Tal como temos feito nos outros Capítulos, damos aqui alguns resultados quantitativos sobre a frequência e a distribuição dos diferentes níveis que caracterizamos. Insistamos uma vez mais em que a análise qualitativa é, para nosso trabalho, a forma principal de análise; os dados quantitativos não podem ser tomados como representativos desses grupos de idade no total da população de Buenos Aires. Eles servem, entretanto, para nos dar certa ideia global. As tabelas que apresentamos a seguir situam a cada uma das crianças nos diferentes níveis. Os totais correspondem, pois, ao total de sujeitos e não ao total de respostas (algumas crianças produziram muitas escritas, e outras, poucas).

Na Tabela 6.1 são apresentados os dados relativos à escrita do nome próprio. Se consideramos os três grupos de CM, vemos que os níveis sucessivos se correspondem com a progressão em idade: a maioria dos sujeitos de 4 anos se situa nos níveis 1 e 2, e nenhum chega ao nível 5; aos 5 anos, os sujeitos se distribuem em todos os níveis, com certa tendência a se concentrarem no nível 3 (isto mostra, entre outras coisas, as enormes diferenças que se pode encontrar ainda entre crianças da mesma idade e da mesma procedência social); aos 6 anos não há nenhum sujeito que se situe no nível 1, e há vários que se situam nos dois últimos níveis. Estes dados se correspondem parcialmente com os que apresentamos no início da Seção anterior deste Capítulo (pp. 216-217): ali indicávamos simplesmente a quantidade de crianças capazes de escrever o nome próprio; aqui levamos em conta, além disso, como interpretam as transformações do nome e como leem partes visíveis do nome escrito.

Os dados das crianças de CB são completamente diferentes: se bem que aos 4 anos estão muito próximas das de CM, desde os 5 anos as diferenças são marcantes: nenhum sujeito de CB supera o nível 3; mais ainda, o grupo de 6 anos apresenta uma regressão com respeito ao grupo de 6 anos. Duas razões principais parecem-nos dar conta dessa regressão: por um lado, o fato já assinalado de que a maioria das crianças de 6 anos CB não tinham frequentado previamente jardins de infância; por outro lado, o fato de que, por razões alheias à nossa vontade, não nos foi possível ter mais de uma entrevista com essas crianças, nas quais o bloqueio maciço frente a qualquer situação de matiz escolar é a norma.

Na Tabela 6.2, analisa-se a distribuição a respeito de outras escritas, diferentes das do nome próprio. Em CM, os resultados para os 4 e 6 anos são inteiramente concordantes com os da Tabela anterior (aos 4 anos quase todos os sujeitos se situam nos dois primeiros níveis; aos 6 anos tendem a situar-se nos níveis superiores); no entanto, aos 5 anos, a maioria das crianças se situa no nível 2, o que significa, por comparação com a Tabela 6.1, que, aos 5 anos (em CM), há um avanço marcante da escrita e da interpretação do nome próprio em relação às outras escritas.

Desta Tabela 6.2, eliminamos os sujeitos de 6a CB, pois a maioria se nega a produzir escritas: se aferram (quase diríamos, desesperadamente) ao pouco que estão seguros de saber, e já não se atrevem a explorar livremente outras possibili-

TABELA 6.1 Escrita do nome próprio

Nível Idade	1	Int. 1-2	2	Int. 2-3	3 a	b	Int. 3-4	4	5
4a CM (Total = 12)	3		5	2		1		1	
5a CM (Total = 15)	2		2		3	2	1	3	2
6a CM (Total = 20)			5	1	4	3		3	4
4a CB (Total = 9)	3	2	3	1					
5a CB (Total = 11)	1	1	2	3	3	1			
6a CB (Total = 9)	8		1						

TABELA 6.2 Escrita de outros nomes

Idade	Nível 1 Modelo cursiva	Nível 1 Modelo imprensa	Nível 2 Sem normas fixas Produzem	Nível 2 Com normas fixas Produzem outras	Nível 2 Com normas fixas Se negam	Int..2-3	Sem letras	Nível 3 Com letras Sem valor sonoro	Nível 3 Com letras Com valor sonoro	Nível 4	Nível 5
4a CM (Total = 9)		3	3		2					1	
5a CM (Total = 11)	1			5	3						2
6a CM (Total = 20)				3	2	4			4	5	2
4a CB (Total = 7)	3	3						1			
5ª CB (Total = 11)	1	2	1	2	3		1	1			

dades. *Já sabem que não sabem;* pior ainda, pensam que somente copiando chegarão a saber.

No que diz respeito aos sujeitos de 4 e 5 anos CB, os resultados desta Tabela 4.2 são, em geral, concordantes com os da Tabela 6.1. Porém, da comparação dos grupos de idade igual de CM e CB, surgem algumas indicações interessantes: as poucas crianças de CB que chegam a elaborar a hipótese silábica o fazem com uma escrita na qual as letras no sentido estrito estão ausentes, ou com letras sem nenhum valor sonoro estável para cada uma (ou alguma) delas; pelo contrário, as crianças de CM que elaboram a hipótese silábica utilizam já letras bem diferenciadas, com valor sonoro.

Este ponto é muito importante. Se somente tivéssemos interrogado crianças de CM, teria sido fácil concluir que a hipótese silábica não é senão o resultado de uma assimilação deformante a partir das informações providas pelo meio (por exemplo, M seria "o ma" simplesmente porque a criança conhece as escritas MARIA e MAMÃE, com as leituras globais correspondentes, de onde resultaria uma tentativa de encontrar o valor sonoro das letras). Mas o fato de encontrar, ao todo, oito crianças de CB que exploram a hipótese silábica (algumas no nome próprio, outras em outras escritas, algumas de maneira ocasional e outras de modo sistemático), apesar de não ter possibilidades de dar um valor sonoro estável às letras, parece-nos ser um fato que sugere outra explicação: a independência da hipótese silábica em relação às informações originadas do meio. Uma hipótese que surgiria pela necessidade interna de coordenar o valor do todo e o das partes.

Portanto, o fato de que se possa chegar até a hipótese silábica, apesar do meio, não indica que se possa seguir progredindo sem ter novas informações – esta vez sim dependentes do meio – para processar. E a maneira pela qual se tenha chegado à hipótese silábica (com letras cujo valor sonoro é relativamente estável, ou sem elas) pode ser determinante para o resto da evolução. Para saber se isso é assim, faz falta outra classe de estudos, como os seguimentos longitudinais que agora estamos realizando.

4 – AS TRANSFORMAÇÕES DE OUTROS NOMES

Vamos abordar aqui um problema que se situa na metade do caminho entre os problemas de produção e de interpretação de textos. A razão pela qual o incluímos é porque é uma das tarefas sobre a qual podemos apresentar dados comparativos entre crianças em etapa pré-escolar e crianças em curso de escolaridade de ensino fundamental. E, como veremos, os resultados são inesperados.

Já apresentamos a técnica da situação de transformações de palavras quando falamos das transformações do nome próprio. Aqui, trata-se do mesmo, mas com referência àquelas palavras que constituem o protótipo da iniciação à escrita: mamãe, papai, urso. A tarefa proposta pode ser considerada como uma tarefa de leitura, já que se trata de interpretar uma escrita resultante de uma transformação a partir de outra. Porém, o fazemos a partir de formas que constituem os

236 Ferreiro & Teberosky

primeiros modelos de escrita. O que importa é ter claro o objetivo da tarefa: tratar de saber que é o que nestas formas elementares de escrita é considerado como essencial para que a interpretação não varie. Pensará a criança que "se estão as letras de mamãe", qualquer que seja a ordem, continuará dizendo "mamãe"? Terá em conta a quantidade de grafias similares necessárias? Ordem, quantidade, tipo e distribuição dos caracteres serão sempre levados em conta, ou haverá uma ordem hierárquica entre eles? Essas são algumas das perguntas que nos colocamos. Os resultados nos obrigaram a propor outras, das quais não suspeitávamos.

Antes de prosseguir, recordemos brevemente a técnica: pedimos à criança que escreva essas palavras; se não sabe fazê-lo, tratamos de ver se as reconhece quando outro as escreve; uma vez que concordamos sobre a interpretação da palavra escrita, procedemos a reescrevê-la, mas introduzindo certas modificações (assim, de oso (urso) passamos a OOS, OS, OSOS, SOS, etc.), e perguntamos se "é ainda" a palavra inicial, e, em caso negativo, o que diz. Duas precauções metodológicas: a escrita da transformação se realizava sempre embaixo da palavra inicial para facilitar as comparações; além disso, o experimentador verbalizava enquanto escrevia, para insistir em que se toma a palavra inicial como ponto de partida, mas sem nomear nunca as letras, nem dar-lhes valor sonoro. (Assim, por exemplo, ao passar de OSO (urso) para OSOS se indicava: "olha, agora a escrevo outra vez ... e lhe ponho outra desta no final"; ao passar de OSO a OOS se indicava: "esta a ponho aqui, esta aqui e esta aqui", mostrando em cada caso a posição inicial da letra em questão).

A – De 4 a 6 anos, sem ajuda escolar

1) O nível mais primitivo está representado por aquelas crianças (comparativamente poucas) para quem todas as transformações são irrelevantes (em todas, "continua dizendo" a palavra inicial), ou ainda que as aceitam ou rejeitam sem convicção. Ponhamos isso em paralelo com o visto no Capítulo 2: quando apresentávamos às crianças uma série de cartões para classificar em termos de "serve/não serve para ler", também encontramos um primeiro nível em que todas servem para ler, ou uma sim e outra não, mas sem critério objetivo. Aqui, todas as escritas propostas servem para ler mamãe, se partimos de mamãe; todas as escritas propostas servem para ler papai, se partimos de papai, e assim por diante. Ou, ainda, umas servem um momento, mas deixam de servir poucos minutos depois, sem que haja critério objetivo para decidir por sim ou por não.

2) Muito mais interessantes são as condutas que consistem em acertar algumas transformações e em rejeitar outras, mas sobre a base de algum critério objetivo. Aqui é necessário apresentar exemplos:

Psicogênese da Língua Escrita **237**

Gustavo (5a CM) aceita somente APAP = PAPÁ e AMAM = MAMÁ (PAPAI E MAMÃE), porque exige alternância e quantidade de grafias, deixando de lado o problema de saber com qual tem que começar.

Andrea (6a CM) é muito semelhante a Gustavo. Rejeita a transformação PPAA, porque "não tem que estar os dois pés juntos e os dois as juntos", mas aceita AMAM: "Diz MAMÁ (MAMÃE), mas falta o acento", e o acrescenta ao eme final! Em MA "não diz nada, porque são duas letras".

Alejandro (6a CM), já citado na primeira Seção deste Capítulo (Nível 4), pensa que *mimi, meme e mumu* são formas alternativas de escrever *mamá* (mamãe); porém, se se escolher a forma com *a* tem que se pôr um acento.

Laura (5a CB) apela sucessivamente para vários critérios, aos quais não chega a coordenar: alternância de caracteres, presença do acento e quantidade de caracteres:

PAPÁ (papal)	... Pa; não diz *papá* porque falta o acento.
PAAP	Não diz; porque tem dois A juntos e... lhe falta o acentinho.
PAÁP	Agora diz *papá*.
PAPAPA	Paaa, papáaaa; riso diz *papá* porque aqui é mais comprida ... porque tem três A.

O típico de todos esses casos é, então, que, de todas as propriedades da forma gráfica em questão, somente algumas são retidas como essenciais, ou se alternam de uma a outra sem coordenação. Não é tarefa fácil reter de uma só vez a ordem de grafias, a alternância, a quantidade de grafias e a posição dessa grafia especial, que é o acento.

3) As respostas mais surpreendentes são as que consistem em supor que as transformações a partir de uma palavra correspondem a outros nomes, diferentes do ponto de vista sonoro; porém, próximos do ponto de vista semântico. Assim, transformando MAMÁ ou PAPÁ, obtemos os nomes de outros membros da família.

Walter (5a CB) dá a série de equivalências abaixo:

mamá	= mamá (mamãe)
ámam	= papá (papai)
papá	= hijo (filho)
ápap	= hija (filha)
mpapá	= primo
O que falta?	prima.

Alejandra (5a CM) dá a série seguinte, a partir de MAMÁ:

AMAM	= papá (papai)
MAAM	= mucama (empregada)
MAMAM	= hermano (irmão)

Martín (5a CM):

MAMÁ	= mamá (mamãe)
MAAM	= papá (papai)
MAMAMA	= papá e mamá (três letras para cada nome, já que acha demasiado comprida para que diga uma coisa só).

Atílio (5a CB): também leva em conta o aumento de comprimento da escrita por adição de caracteres, mas, em lugar de introduzir dois nomes, junta o sobrenome ao nome. Para ele, MAMÁ, AMAM e AMMA são variantes equivalentes de "mamãe", mas em MAMAMA diz "mamãe Rivasio".

Leonardo (5a CB):

PAPÁ	= mamá (mamãe)
APAP	= papá (papai)
APPA	= tio
APAP	= abuelo (avô)
APAPAP	= abuela (avó)

Este tipo de resposta não é dos mais primitivos: não o encontramos aos 4 anos, senão a partir dos 5 anos, e em ambos os grupos. Em total, 9 crianças apresentam sistematicamente respostas deste tipo, e outras três as apresentam ocasionalmente. É precisamente no grupo de 6a CM que encontramos resíduos ocasionais disso com autocorreções.

Carlos (6a CM), trabalhando com as transformações de NENE (MENINO) diz, corretamente, que em NE diz " ne", porém

NENENE	= diz nene (menino); porém, aqui tem mais outra dessas (outro par de NE). Ah, diz nena (menina)! ... mas tem que pôr um A.
NENENEA	= sim, assim é *nena* (menina).

O mesmo menino nos dá o exemplo mais evoluído desta variante: tentando ler as transformações de *mamá*, terminará propondo *"madre'* (mãe), isto é, um nome sinônimo do primeiro, e não já outro nome semanticamente próximo, mas com referente distinto:

Mamam	= mamé, máma, mamame, mamé ...
Maam	= ma-má, ma -má... Não. Como era? Ma-ma... madre!

Por ora, deixamos a interpretação deste tipo de resposta porque, como logo veremos, não são exclusivas das crianças pré-escolares, haja vista que as encontramos também nas crianças que estão em curso da aprendizagem escolar da escrita.

4) Várias crianças de 5 e 6 anos rejeitam as transformações, sem tentar ler o resultado da transformação, baseando-se exclusivamente na presença ou ausência das letras requeridas e em sua posição. Todas essas crianças sabem escrever a palavra que nos serve de ponto de partida. O saber escrever esta palavra é condição necessária, mas não suficiente, para rejeitar as transformações. Algumas das crianças que temos citado nos tipos de respostas precedentes também sabem escrever a palavra sem que esse "saber-fazer" gráfico corresponda a um "saber-conceitual" unívoco.

Um só exemplo basta para compreender como são estas respostas:

Laura (5a CM)
= MAMÁ = Mamá (mamãe)
= MAAM = Mamá de volta, ah, não! Não sei, espera ... não diz mamá. Depois desta (A) vem esta (M).
= AMAM = Não, porque tem que começar com o eme.
= MAMAMA = Está muito comprida. Tem uma, duas, três, quatro (conta letras do modelo inicial), e aqui uma, duas, três, quatro, cinco, seis. É até aqui (as quatro primeiras letras).

5) Finalmente, algumas poucas crianças (de 5 e 6 anos CM) rejeitam as transformações, mas tentando ler o resultado. Esta leitura pode ser correta ou aproximada, mas, em qualquer caso, o argumento para rejeitar a transformação é sempre o mesmo: não somente se modificou na forma original, mas, ao fazê-lo, criou-se outra escrita que é "legível" e diferente da anterior.

Mariano (5a CM):
OSO (urso) = oso
SOSO = diz soso
OSOS (ursos) = osos, muitos osos.

Diego (6a CM):

OSO (urso)	= oso
OOS	= os-o; so-o- não diz oso, porque estão ao contrário.
papá	= papá (papai)
paap	= paa-pa
ppaa	= pa
papap	= paaa.

B – De 6 a 7 anos, com ajuda escolar

Exatamente a mesma proposta de trabalho sobre as transformações de palavras conhecidas tinha sido feita às crianças que interrogamos no nosso primeiro trabalho experimental: crianças de 6 a 7 anos, de classe baixa, que frequentavam pela primeira vez o primeiro ano. Estas crianças foram vistas por nós, individualmente, no princípio, no meio e no fim do ano escolar. Precisamente no meio do ano, lhes propusemos essa tarefa. Então, as professoras lhes tinham apresentado (e, supostamente, ensinado a ler e escrever) pelo menos seis palavras geradoras, entre as quais se encontravam as clássicas *mamá, papá, nene, oso, ala,* (mamãe, papai, menino, urso, asa). As transformações que nós propusemos eram as mesmas já apresentadas (modificação da ordem das letras, soma ou supressão de letras da palavra) e mais uma variante: juntar a uma palavra conhecida a inicial de outra palavra conhecida (passando assim, por exemplo, de *oso* (urso) a *moso* ou *poso*). Em todos os casos, utilizamos a escrita cursiva, que é a "letra escolar" na Argentina.

As respostas obtidas podem ser classificadas do seguinte modo:

1)   Utilização das *letras enquanto índices* da presença de uma palavra. Assim, o *p* não é somente uma das letras de *papá* (papai), mas o índice que confere significado ao todo.

Estela: oso transformado em *poso* é *"papá"*, e transformado em *moso* é *"mamá"*.
Griselda: oso transformado em *oos, osos e soso* é sempre *"oso*, porque está o *s* com o o".
Alejandra: papá, amá, malá, máma, alá são todas transformações equivalentes a *"mamá,* porque tem dois a e o pontinho", isto é, o acento.

Os índices utilizados podem ser variados: a inicial no caso de Estela, duas letras da palavra no caso de Griselda, duas letras iguais, uma delas com acento, no caso de Alejandra. Mas o que é comum a todos eles é que, se o o ou os índices estão presentes, pouco importa o resto, já que é em função do índice que se decide sobre a significação do todo.

Psicogênese da Língua Escrita · **241**

2) Consideração da *quantidade de letras de cada tipo* necessárias para constituir a palavra, mas independentemente da ordem em que se encontram.

Griselda pensa que *mamá* transformada em *amam* é também *"mamá*, mas falta o acento". Este acento pode ir em qualquer lugar, já que o acrescentamos sobre o primeiro *a* e ela está satisfeita (*ámam*). As transformações de *papá* dão o seguinte resultado:

ppáa = pa-pá (pa-pai)
ppa = falta um *a*
appá = agora diz *papá*. (*papai*)

Daniel aceita como transformações equivalentes a *oso* (urso) todas as que consistem em modificar a ordem (em *soo* e *oos* também "diz *oso*"). Mas não as que consistem em modificar a quantidade de letras de cada tipo (em *soso* "não diz *oso* porque tem dois *s*").

3) Consideração da *ordem; porém, unicamente em termos de simetria. Isto* se vê claramente no caso de *oso*, no qual alguns pensam como Rosa, que *oso* e *sos são* duas variantes da mesma palavra, mas rejeitam as outras transformações, porque fazem falta duas letras iguais e uma diferente no meio.

Estes três tipos de respostas (1, 2 e 3) podem se apresentar na mesma criança, alternadamente, ao passar de uma transformação a outra. O importante é que estas crianças estavam, do ponto de vista de seu desenvolvimento cognitivo, no mesmo nível: todas em nível pré-operatório (ou seja, em função da prova utilizada, em nível de não conservação da invariância numérica). Depois de apresentar os outros tipos de respostas, comentaremos sobre a relação que nos parece existir entre o nível 2 obtidas (cf. parte VI.5.).

4) *A uma mudança gráfica mínima* (ao acrescentar letras que pertencem à palavra) *deve corresponder uma mudança mínima no significado.*

Daniel pensa que *oso* (urso), transformado em *osos* (ursos), é *osa* (ursa), e transformado em *soso é osito* (ursinho).
Sandra também pensa que ao passar de *oso* a *osos* passamos, em significação, de *oso* a *osa*.

5) *A uma mudança gráfica mínima deve corresponder uma mudança sonora* que não afete a significação. No exemplo a seguir, vemos empregados vários procedimentos diferentes: alongamento da vogal, prolongamento da consoante, tratamento em separado do elemento agregado e, acidentalmente, uma passagem pelo tipo 4 anterior.

242 Ferreiro & Teberosky

Gladys, tratando de interpretar a transformação de *oso* em *osos*, faz as seguintes tentativas: *oso-s; ososss; osa; osooo; oso; sss; osóss; osoo*.

Miguel lê bem "sol", mas ao passar a *solo* (só) ele alarga a vogal, lendo *soool*, e quer dizer, simplesmente, "sol".

Rubén lê assim as transformações de *oso:*

osos = ("OSSO, oso, O-SSO")
soso = "os-osso, o 'esse' com o oso, oso!

6) Mistura dos tipos 4 e 5, a qual dá lugar, por momentos, a belas soluções de compromisso nas quais uma oração inteira pode aparecer como resposta a uma transformação.

Omar reconhece a palavra escrita *nene* (menino) e lê a transformação *pnene* como "nenépa", o que quer dizer, segundo ele, "um menino que já é grande e é um papai". Porém, a mesma letra unida à outra palavra dá lugar a uma interpretação distinta (e, pelo contraste, se vê que não está funcionando como índice):

oso = "oso"
poso = "oso-pa"
osos = "oso-p, osop".

Quando lhe perguntamos o que quer dizer "osop", responde: "um oso (urso) que toma sopa".

Walter faz várias tentativas para a transformação osos: "oso-esa; oso-se; oso-e", sem ficar satisfeito; no entanto, a seguinte transformação, *soso, lhe* é clara: "oso ao contrário, osa!" Problemas semelhantes lhe surgem com as transformações de sol:

sol   = "sol"
solo = "sol-ol+sol-o+so-os+sol e nuvem"
solo = "sol-ol; sol-o; so-os; sol e nuvem"
solos = "os, os-ol; sol-os".

Novamente, há um denominador comum entre os que usam as respostas do tipo 4, 5 e 6: todos são crianças que, no momento de serem interrogados, se encontravam no nível intermediário (passagem entre o nível pré-operatório e operatório).

Vamos deixar de lado os raros casos de respostas corretas (dadas por crianças de nível intermediário ou de nível operatório) para tentar uma explicação global de todos os resultados apresentados.

C – De 4 a 7 anos, com ou sem ajuda escolar

O fato mais importante é ter encontrado respostas muito semelhantes em crianças pré-escolares e em crianças a quem se está apresentando, dia a dia, o

Psicogênese da Língua Escrita **243**

código alfabético e seus mistérios (mas como se não houvesse nenhum mistério). Recordemos que as crianças de 6 a 7 anos estavam no meio do ano escolar. Quantas vezes as professoras terão escrito, decomposto em letras e sons, combinado e recombinado essas palavras iniciais? Nada parece mais simples: m-a, ma; ma-ma, mamá. Problema de análise e de síntese, como nos ensinaram sempre; como se segue ensinando. Constatação elementar: enquanto as professoras prosseguem com as simplicidades aparentes da análise (da palavra em seus componentes), e com uma síntese apresentada como óbvia e natural, as crianças aprendem outra coisa.

Temos visto que algumas crianças, tanto em idade escolar como outros pré-escolares, têm em conta as quantidades de letras de um mesmo tipo; porém, deixando de lado a ordem das letras, e que outras levam em conta a ordem global (em termos de alternância ou de simetria); porém, esquecendo a quantidade de grafias de cada tipo. Esta atenção centrada sobre um ou outro aspecto da palavra escrita parece-nos ainda mais compreensível quando observamos a natureza das palavras (e as orações) com as quais uma criança se inicia na escola: palavras que podem ser lidas da mesma maneira indo da esquerda para a direita ou da direita para a esquerda [*ala* (asa), *oso* (urso), *ama* (ama), *ese* (esse) ou palavras com sílabas permutáveis [*mamá* (mamãe), *papá* (papai) *nene* (menino) constituem o universo inicial da escrita. Essas palavras foram escolhidas intencionalmente como sendo palavras "fáceis". Agora podemos perguntar-nos: Fáceis para quem? Fáceis a partir de que ponto de vista? A partir de qual definição de "facilidade"?

As respostas das crianças de 4 a 6 anos que analisamos antes, relativas ao nome próprio (que raras vezes cumprem com tais requisitos de "facilidade"), pareceriam sugerir que é mais fácil descobrir que existe uma ordem não aleatória das letras quando os caracteres são mais variados do que quando se trata dos mesmos caracteres repetidos. Por certo que uma coisa é reproduzir uma forma gráfica como uma sucessão de grafias numa ordem fixa, e outra, bem distinta, é dar uma interpretação estável a fragmentos dessa série; mas, de qualquer modo, a grande maioria dessas crianças de 6 a 7 anos, tanto como a maioria das de 4 a 6 anos, estão ainda bem longe das correspondências sonoras estáveis.

Na amostragem de 6-7 anos, temos um dado-chave: as crianças que consideram a quantidade de grafias com exclusão da ordem, ou vice-versa, são todos pré-operatórios. Nossa interpretação será a seguinte: a escola as obriga a um trabalho cognitivo que está acima de suas capacidades. É demais pedir-lhes que trabalhem ao mesmo tempo com dissociações de um todo (a palavra) e seus constituintes (sílabas e letras), com reconstituições do todo a partir de seus elementos, com a constituição de subclasses de elementos semelhantes, atendendo à quantidade de elementos de cada subclasse (2 M e 2 A; 2 S e um O; etc.), e, finalmente, com a ordem dos elementos no todo constituído. A criança pré-operatória não pode fazer tudo ao mesmo tempo: ou leva em consideração a ordem (porém, em termos de alternâncias ou simetrias), ignorando o número de elementos em cada subclasse de elementos semelhantes; ou leva em consideração as subclasses, mas com independência da ordem dos elementos no todo. Para o docente, é evidente

244 Ferreiro & Teberosky

que as duas sílabas "ma-ma" derivam de um todo ao qual se pode voltar, já que o docente pode pensar ao mesmo tempo no todo e nas partes.

Porém, do ponto de vista cognitivo, faz bastante tempo que sabemos que as crianças pré-operatórias não são capazes de trabalhar ao mesmo tempo com o todo e com as partes. (Cf. Piaget, Szeminska, 1967, Capítulo 7.)

Por acaso é um defeito ser pré-operatório quando se tem apenas 6 anos? Será necessário haver atravessado o umbral das operações concretas – em termos dos estágios piagetianos – para poder aprender a ler e a escrever? Para aprender da maneira que a escola supõe, talvez sim; mas para aprender de outra maneira, seguramente não, tal como nos sugerem as crianças pré-escolares que temos estudado. Estes resultados indicam que, no caso de crianças com muito poucas ocasiões de aprendizagem extraescolar, e no nível pré-operatório, a condução da aprendizagem escolar não estimula um trabalho cognitivo, *ao próprio nível delas*, que lhes permita abordar inteligentemente a língua escrita.

Insistamos sobre isso: para o docente é evidente que da palavra "mamá" se obtém as sílabas "ma-ma", e que da sílaba "ma" se obtém os fonemas /m/ e /a/, associados às letras correspondentes. Também lhe parece evidente passar de /m/ e /a/ à sílaba "ma", e da duplicação dessa sílaba à palavra. Porém, toda a essência da questão está ali: aprender a desconfiar das evidencias adultas, porque também é evidente para um adulto que se chegar ao mesmo número contando duas coleções de objetos isso quer dizer que possuem a mesma quantidade de objetos. No entanto, isso não é evidente para uma criança pré-operatória.

Passemos a considerar as respostas mais surpreendentes: aquelas que imaginam que as semelhanças gráficas estão associadas a semelhanças no significado. Primeira constatação: essas respostas não são privativas das crianças de CB. A única diferença entre CM e CB consiste em que, das transformações de *"mamá" ou "papá"*, pode obter-se *"mucama"* (empregada), como um membro a mais da família, em CM, enquanto que em CB nos limitamos aos avós, tios, primos e irmãos. O insólito é que apareçam em crianças que estão recebendo um ensino escolar que se preocupa em estabelecer, desde o início, uma correspondência entre grafias e sons da fala. Aqui surge com toda a clareza o abismo que pode existir entre o trabalho cognitivo que a criança está desenvolvendo e o que o professor supõe estar efetuando. Uma vez mais, trata-se de uma hipótese elaborada pela própria criança, de uma criação original. Mal podemos imaginar um adulto (docente ou não) responsável direto por ter dito à criança que as palavras com significado próximo se escrevem de maneira muito parecida, independentemente das semelhanças sonoras entre elas. É, obviamente, uma má hipótese para abordar um sistema alfabético de escrita, já que não trabalha sobre as semelhanças sonoras. Porém, não é uma má hipótese com relação a sistemas de escrita aptos para veicular significados. Uma vez mais estamos na fronteira incerta entre desenho e escrita; não cabe dúvidas de que nas origens históricas da escrita se começou por representar os objetos referidos (dando lugar, necessariamente, a uma representação próxima para objetos similares entre si) antes dos signos linguístico como tais.

Assinalemos que até agora nos limitamos a estabelecer tipos de respostas e não, como nas partes precedentes ou em outros Capítulos, níveis sucessivos que corresponderiam a etapas do desenvolvimento. Há duas razões para isso: a primeira, que nossos dados são muito variáveis de uma criança a outra do grupo pré-escolar, porque, ainda que quase todos tinham alguma maneira de escrever ou reconhecer o nome próprio (e amiúde os nomes dos outros irmãos ou amigos), não ocorria o mesmo com palavras como as que estamos analisando agora; a segunda é que, raras vezes, uma criança dava exclusivamente respostas de um só tipo, e a única análise compatível com os dados seria em termos de tipos de respostas alternativas compatíveis com um mesmo nível. Isto é precisamente o que podemos fazer com o grupo de 6-7 anos, no qual, graças à utilização de um critério externo (o nível operatório), podemos detectar a utilização simultânea de três tipos de respostas (com exclusão dos outros) em crianças pré-operatórias, e uma situação equivalente em crianças intermediárias (isto é, no período de transição que precede imediatamente o nível operatório).

Neste sentido, as alternâncias que as crianças intermediárias apresentam entre duas hipóteses contraditórias são esclarecedoras. Estas duas hipóteses são: a uma mudança gráfica mínima deve corresponder uma mudança mínima no significado; a uma mudança gráfica deve corresponder uma mudança sonora que não altere basicamente o significado. Quando trabalham a partir dessa segunda hipótese, vemos aparecer alongamentos vocálicos ou consonânticos, tanto como um tratamento à parte do signo apresentado (do tipo "oso-se" para "osos"), tratamento que consiste em dar-lhe um valor sonoro aproximativo – de preferência silábico – no final da emissão da palavra (inclusive quando o signo agregado se encontra no começo). Apelar para o alongamento vocálico ou consonântico, numa língua como o espanhol, é fazer uso de um recurso que pode ser usado para introduzir conotações afetivas, mas que não modifica a significação da mensagem (contrariamente ao que ocorre nas línguas que fazem uma distinção entre vogais breves e longas). É fazer uso do conhecimento linguístico que se possui para responder à tarefa. Um S acrescentado a *oso* é bem recebido como a duplicação de um sinal prévio, o qual dá lugar a um prolongamento sonoro sem que a criança saiba ainda se o que é preciso prolongar é a consoante ou a vogal. Não é, todavia, uma boa correspondência grafema/fonema, mas é já uma tentativa de fazer variar a pauta sonora para colocá-la em relação à variação visualmente percebida.

5 – COMO ESCREVEM AS CRIANÇAS COM AJUDA ESCOLAR

Anteriormente, referimo-nos às produções escritas das crianças pré-escolares; vamos analisar agora *a evolução da escrita* nas 28 crianças do nosso estudo longitudinal. Recordemos que se tratava de um grupo de crianças que frequentava uma escola pública, todas provenientes da classe baixa, que recebiam ensino sistemático em iguais condições, sob o ponto de vista dos aportes metodológicos: as professoras das duas turmas da primeira série utilizavam o mesmo método e o mesmo texto de leitura. Recordemos também que este grupo foi entrevistado em três ocasiões sucessivas (durante um ano, no começo, no meio e ao finalizar).

Nosso principal interesse ao apresentar esta nova série de dados é estudar de perto a evolução das hipóteses infantis à medida que avança o programa escolar. No começo deste mesmo Capítulo (6.1), foi exposta uma gênese da escrita na criança sem ajuda escolar, isto é, uma gênese independente de qualquer metodologia. Trata-se, no que se segue, de ver qual é o desenvolvimento da escrita em casos de exposição a procedimento sistemáticos de aprendizagem. A confrontação entre ambas as situações pode dar-nos novas respostas sobre as formas de progresso nos dois casos: em função de um ritmo natural no primeiro e em função da proposta metodológica no segundo.

A tarefa proposta no primeiro encontro foi a de escrever, sem cópia, palavras ensinadas pelo professor e palavras novas para a criança, mas de dificuldade semelhante às anteriores, isto é, que respeitassem as letras e o tipo de combinação dos modelos conhecidos. Esta escolha foi feita para evitar respostas do tipo "essa não sei", "não me ensinaram", etc. Durante a segunda toma, pediu-se à criança a escrita de outras palavras, sempre com letras conhecidas, e a escrita de uma oração. Também durante o segundo encontro introduziu-se uma variante na situação que consistia em apresentar imagens às quais, em seguida, se associava uma escrita. Chegou-se a essa variante da escrita com imagem para que fosse a própria criança quem decidisse (dentro dos limites impostos pela imagem) o que deveria escrever. Havia dois tipos de imagens: uma em que se apresentavam objetos familiares e outra em que aparecia um personagem realizando uma ação manifesta. O terceiro encontro se diferenciou em função do nível alcançado pelas crianças, tendo a precaução, de qualquer maneira, que escrevessem tanto palavras como orações. Às mais avançadas, foi proposta uma tarefa com outro tipo de dificuldade, o plural, isto é, a escrita de uma marca morfossintática. Para isso, apresentamos uma imagem na qual figuravam duas meninas pulando corda.

Depois da antecipação sobre a imagem, pedíamos que escrevessem. Cada uma dessas situações foi solicitada no momento mais oportuno, de acordo com os níveis das crianças. Tivemos sempre o cuidado de pedir, com a entonação natural da fala, todas as palavras ou as orações que desejávamos que escrevessem. Como se vê, a técnica da situação não representava para a criança nem uma novidade nem comportava dificuldades extremas. O que a diferenciava das situações habituais das quais a criança participava na escola era a ausência de correção de nossa parte e a maneira de interrogá-la.

Interessa-nos não somente a análise da escrita em cada encontro, mas também a evolução de um encontro ao seguinte. As respostas estão agrupadas em função dos avanços entre um encontro e outro. A categorização das respostas em cada encontro foi feita em função dos níveis sucessivos que propomos neste mesmo Capítulo. Em cada uma das entrevistas, testou-se também o nível operatório da prova de conservação de quantidades descontínuas.

Psicogênese da Língua Escrita **247**

Se observamos a evolução dessas crianças, em função dos níveis de escrita aqui estabelecidos, chegamos às seguintes constatações (a Tabela 6.3 resume esta evolução):

GRUPO I (Total: 7 crianças). Estas crianças têm como nível inicial condutas do tipo 1 e 2; no meio do ano, continuam com condutas do tipo 2 e, até o fim do ano, cinco sujeitos estacionam nas condutas próprias do nível 2, enquanto que dois sujeitos avançam para condutas intermediárias entre o nível 2 e o nível 3 (quer dizer, avançam em direção às hipóteses silábicas). Constatamos, pois, que em cinco sujeitos não houve avanços e, em dois deles, um progresso mínimo.

O fato de esse grupo apresentar respostas próximas para o primeiro, segundo e terceiro encontro é bastante revelador. A que podemos atribuir este estancamento? Não à influência do meio, já que frequentavam, com o resto das crianças, a mesma classe, recebendo o mesmo tipo de ensino que os outros. Porém, antes de dar uma resposta, recordemos como caracterizamos os níveis 1 e 2. É próprio do nível 1 identificar a escrita com a reprodução dos riscos típicos do tipo de escrita reconhecida como modelo. O modelo escolhido para todos, de preferência, é o proposto pela professora. O que caracteriza esse modelo é a escrita cursiva e a escolha de palavras "chave" tipo "mamãe", "papai" e "urso", etc. (Cf. Capítulo 1, parte 2). Os resultados, na escrita da criança, são sempre grafismos próximos às letras do modelo docente, "m" e "p" combinados com todas as vogais que o sujeito recorda. Na reprodução gráfica, não se retêm senão alguns dos traços que definem os caracteres. Por exemplo, no caso de "m", o número de curvas é inconstante de um sujeito ao outro e até no mesmo sujeito. Há "m" com duas curvas, com três, com quatro e até com cinco curvas. O "p" também apresenta representações variadas: traço vertical sem a curva semelhante

TABELA 6.3 Evolução da escrita nas crianças escolarizadas.

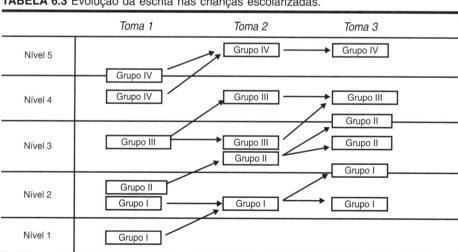

a um 1, traço vertical e volta separados, várias voltas para um mesmo traço vertical, etc. (ver Figura 6.11). No que diz respeito ao traço gráfico, assinalemos que uma interpretação em termos de disgrafia parecer-nos limitada. Com efeito, se reconhecemos que escrever supõe certo desenvolvimento da coordenação visomotora, a hipótese que nós formulamos é a seguinte: se escrever é a reprodução do modelo conhecido e o modelo proposto se reduz a duas consoantes e cinco vogais, que possibilidade tem a criança, cujo contato com a escrita provém quase que exclusivamente da escola, de descobrir os traços pertinentes de cada um dos caracteres gráficos? Trabalhando com "uma letra por vez", impede-se o sujeito de encontrar as distinções pertinentes entre as letras. (Por exemplo, para saber que a quantidade de riscos é uma variável fundamental, é preciso saber que m se opõe a n.)

Outra das características desse grupo é o valor dado aos caracteres da escrita: os sujeitos reproduzem sempre m e p em quantidade variável, como se ambas funcionassem ritualmente no ato gráfico: "Escrever equivale a fazer emes", ou "M significa que o que se segue é escrita". (Uma menina utiliza o m inicial em 9 casos sobre 10.)

Também encontramos neste grupo a utilização de letras com valor índice da presença de uma palavra. (Se está o m, diz "mamá; (mamãe); se está o p, diz "papá" (papai) , sem importar o resto.)

Assinalemos, finalmente, que para a oposição palavras-oração encontramos as mesmas respostas que no caso dos não escolarizados. As diferenças entre a escrita de uma palavra e a escrita de uma oração não são maiores do que as diferenças entre escritas de palavras distintas. Os recursos utilizados pelas crianças são de dois tipos: ou mudam a variedade dos grafismos (há exemplos de recorrer às letras de imprensa), ou modificam a quantidade, mas conservando as características da escrita de palavras. E este fato não pode surpreender-nos, visto que, para as crianças deste nível, a escrita é *uma escrita de nomes*. Elas fazem uso dos poucos recursos de que dispõem – variedade e quantidade – para expressar uma mudança de significado.

Para evitarmos uma descrição detalhada das condutas deste nível, que não somaria nada mais aos dados já analisados com respeito às crianças pré-escolares, passamos a comparar estas respostas com os resultados obtidos no domínio da prova externa – o nível operatório. A esse respeito, comprovamos que todo esse grupo permaneceu no nível pré-operatório (NC) através das três entrevistas em que foram testados.[*] Seis crianças permanecem no nível NC e uma só avança até INT no final do ano. No que diz respeito à ação repetitiva de colocar em correspondência, nenhum desses sujeitos era capaz de fazer uma correspondência correta de forma espontânea. Chegavam a ela depois de múltiplas sugestões, ainda

---

[*]N. de T. Designamos com NC/INT/C os níveis de não conservação, intermediário e conservação, respectivamente, na prova de conservação de quantidades descontínuas. Para a descrição da prova, consultar Inhelder, Sinclair e Bovet (1975).

Psicogênese da Língua Escrita **249**

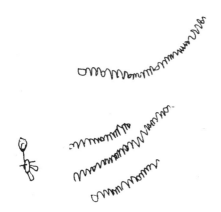

= mamãe e papai, menino, árvore, mesa (durante a primeira solicitação)

= papai, mamãe, menino e mesa (durante a primeira solicitação)

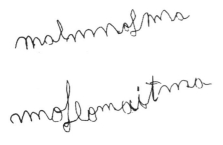

= minha mamãe salga a sopa = (mi mamá sala la sopa) – asa (ala) (durante a segunda solicitação)

= pato, sol e mesa (durante a segunda solicitação)

= papai, mamãe e menino = (papá, mamá y nene) (durante a terceira solicitação)

= asa, má, urso, ursa, és, sol e minha mamãe salga a sopa. (ala, mala, oso, sos, sol y mi mamá sala la sopa) (durante a terceira solicitação)

Estella (6 anos, escolarizada)

FIGURA 6.11 Exemplos de escrita.

que permanecessem dando respostas de NC em relação à avaliação da quantidade.

Que significado tem esta comprovação? Uma série de hipóteses, que aventuramos com prudência, poderiam servir para explicá-la. Poderia se pensar em relações entre os avanços num domínio e os avanços no outro. Relações, claro está, não de filiação direta, mas de procedimentos subjacentes a ambos. Um deles, o colocar em correspondência, é ação constitutiva no caso do número e ação subjacente na escrita (claramente expressada nos casos de hipótese silábica: a uma grafia corresponde, uma sílaba de modo sistemático).

Também é possível que o tipo de aproximação aos diferentes domínios seja semelhante na medida em que é o sujeito que interpreta o objeto, e que seja a própria criança quem põe limites nas propostas do meio em função de seu nível operatório. No caso do ensino da lectoescrita, é evidente que o que o professor pretendia ensinar não é o que as crianças "aprenderam". E se as estagnações num domínio e no outro não se podem imputar à ação do meio, teríamos que apelar, no caso da escrita (como no domínio das operações lógico-matemáticas), para fatores internos do próprio sujeito.

Uma comparação com as respostas das crianças não escolarizadas pode servir-nos para estudar a influência do ensino neste grupo 1. Comparando as respostas das crianças escolarizadas com as obtidas no estudo transversal, encontramos, por volta dos 4 e 5 anos na classe média e classe baixa, condutas deste tipo, as quais tendem a desaparecer até os 6 anos na classe média (ver Tabela 6.2). Isto no que diz respeito à distribuição quantitativa, mas, se fizermos uma análise qualitativa, vemos que há diferenças notáveis entre ambos os grupos. Com efeito, no caso das crianças escolarizadas, encontramos que a variedade de caracteres é muito menor; ha uma proeminência de escritas que conservam os m e os p do modelo docente. A disponibilidade de formas gráficas também é menor, enquanto que os modelos *papá e mamá* são mais limitados que os modelos do mundo extraescolar. Com respeito à variedade, a progressão seguida pelo docente no ensino ("uma letra de cada vez", começando por m, p, s) pode ser seguida perfeitamente nas produções escritas das crianças. Assim é que durante a primeira toma, no começo do ano, dois dos sete sujeitos escrevem tudo o que lhes é pedido, de acordo com a fórmula *"m + vogal"*; os cinco restantes escrevem de acordo com a fórmula *"m ou p + vogal"*. Durante o segundo encontro, aparecem ainda s, l, t e n, finalmente, no terceiro encontro, alguns estacionam usando as grafias anteriores e outros somam r e g, sempre em combinação com vogais.

Como se pode explicar estas diferenças com relação aos não escolarizados? A única resposta que encontramos é atribuível ao modelo proposto. Se o modelo é tirado do mundo circundante, vai-se encontrar uma maior variedade nas grafias e nas combinações de grafias; já, se o modelo se reduz a palavras com somente duas grafias que se repetem, a probabilidade de variação para escritas novas é muito menor. A isto se soma a escrita cursiva (como "letra escolar"), a qual produz caracteres muito menos diferenciados. Há, então, diferenças em função do

Psicogênese da Língua Escrita **251**

modelo externo; porém, isto não supõe mecanismos conceituais diferentes, pois neste grupo, como nos não escolarizados, há alternância, quantidade mais ou menos fixa de caracteres, leitura global não analisável, etc.

Se os resultados depois de um longo período de aprendizagem não se diferenciam das aquisições espontâneas, e se o aproveitamento foi quase nulo, caberia perguntar, então, o que aprenderam esses sujeitos.

É importante ter em conta que, ao finalizar o curso escolar, essas crianças podem escrever corretamente algumas das palavras propostas pelo professor (geralmente *oso, mamá, papá, nene*), mas quando aceitam abordar a escrita de novas palavras, testemunham regressões notáveis. Do ponto de vista escolar aprenderam, ao menos, a reproduzir certos estímulos apresentados, mas do ponto de vista conceitual, a evolução foi mínima, porque aprender a resposta correta dentro de um contexto não garante o progresso do raciocínio. Reconhecer e reproduzir as grafias do código não implica conhecer o funcionamento em si do sistema alfabético. Frente a situações novas, os sujeitos reagem, seguindo as pautas de uma aproximação cognitiva ao objeto, elaborando os estímulos que o meio escolar lhes propõe segundo hipóteses próprias.

Outro fato, também importante, foi a persistente resistência dessas crianças a escrever palavras novas. Uma delas se justifica, afirmando: "Não sei, tenho a cabeça como um burro, sou um burro!". Isto, na boca de uma criança de 6 anos, depois da experiência de um ano, é desolador. E revela dois dos problemas mais graves do sistema de ensino: um deles e que, se a criança não aprende, é culpa e responsabilidade sua; e o segundo, o ter restringido suas possibilidades criadoras (o experimentar, o ensaiar com todos os riscos e os erros que isso implica), criando uma dependência total do professor que a ensina. Algo importante a notar é que a resistência a escrever se incremento até o final do ano escolar.

GRUPO II (Total: 6 sujeitos). Localizamos neste grupo as crianças que se encontravam no começo do curso no nível 2, até o meio do ano no nível 3 (hipótese silábica) e no fim do ano ou continuavam no nível 3 (três crianças) ou avançavam, situando-se na transição entre 3 e 4 (três crianças).

Recordemos que no grupo I temos sujeitos que partem de um nível 1-2 e que permanecem no nível 2 durante todo o curso escolar; no grupo II, que analisamos aqui, há sujeitos que, ainda partindo do mesmo nível inicial, podem realizar progressos ulteriores.

Temos que assinalar o fato, importantíssimo, no nosso entender, de que o progresso se realiza segundo os níveis estabelecidos para os sujeitos pré-escolares. E isto é ainda mais surpreendente nos casos de exposição a um ensino sistemático. Com efeito, é óbvio que nenhuma das duas professoras do nosso grupo experimental ensinou que, para escrever "pato", era suficiente pôr *ao*, como o testemunham os seis sujeitos deste grupo. Vejamos um exemplo bem demonstrativo (ver Figura 6.12):

Griselda escreve durante a primeira toma:

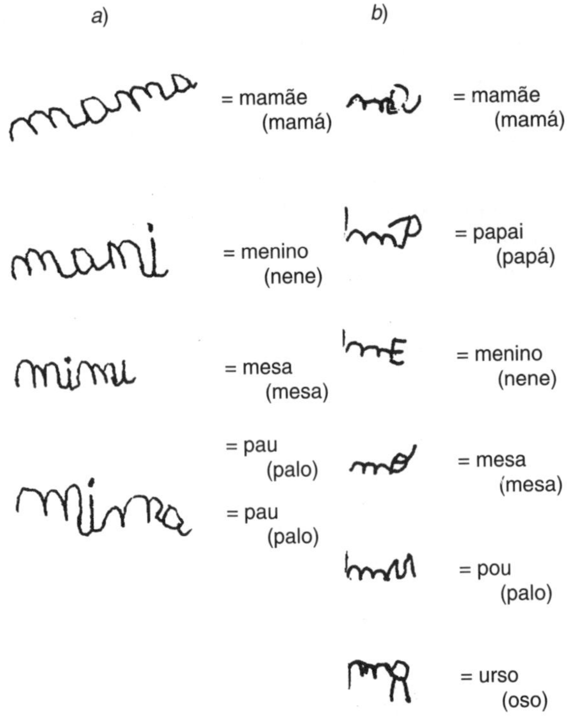

FIGURA 6.12 Exemplos de escrita. *a)* Walter (6a CB) escolarizado, "primeira solicitação"; *b)* Griselda (6a CB) escolarizada, "primeira solicitação".

"mamá" como *ma,* "papá"... como *mp,* "mesa" como *mo,* "palo" como *mM,* "nene" como *mE* e "oso" como *mR* (onde R é um grafismo confuso). Durante o segundo encontro, escreve corretamente *oso, mamá, papá;* "pato" como *ao,* "florero" (floreira-vaso) como *oeo,* "sol" como *so,* e "sapo" como *so.*

Durante o terceiro encontro, "paloma" (pomba) é escrita como *pama,* "león" (leão) como *leo* e "nudo" (nó) como *neo.*

Griselda é um exemplo claro da progressão própria a esse grupo II. Começa no nível 2 (combinações compostas de *m* inicial mais algum sinal distintivo que marca a mudança de significado), passa ao nível 3 (escrita silábica, uma grafia por cada sílaba), e chega ao nível 4 (escrita quase alfabética com vícios silábicos). Afirmamos que este fato é surpreendente, porque, apesar das propostas metodológicas de escrita alfabética, a menina escreve a metade do ano segundo um critério silábico, e somente em uma etapa posterior chega a uma aproximação alfabética. Isto demonstra, em primeiro lugar, o *caráter interno* da hipótese silábica enquanto hipótese construída pela criança e não imposta pelo meio. E, em segundo lugar, sugere o *caráter necessário* de passagem por uma etapa de hipótese silábica para começar a dar valor sonoro à escrita.

Quando passamos da escrita de nomes à escrita de orações, pode-se conservar escrita silábica – isto é, outorgar um valor sonoro a cada grafia – ou tentar representar outras unidades (sempre menores que a unidade da qual se parte); porém, sem outorgar-lhes valor sonoro. Sigamos, para exemplificar, com Griselda. A proposta de escrita de oração se realizou durante a segunda toma.

"Minha mamãe salga a sopa" dá lugar a uma escrita de *iamaaaa*, enquanto que "a menina está comendo", fica *dma aolo* (a primeira oração foi proposta por nós, a segunda pela menina, a partir de uma antecipação sobre uma imagem).

Esta oscilação, claramente representada em Griselda, entre dar um valor sonoro às letras, mas escrever sem deixar espaços, ou realizar separações na escrita, mas sem atribuir valor sonoro às grafias, é uma das características deste grupo. Dos seis sujeitos localizados nele, cinco deles propõem alternativamente uma ou outra solução. Isto indicaria que, quando o sujeito pensa que deve representar o valor sonoro (seja segundo hipótese silábica, seja segundo hipótese alfabética) não é capaz de pensar nas separações da oração em unidades menores (cf. Capítulo 6). E, enquanto trabalha no nível dos constituintes imediatos (sujeito-predicado), não pode pensar simultaneamente no valor sonoro dos elementos.

Comparando as respostas deste grupo com as respostas obtidas na prova operatória, constatamos que todos os sujeitos se encontravam no nível INT até por volta do final do ano, tendo seguido as progressões: NC/INT/INT em um caso; NC/NC/ INT em dois casos; e INT/INT/INT em três casos[3] Estas condutas de flutuação encontradas no campo da escrita coincidem com as condutas típicas do estágio INT, no qual o sujeito pode dar diferentes tipos de respostas, conforme os aspectos da situação que leve em conta. Os sujeitos deste grupo mostram um progresso na conceitualização da escrita paralelamente a um avanço no nível operatório. Embora seja certo que ainda não possamos dar o detalhe do avanço em cada toma e, portanto, dar uma explicação exaustiva dos mecanismos e razões de passagem, o que fica claro é que as aquisições se realizam por vias que não são as esperadas escolarmente.

GRUPO III (Total: 12 crianças). Encontramos este grupo já no nível 3 (hipótese silábica) no começo do ano escolar. Até o meio do ano, alguns (seis sujeitos) continuam no nível 3 enquanto que outros (seis sujeitos) passam ao nível 4 (passagem entre a hipótese silábica e a alfabética); porém, os doze sujeitos se situam no nível 4 no meio ou no fim do ano escolar. (Dois sujeitos que se encontravam no nível 4 durante a segunda aplicação não puderam ser testados em escrita pela terceira vez.)

O progresso evidenciado por este terceiro grupo não faz mais que confirmar o exposto a respeito do segundo grupo: o caráter interno e construtivo da etapa que denominamos hipótese silábica e a necessidade de passar por este nível. Mas acrescenta um dado a mais, o qual queremos comentar. Este grupo se encontrava no nível 3 no começo do ano e chega ao nível 4, maciçamente, até o

254 Ferreiro & Teberosky

final do mesmo. O que nos diz este dado? É evidente que se nos situamos no ponto final do processo – acesso à escrita alfabética – sua vitória está em estreita relação com o ponto de partida. Ou, dito em outras palavras, um sujeito que começa sua escolaridade situando-se no nível 3 aqui descrito tem "bom prognóstico" a respeito da aprendizagem que se desenvolverá em um ano escolar. E este "bom prognóstico" se deve a quem iniciara a aprendizagem com uma hipótese especificamente a linguística para abordar a escrita.

A respeito do nível operatório, todos os sujeitos, exceto um, encontravam-se em INT ou C até o final do ano escolar, apesar de grandes variações no que diz respeito ao nível inicial.

Quanto à escrita de uma oração, as flutuações descritas em termos de outorgar valor sonoro às letras, mas escrever sem deixar espaços, ou realizar separações na escrita, mas sem pensar no valor sonoro dos elementos, continuam neste terceiro grupo, ainda que sejam características observadas somente até o meio do ano. Posteriormente, os sujeitos superam esta oscilação, registrando-se uma busca mais exaustiva das unidades constituintes do todo do qual se parte. Vejamos um par de exemplos:

Javier escreve na segunda aplicação "a menina cozinha" (La nena cocina) da seguinte forma: *nana moisin*. No terceiro encontro, "um sapo salta na piscina" (un sapo salta en la pileta) dá lugar a *usapo salta enlapileta*.

Marcelo escreve durante o segundo encontro "minha mamãe salga a sopa" (mi mamá sala la sopa) como *mimamásabonsa*. E, durante a terceira aplicação, 11 "um sapo nada na piscina" (un sapo nada en la pileta) como l *sapo nada pi le*.

Como vemos, as respostas de ambos na segunda entrevista mostram claramente a flutuação entre as unidades que se estão buscando. Javier separa a oração em duas, atribuindo a uma parte o sujeito e à outra o predicado da mesma. Marcelo conserva mais a preocupação pelos valores sonoros do que pelas unidades menores da oração e escreve sem deixar lacunas. Durante o terceiro encontro, ambos chegam a separações em unidades menores, ao mesmo tempo que conservam, aproximadamente, os valores sonoros. Porém, enquanto um deles – Javier – junta onde teria que ir separado, o outro separa o que teria que ir junto. E esta diferença não é casual; se se analisam as produções anteriores, vemos que Javier esteve anteriormente mais preocupado com as unidades a encontrar, enquanto que Marcelo se preocupava com as correspondências gráfico-sonoras. A consideração alternativa de um ou outro aspecto e as tentativas de conciliação são o que caracteriza este grupo e o que explica a alta porcentagem de "erros" cometidos por todos os sujeitos. Com efeito, é entre esses 12 sujeitos que encontramos a maior quantidade de respostas categorizadas pela escola como "erros"; entram nesta categoria todas as omissões, inversões, substituições, etc. (Assinalemos que é somente a partir destas formas de escrita que a escola fala de "erros", já que trata as escritas anteriores como um simples garrancho, ou seja, como não escrita.) Agora, é legítimo chamar erro ao produto de um profundo trabalho intelectual? Quando a criança aplica a hipótese silábica, faz corresponder uma grafia a sílabas que, na sua transcrição alfabética, podem ter uma letra (como no caso das vogais em espanhol), duas, três e até quatro letras. É evidente que elas "omitem" escrever o que desconhecem: a transcrição alfabética de cada sílaba. As inversões, por sua vez, podem também ser o resultado da necessidade de fazer uma correspondência gráfico-sonora, tarefa de grande dificuldade, a qual comporta em muitas ocasiões a perda da ordem. Um exemplo pode esclarecer este ponto.

César, enquanto trata de escrever "pato", dita para si mesmo da seguinte maneira: pa-to, o t (escreve: *pa*), pa, o p outra vez, o p, pa-to (acrescenta *p*, fica *pap*). Ao escrever "pie" (pé), diz-: pie, pie, é, pie (escreve *p*), é o é, pie (acrescenta *e* à esquerda de *p*, fica: *ep*).

E, finalmente, também as substituições podem ser explicadas. Quando o sujeito não identifica o grafismo correspondente a cada valor sonoro ou o valor sonoro de cada grafismo, inevitavelmente produz substituições. De qualquer forma, é preciso advertir que, ainda desconhecendo todas as regras da transcrição gráfica, sabem que se trata de dar valor sonoro à escrita, ou seja, descobriram o próprio princípio de nosso sistema de escrita. Estas inversões, substituições, omissões, etc., aparecem tanto na escrita de palavras como na das orações. Por que encontramos com tal frequência os chamados "erros", evidenciados com clareza neste grupo do qual afirmamos ter sido o que apresentou melhor "prognóstico"? Não estará a escola tomando como resultados definitivos os passos construtivos intermediários de um processo? Ao contrário do que se sustentou até o presente momento, nós consideramos que esses "erros" colocam em evidência os mecanismos de construção do conhecimento.

GRUPO IV (Total: 3 crianças). Este grupo, o minoritário, está constituído por crianças que, desde o começo do ano, situam-se no nível 4 (ou entre 4 e 5) e que até o fim do ano sabiam escrever, quer dizer, conheciam as regras do código alfabético. Apresentam, entretanto, dificuldades a respeito da ortografia e da separação entre palavras. Há neste grupo três sujeitos, todos com nível operatório C até o final do ano. As progressões seguidas foram as seguintes: INT/C/C, 1 sujeito; INT/INT/C, 1 sujeito e C/C/C, 1 sujeito.

O fato de que os membros deste grupo, os quais já conhecem no sentido estrito o funcionamento do código alfabético, apresentem problemas ortográficos ou de separação entre palavras nos indica que é necessário distinguir ambos os aspectos. Ter descoberto a possibilidade de representação gráfica dos sons da linguagem não é ter compreendido todo o sistema escrito. É um não implica, automaticamente, o outro, porque a escrita não é somente a representação gráfica do aspecto sonoro da linguagem. A escrita contém "marcas" que têm um significado específico.

Pensemos, por exemplo, no *plural*. Sabemos que, no espanhol, muitos plurais de nomes se formam agregando o morfema /s/ ao morfema de base, representado pela grafia *s*. Aparentemente, a escrita de um nome plural não teria por que apresentar dificuldades. Porém, vejamos o que ocorre quando o propomos às crianças. A situação consistia – como dissemos – em apresentar uma imagem em que figuravam duas meninas pulando corda e em solicitar a escrita associada a ela. Esta situação foi apresentada a seis sujeitos: os três sujeitos do grupo IV e três sujeitos dos mais avançados do grupo III. Todos eles descreveram a imagem como "duas meninas pulam" ou "as meninas estão pulando". Dos seis sujeitos entrevistados, somente um deles, localizado no grupo IV, pôde distinguir o plural mediante a grafia *s* final, dando lugar a "meninas pulando". O restante das crianças propôs soluções muito curiosas: em dois casos, acrescenta-se o número 2 diante da oração escrita no singular; em um caso, se repete "menina" duas vezes, ficando escrito "a menina menina pula"; há um caso de oração escrita no singular e um caso de repetição, duas vezes, da oração completa.

É evidente que se se pensa na transcrição gráfica do fonema /s/, ela não comporta dificuldades para estas crianças. Poder-se-ia argumentar que a transcrição não se realiza devido às características dialetais da fala rio-platense (os /s/ finais não se pronunciam em muitos casos). Porém, o plural, mais que um problema de transcrição sonora, é a descoberta de uma "marca" com valor funcional dentro da escrita. Que as crianças ofereçam soluções diversas a esta situação, é uma demonstração a mais da aproximação cognitiva que colocam em jogo. Como vemos, o problema de quais são os elementos da linguagem que a escrita representa e de que modo os representa segue sendo vigente. A criança não faz, exclusivamente, uma análise em termos sonoros, mas também faz uma análise em função do conteúdo a representar. É devido a este último que nos oferece soluções bem originais: ou repetindo o nome duas vezes – visto que há dois personagens – ou a oração completa duas vezes. Porém, também se pode acrescentar o número 2 como marca que adquire um valor ideográfico deixando intacta a escrita alfabética do enunciado. Se apresentamos estes últimos dados, foi para mostrar, uma vez mais, que a escrita não pode ser reduzida a uma transcrição da fala, pois tem, além das regras de transcrição sonora, outras regras próprias que a criança irá descobrindo paulatinamente.

Voltando a nossas perguntas iniciais, os resultados deste seguimento evidenciaram alguns pontos que poderiam ser assim resumidos:

- Enquanto o docente segue um programa, utilizando uma metodologia igual para todas as crianças, nem todas avançam no mesmo ritmo.
- As que chegam, finalmente, a aprender a escrever durante o ano escolar, são aquelas que partiram de níveis bastante avançados na conceitualização. As que não aprenderam, no curso do mesmo tempo, se situam nos níveis iniciais de conceitualização.
- Não se observam saltos bruscos na aprendizagem. Todos os sujeitos progridem seguindo os passos na conceitualização que descrevemos na criança pré-escolar.

Psicogênese da Língua Escrita **257**

- Pareceria que o ensino sistemático, tal qual existe atualmente, dirige-se exclusivamente àquelas crianças que já percorreram um longo caminho antes de entrarem na escola.
- Não se encontraram diferenças muito marcantes nas respostas das crianças escolarizadas com relação aos pré-escolares.

Recordemos que os dados aqui apresentados sobre as crianças em curso de escolarização foram recolhidos por nós antes de realizar as investigações sobre as crianças pré-escolares. Nossas técnicas não eram, então, suficientemente definitivas como para permitir-nos observar o detalhe desta evolução. Estudos posteriores permitir-nos-ão voltar a estudar o desenvolvimento das conceitualizações sobre a escrita em crianças de primeiro ano; porém, de uma maneira nova, graças ao que aprendemos com as crianças pré-escolares.

Ainda persiste um problema importante, que somente estudos do tipo longitudinal poderão resolver: a partir de um mesmo nível inicial, vemos os sujeitos do grupo I avançar muito lentamente e os do grupo II mais rapidamente. Vemos também que os avanços na escrita coincidem com um progresso operatório (falamos explicitamente de coincidência e não de relação causal). Os problemas de ritmo de desenvolvimento estão vinculados, mas são diferentes, dos problemas de sequência de níveis ou de etapas no desenvolvimento. *Nossa análise está centrada na sucessão de etapa.* Neste sentido, os resultados que apresentamos são surpreendentes, porque indicam *uma progressão regular, com ou sem intervenção escolar.* Mais ainda, com uma intervenção escolar que tenta fazer o sujeito entrar de imediato no sistema alfabético de escrita, vemos as crianças avançarem através de uma série de etapas não previstas sem pelo método nem pelo docente.

NOTAS

1. Em todo o Iivro, conservamos os nomes originais das crianças; porém, mudamos os sobrenomes em outros de igual número de sílabas para conservar o anonimato. Os nomes precisam ser conservados para poder apresentar de maneira fidedigna os dados sobre escrita do nome próprio.
2. Para não complicar o texto com uma transcrição fonética, *s, m, t,* etc. representam o som das letras correspondentes.
3. É necessário advertir que os sujeitos estacionários no nível INT tinham feito progressos no interior deste nível. Na análise detalhada tínhamos diferenciado o nível INT em: INT –, INT e INT +.

CAPÍTULO 7

Leitura, Dialeto e Ideologia

É um lugar comum insistir em que se deve corrigir a pronúncia dos alunos para evitar dificuldades na aprendizagem da leitura e da escrita. Neste Capítulo, sustentaremos uma tese contrária: a suposta "pronúncia correta" ignora as variantes dialetais, impõe a norma da fala da classe dominante (a norma real ou idealizada) e, ao fazê-lo, introduz um conteúdo ideológico do próprio início da aprendizagem da leitura.

Muitas vezes, se destacou o conteúdo ideológico dos livros de leitura, livros que raras vezes falam do operário e demasiado amiúde da família de classe média, uma família na qual a mãe regularmente borda, tricota e prepara a comida, enquanto que o pai lê o jornal; uma família que vive numa casa onde tem pelo menos dois quartos e uma sala, sem contar banheiro e cozinha; uma família que as ilustrações apresentam bem vestida e penteada, de pele branca e de cabelos claros. Em resumo, uma família que não tem nada que ver com as condições reais de vida da maioria da população da América Latina. Uma criança ideal de classe média elevada à categoria de modelo de identificação para as crianças do continente.

Os docentes do ensino fundamental (na sua maioria mulheres) raramente são conscientes das incongruências nas quais caem ao transmitir "clichês" ideológicos da burguesia. Grassam duas anedotas a título de exemplo. Uma professora de primeiro ano de uma escola da periferia da capital argentina está em seu sexto

260 Ferreiro & Teberosky

mês de gravidez; ensinando a famosa série *mamá, papá, nene, nena* (mamãe, papai, menino, menina), não hesita em formular à sua classe a pergunta "quem é que trabalha na família?", esperando, naturalmente, que a resposta seja "o papai". Então, o que é que ela, professora e futura mãe, está fazendo? Não é acaso um trabalho? Por que a mãe deverá sempre "ocupar-se das tarefas domésticas", andar sempre atarefada de um lado para o outro, enquanto na escola outra mulher ensina a seus filhos que as mulheres não trabalham?

Outra professora de uma escola semelhante dá uma lição sobre "as partes da casa". Na aparência, uma lição para enriquecer o vocabulário: cozinha, quarto, sala, banheiro. Porém, essa lição está dirigida a crianças que, na sua maioria, vivem em favelas, em casas de construção precária, onde uma só dependência cumpre com todas as funções. Então, na realidade, trata-se de uma lição bem diferente: está ensinando a essas crianças que o que elas têm não é realmente uma casa; pensavam tê-la – casa, enfim, ainda que diferente das outras – porém, na escola aprenderão que não é assim.

Os conteúdos ideológicos da classe social dominante não somente se transmitem nas lições de história ou geografia; não somente se deslizam nas páginas dos livros de leitura. Inclusive na transmissão das noções aparentemente "neutras", nos ramos aparentemente menos "ideologizados" do ensino, como a apresentação do código alfabético, a ideologia faz sua aparição. Vamos ilustrar isto com o caso do "ele" duplo em espanhol, isto, a letra *ll*. Está letra é a representação ortográfica de sons bem diferentes nas distintas regiões da comunidade de fala espanhola. Um fenômeno muito importante de grande extensão geográfica é o que se conhece com o nome de *yeísmo*. Consiste no seguinte: perda da pronúncia própria de *ll* (foneticamente, uma consoante lateral dorsopalatal) e assimilado da pronúncia do *y* (cf. Malmberg, adaptação de Bès, 1977, p. 53-54).

A articulação dominante na Espanha e na América para *ll* e *y* é, tecnicamente, uma fricativa dorsopalatal sonora, com som semelhante ao do inglês *"yes"* ou ao francês *"piller"*. Porém "na zona do Rio da Prata e adjacências, especialmente nas cidades de Buenos Aires, Rosario e Montevideo *y* e *ll* se pronunciam com um só som vibrante, semelhante ao sonoro francês *"lambe"*, caracterizado por uma articulação anterior (pré-palatal ou alveolar) e pela vibração dos órgãos que o articulam" (Malmberg, pp. 59-60).

O importante não é aqui, para nossos fins, a descrição fonética do fenômeno, mas que, de fato, estamos frente a um caso de dois grafemas (*ll* e *y*) que representam um único fonema. (Isto deixando de lado os casos em que *y* representa a vogal *i*, como em *"hoy"*, (*hoje*) *"ley"*, (lei), etc.)

Na prática escolar argentina, cruzam-se dois fenômenos: por um lado, a tendência a apresentar o sistema alfabético como um sistema em que a cada grafismo corresponde um só som; por outro lado, o fato de que na cidade de Buenos Aires se considera a distancio entre *ll* e *y* como sinal de correção. Estes dois fenômenos conjugados levam os docentes a introduzir a letra *ll* com seu valor sonoro tradicional (ainda que já muito pouco real), com o qual cumprem com um duplo objetivo: evitar uma nova exceção às regras e introduzir, ao mesmo tempo, as crianças "no bem falar", "a boa pronúncia". A tentação do *ll* é muito grande. Visto que sabemos como deveria ser pronunciado, por que não ensinar o som correspondente?

O problema é que "o som correspondente" não corresponde a nenhum som real nem da fala do docente nem das crianças. Suponhamos que o docente seja de origem rio-platense, mas que ensine numa escola próxima a uma favela. Na Argentina não existe, oficialmente falando, nenhum problema linguístico. Entretanto, esse docente se encontrará com uma grande variedade linguística na aula, já que as crianças de uma favela vêm de diferentes procedências do interior do país, ou de países limítrofes como Paraguai e Bolívia. Qual é a norma de pronúncia que este docente pode adotar?

A situação que expomos nada tem de irreal. Das 28 crianças que interrogamos em nosso primeiro trabalho de investigação numa escola desse tipo, somente seis vinham de famílias oriundas daquela zona. Dez províncias argentinas (Salta, Entre Ríos, Corrientes, Mendoza, Córdoba, Santiago del Estero, Tucumán, Chaco, Misiones e Santa Fe) e dois países limítrofes (Chile e Bolívia) constituíam os lugares de origem das famílias restantes. Com uma menina desse grupo, Laura, nascida em Entre Ríos, de pai tucumano, temos até o final do seu primeiro ano escolar o diálogo que se segue. Laura tem então 7 anos, e a professora introduziu as letras *k*, *ll* e *ñ**[*], utilizando palavras geradoras como *"kinoto"*, *"muñeco"* e *"bonito"* (laranjinha, boneco e pintinho, respectivamente). (Na transcrição do diálogo utilizaremos *ll* para a pronúncia tradicional desta letra, *y* para a pronúncia rio-platense e *i* quando corresponda a um som vocálico.)[**] [***]

Conheces esta letra? (y)	O *i*. Quando está só é um *i* . Quando está acompanhado também... E também tem outro *i* de outro tipo.
(Escreve *poyo*) *O* que diz aqui? (poll(y)o = frango)	...Não sei o que diz aí... *u..,po-i-po*. Não sei.
(Escreve *yo* (eu)) Assim sabes ler?	Também não, porque nós... Só quando botam no título, viu? Se botam sozinha, e também quando está num ditado, também está só. No ditado também.
(Escreve *ya* (já) E assim entendes?	Aí também não.
(Escreve *pollo*) E isso?	*Pollo* diz (pronunciando enfaticamente o *ll*). Sim, porque a nós também nos ensinaram *lluvia* (chuva). Não se diz *yuvia*, se diz *lluvia*.
Ah, não se diz *yuvia?!*	Não, a senhorita nos ensinou que se diz *lluvia*.

---

[*]N. de T. O ñ é o equivalente do *nh* no português.

[**]N. de T. Estes dados foram apresentados inicialmente por E. Ferreiro (1975).

[***]N. de R.T. A pronúncia rio-platense do *ll* equivale à do *j* em português, e a pronúncia tradicional equivale a *lh*.

E quando vais ao açougue, o que pedes, *poyo* ou um *pollo*?

Poyo! Isso se diz *poyo*, mas... *lluvia se diz lluvia.*

E aqui o que dizia (*pollo*)?

Aí diz... *pollo* (pronunciando de modo marcante o *ll*, muito segura e com ênfase).

Como se diz: *pollo* ou *poyo*?
E como se escreve?
POYO!

Poyo, se diz.
Como se escreve o quê?
Poyo, não sei como se escreve... (em tom baixo, duvidando). Ler, nós sabemos, mas algumas letras...
Pollo.

Isto o que é (*pollo*)?
E *pollo* o que é?

Pollo? Pollo é... é um animal. Também se pode dizer *pollo, pollo e poyo.*

Podem-se dizer as duas coisas...

Sim, porque o animal é a mesma palavra e é o mesmo animal.

É o mesmo animal? Tem dois nomes?

Dois nomes não tem. Tem *poyo e po...* Bom, tem dois nomes. Só se pode dizer disso qualquer nome, mas dois nomes não tem.

É poyo ou pollo.. E quando escrevo, o que tenho que pôr: *poyo* ou *pollo*?
Qualquer dos dois. Mas *yuvia e lluviá*, como é?
E yuvia não se diz?

Qualquer coisa!

Llu, lluvia unicamente, *lluvia.*
Não; tem dois nomes, mas não se pode dizer *yuvia.* Senão, a palavra está de pernas pro ar.

Como é isso?

A palavra de pernas pro ar? Se não diz *lluvia*, então não se, pode escrever! Porque somente se diz *lluvia.*

Se não se diz *lluvia* não se pode escrever...

Sim, também se pode escrever *yuvia* mas se diz *lluvia.* A senhorita nos disse assim.

Quando cai muita água, como dizes?

Ai, como está!...

Porém, no açougue vai pedir um *poyo*.

Se diz *poyo*, não *pollo*...

Algumas pessoas de outros lugares dizem *pollo*, não? Mas nós aqui dizemos *poyo*.

Onde vive tua madrinha?

E por que falam diferente aí?

Claro. Em cada povoado falam de uma maneira um pouco diferente.

Nasceste em Entre Ríos, não?

E em Entre Ríos como falam?

Quem fala como argentino?

Ai, como cai muita *lluvia!* (tom bastante forçado. Laura percebe a artificialidade da expressão e logo se justifica). bom, mas assim se fala, não se diz assim, de outra forma... A senhorita nos disse assim, não tem que dizer de outra forma...

Sim, *poyo*, não *pollo*. Um *poyo*. Não se diz *pollo*.
Sim, mas também se pode dizer. (Subentendido: se pode dizer *pollo*).

Poyo, sim. Por exemplo, por aí onde vive minha madrinha é uma *viya** (vila), e aí todos falam de outra forma.
Viu onde está o hospital? Bom, é por aí, para dentro, e... tem tudo *cayes** (ruas) de terra, está todo o lixo atrás.
Não sei, é gente de outra parte, de outro povoado.

Porque aos italianos, nós não podemos entender. Porque tem uma menina que é amiga minha, que tem os pais italianos e cada vez que a chamam, não sei como eles vão dizer!
Não, eu não. Eu nasci aqui na Argentina.
Em Entre Ríos?... Falam um pouco igual a nos, mas não falam... bem, como argentinos.
Nós que somos argentinos. Eu, por exemplo; meu papai... Não, meu papai, não. Meu papai é tucumano, mas fala como argentino... Não sei... Ele é tucumano...

---

*N. de T. Grafia correta "villa" e "cailes".

E se falasse como tucumano, estaria errado?	Igual fala como tucumano, mas fala como argentino. Sabe falar. Mas ele às vezes me chama. E não sei como dirá...! Me chama Laura, mas diz de outra forma. Me fala em tucumano.
Mas é como *pollo* e *poyo*...	Sim, e em Tucumán se diz *poio*... (Fica perplexa com o que acaba de descobrir.)
E como fica melhor: *poio* ou *poyo?*	*Poyo*... (em voz muito baixa: reflete e logo prossegue, com convicção). Sim, porém, têm outros países que falam de outra forma e têm que dizer como ele dizem. Não vão começar a falar... como se fosse errado. Nós não vamos ter que ensinar a eles, não. A eles ensinam como sabem.

O exemplo é bastante eloquente. A capacidade de raciocinar de Laura e de tomar consciência das diferenças de dialeto que conhece é realmente notável. Não menos notável é o desconhecimento escolar desse mesmo problema: sob as ingênuas aparências de ensinar "uma letra mais", se está introduzindo uma discriminação ideológica entre "bons" e "maus" dialetos, entre formas "cultas" ou "incultas" de fala. Aos atos efetivos de comunicação se sobreimpõe uma fala regida por uma normatividade alheia aos usuários da linguagem: na escola aprendemos que se deve falar com *ll*. De outro modo, como poderíamos escrever *ll* se não o pronunciamos? Precisamente, este é o nó do problema: a pretensão absurda de que cada grafismo corresponda univocamente a um som conduz, inevitavelmente, a um problema sem solução aparente, inconsistente sob o ponto de vista linguístico, insustentável sob o ponto de vista ideológico, contraditório sob o ponto de vista didático, e perigosamente carregado de conotações dependentes a partir do ponto de vista ideológico. Analisemos esses problemas através de Laura.

Sem possuir nenhum dos termos técnicos que lhe permitiriam precisar seu pensamento, Laura consegue expressar todas as distinções pertinentes: diz que não é correto considerar *pollo* e *poyo* como dois nomes diferentes, mas como duas mas como duas maneiras diferentes de pronunciar o mesmo nome, como duas variantes admissíveis de articular o mesmo significante compartilhado; mostra-nos a dificuldade que qualquer falante tem para adotar imitativamente o dialeto de outro ("não sei como dirá", referindo-se claramente a um modo de pronunciar irreproduzível); nos faz perceber claramente o conflito entre a pauta escolar aprendida como "pauta culta", que permite aceder à língua escrita ("se não se diz *lluvia*, então não se pode escrever"), e a identificação de formas diferentes da fala – a de seu próprio pai – reconhecidas como diferentes das do docente, duplamente inferiores por não serem nem as da escola nem as da capital do país.

(O problema da distinção entre os "argentinos" e os "entrerrianos" ou "tucumanos é diferente, que não é próprio de Laura, mas de qualquer criança dessa idade. O problema do reconhecimento da dupla pertinência – à província de origem e ao país – exige o manejo das relações lógicas de inclusão de classes: se A é um subconjunto de B, então todos os *a* são também *b*, sem deixar de ser *a*. Isto não é uma evidência lógica senão por volta dos 8 ou 9 anos.)

Finalmente, Laura termina numa expressão de respeito pelas variantes dialetais da língua, que seria maravilhosa se os docentes a compartilhassem: "Sim, mas têm outros países (compreendamos que para Laura país é sinônimo de outras regiões, outros lugares) que falam de outra forma e eles têm que dizer assim como eles dizem. Não vão começar a falar... como se fosse que está mal. Nós não vamos ter que ensinar a eles, não. A eles ensinam como sabem".

A clara percepção de Laura das diferenças evidenciada pelas pronúncias *y/ll* foi percebida também por outras crianças. Uma delas nos explicou que a diferença entre as pronúncias de *"pollo"* e *"poyo"* é a seguinte: *"pollo* é o animal vivo; *poyo* é o morto". E outra nos explicou que "cayes (ruas) são as de terra, e *calles* as de asfalto". A transmissão ideológica foi eficaz; ela chegou ao receptor; a criança compreendeu que a diferença de pronúncia vai ligada a uma valoração diferente: o vivo contra o morto, o asfalto da cidade contra a terra do campo e do subúrbio.

O problema está longe de se restringir ao *ll*. O espanhol passa por ser um exemplo claro de escrita de acordo com os princípios alfabéticos e, entretanto, quando levamos em conta a variedade da comunidade de fala espanhola, as arbitrariedades ortográficas aparecem. Duas palavras bem diferentes em escrita como *cesto* (cesto) *e sexto* (sexto) são idênticas a nível oral para um rio-platense; na mesma região, o *s* do plural, ainda que se escreva regularmente, é quase inaudível ao nível oral assim como o *s* em certos grupos consonânticos ("fó[s]foro[sl", "re[s]frio" (resfriado) ou "a[s]falto", etc.).

Um problema interessante é a ação inversa que a escrita exerce com respeito às ideias que o falante forja de sua própria pronúncia. De tanto escrever *"hueso"* (osso) desta maneira, estamos convencidos de assim pronunciar, ainda que, na realidade, digamos "güeso"; escrevemos *"agujero"* (buraco), mas dizemos *"aujero"* escrevemos *"obscuro"* (obscuro) mas dizemos *"oscuro"*. E assim por diante.

Será necessário, então, introduzir uma reforma ortográfica para adaptar o espanhol escrito às distintas pronúncias locais? Tarefa impossível e nefasta por suas consequências. De supor que fosse possível. Impossível, porque em uma mesma zona geográfica – por razões de mobilidade geográfica e social – coexistem variantes da fala. Impossível, além disso, pois, supondo que se encontrasse uma comunidade linguística suficientemente homogênea para fazê-lo, subsistiria o problema dos desajustes entre o ritmo de evolução da língua falada e da língua escrita (a correspondência ortográfica encontrada hoje não será válida alguns anos depois, e é inimaginável – pelos custos materiais e sociais da empresa – proceder a uma reforma ortográfica a curtos intervalos de tempo).

Porém, ainda mais, tal ideia – supondo que fosse realizável – seria nefasta por suas consequências, já que dificultaria enormemente a comunicação por escrito entre os membros da comunidade de fala espanhola. A homogeneidade da escrita, apesar das marcantes diferenças na fala, cumpre uma função social nada desprezível, permitindo a comunicação por escrito entre falantes de diferentes variedades de uma mesma linguagem. Um mesmo texto escrito é lido com pronúncias diferentes em Buenos Aires, no México, em Madrid; porém, entendido de maneira similar. *O importante é que compreendamos o significado da mensagem transmitida por escrito, ainda que cada leitor dessa mensagem tenha sua maneira particular de traduzi-la em sinais sonoros, de torná-la oral.*

Torna-se relativamente fácil ser tolerante quando se trata de diferenças de pronúncia entre nações diferentes. No entanto, a intolerância reaparece quando se trata de diferenças internas de um mesmo país. Na fala campesina se dirá *juimos ao pueblo* (fomos ao povoado), tanto como *"hicimos juego"* (fizemos fogo). É preciso que essas crianças ou esses adultos modifiquem sua forma de falar e aprendam a dizer *"fuego" e "fuimos"* para aprender a escrever? Ou o importante é que se compreenda o mesmo, frente à mesma palavra escrita (tanto como compreendemos o mesmo apesar das variantes de pronúncia), ainda que se a leia – em voz alta – de maneira diferente?

Assinalemos que estamos falando aqui de variantes dialetais, e não de defeitos individuais da fala ou de formas infantis de pronúncia. Um dialeto é uma variante *adulta* da fala, própria de um grupo social.

Provavelmente, a maioria dos docentes ficaria desgostosa se lhes fosse dito que falam um dialeto do espanhol (ou do castelhano, como preferirem). Sentir-se-iam incomodados, porque o termo *dialeto* tem, no uso social, uma conotação pejorativa: em termos sociolinguísticos, uma língua tem mais prestígio do que um dialeto, já que "dialeto é um termo que sugere fala informal, ou de classe baixa, ou rural" e, no uso corrente, "o dialeto é visto como estando fora da língua, como não sendo língua correta". Enquanto norma social, "um dialeto é uma língua que está excluída da sociedade culta" (Haugen, 1972).

Entretanto, em termos linguísticos, uma língua não é senão "o meio de comunicação entre falantes de dialetos diferentes, dentro de uma mesma família linguística" (Haugen) e, em rigor da verdade, todos falamos uma variedade dialetal de certa língua. Deve ficar claro que o reconhecimento dos dialetos não envolve a ausência de normatividade: para que exista um dialeto, deve existir uma norma linguística compartilhada por um grupo social. Não há, pois, uma oposição entre uma norma linguística por um lado (o dialeto prestigioso, identificado coma língua) e modos de fala desviantes, por outro (os outros dialetos). A disjuntiva não está representada pela oposição entre ausência de normatividade e existência de normatividade. O problema é saber quem decide, e em nome de quem, qual será a variedade dialetal que receberá o maior número de pontos em termos de prestígio social. Neste sentido; a história, desde a antiguidade clássica até nossos dias, é clara e inequívoca: o que foi identificado como língua, em termos nacionais, é regularmente o modo de falar da classe dominante do centro político do país (geralmente, a capital). Assim foi como a fala de Atenas passou a

Psicogênese da Língua Escrita **267**

definir o grego, a da região de Paris converteu-se no francês, a de Castilla se converteu no espanhol, etc.

A história das linguagens é uma história política, e a da distinção língua/dialeto é uma história das vicissitudes da dominação interna. Por isso, a definição de Max Weinreich é extremamente correta, ainda que pareça um sarcasmo: "uma língua é um dialeto com um exército e uma armada" (Kavanagh e Mattingly, 1972, p. 128).

O problema das diferenças dialetais e sua pertinência para a aprendizagem da leitura e da escrita está longe de ser privativo da América Latina. É talvez nos Estados Unidos, onde aconteceu um debate apaixonado – debate ainda não resolvido porque a diferença entre o dialeto dos americanos de origem negra e o dos americanos de origem branca envolve não somente diferenças marcantes de pronúncia, mas também diferenças sintáticas importantes. O *"black English"* é chamado também *"non-standard negro English"* (NNE) por oposição ao dialeto *standard* ou *"standard English"* (SE). Vejamos algumas construções em paralelo para dar uma ideia (exemplos tomados de diferentes textos de J. Baratz e W. Lablov):

SE: He *runs* home	NNE: He *run* home
She *has* a car	She *have* a car
He *is going*	*He goin'*
I don't *have any*	I don't *got none*
I asked if he did it	*I ask did he do* it.

É evidente que as diferenças são importantes: em NNE não se acrescenta a marcas à terceira pessoa do singular; o verbo de ligação não se realiza; admite-se a dupla negação, etc., etc. Estas diferenças foram consideradas durante longo tempo como formas erradas de falar, como desvios da norma e não como normas com direito próprio. Depois de uma série de trabalhos linguísticos extremamente sérios entre os quais os de W. Labov merecem ser citados especialmente – já não é possível sustentar essa opinião. Esses trabalhos demonstraram que o *"black English"* não é um dialeto inferior, mas um dialeto diferente do *"white English"* O título de um dos trabalhos mais citados de W. Labov é "A Lógica do Inglês Não *Standard"* ("The *logic of nonstandard English"*, 1969), título que constitui, de per si, uma definição.

Estudando a linguagem dos negros americanos e demonstrando linguisticamente sua estrutura interna, Labov é bem consciente de não estar realizando uma tarefa puramente acadêmica. A ideia de que a linguagem das crianças negras é tão "deficitária" que constitui a causa dos fracassos escolares tinha feito múltiplos adeptos entre psicólogos educacionais sem nenhuma formação linguística. Os programas de Bereiter e Englemann de educação pré-escolar compensatória (na metade da década de 60) são o melhor exemplo: ali se estabelece que é preciso ensinar essas crianças a falar, porque o que elas aprenderam em seus lares "carentes" não é nem sequer uma linguagem. Labov o diz claramente: "o mito do *déficit* verbal é particularmente perigoso, porque desvia a atenção dos

268 Ferreiro & Teberosky

defeitos reais de nosso sistema educativo e a dirige aos defeitos imaginários da criança".

Agora, uma vez aceito que o dialeto dos negros americanos é uma forma de falar com direito próprio, o problema reverte: o que fazer com esse dialeto no ensino da leitura? Três posições surgem (W. Wolfran, 1970):

a) Preparar livros especiais de iniciação à leitura, escritos no dialeto negro.
b) Revisar os livros existentes para neutralizar as diferenças dialetais, evitando todas aquelas construções nas quais não há coincidência; porém, sem introduzir nenhuma construção própria ao dialeto negro.
c) Utilizar os materiais habituais, mas permitir à criança que, ao ler em voz alta, os "traduza" a seu próprio dialeto.

A primeira alternativa deu lugar quando foi ensaiada, a uma decidida oposição (e previsível) por parte de pais ou de líderes locais que consideraram que se trata de uma nova forma de discriminação. A segunda alternativa tem inconvenientes sérios: a quantidade de construções sintáticas que devem ser evitadas é considerável (por exemplo, todas as construções nas quais o sujeito da oração esteja na terceira pessoa do singular); além disso, esta alternativa se concentra exclusivamente nas diferenças gramaticais, já que as diferenças de pronúncia abarcam a maioria das palavras do inglês.

A terceira alternativa é a mais inovadora. K. Goodman, um de seus mais explícitos defensores, a enuncia assim (1969): "Não faz falta construir nenhum material especial senão permitir, mais ainda, estimular as crianças a ler da maneira que elas falam".

A objeção mais imediata a esta alternativa seria esta: como pode alguém ler num dialeto o que está escrito em outro dialeto? Porém, a objeção se dilui de imediato com outra pergunta: o inglês escrito é a transcrição de qual inglês? O inglês da Inglaterra ou o dos Estados Unidos ("dois países separados pela mesma língua", segundo a feliz expressão de B. Shaw)? O espanhol escrito é a transcrição de qual forma de falar? Acaso não somos capazes de ler e entender em todo o território latino-americano os mesmos jornais, os mesmos livros, sem necessidade de intérprete nem tradutor? Mas então, qual é a língua falada que a língua escrita transcreve?

Neste ponto, a contribuição de dois linguistas contemporâneos, Noam Chomsky e M. Halle, permite aproximar-se de um esclarecimento da discussão. Em *"The sound pattern of English"* (1968), estes autores sustentam que a ortografia inglesa, considerada habitualmente como muito irregular (por separar-se amiúde das correspondências fonema-grafema) é, na realidade, muito regular. Regular, não com respeito à forma fonética superficial (isto é, forma aparente, observável), mas com respeito a um nível mais abstrato de representação lexical. Há palavras próximas em significação que diferem em pronuncia, como é o caso de *"nation/nationality"*, *"medicate/medicine"*, *"resident/residential"*, etc. Muitas dessas mudanças de pronúncia são regulares, tanto como os deslocamentos de acento (caso de *"telegraph/telegraphic/telegraphy"*, por exemplo). Uma representação fonética dificultaria a indicação da similitude de significado que existe entre essas palavras constituídas por um mesmo lexema com um mesmo significado. Assim, *"nation"* e *"national"* são palavras distintas ao nível da realização efetiva; porém, pode sustentar-se que, em nível da representação lexical, contêm diferentes formas de um mesmo lexema, a que corresponde um mesmo significado (contrariamente a pares próximos na realização, mas muito diferentes a nível lexical, como *"nation/notion"* ou, em espanhol, *"contaba "* (contava) e *"cantaba –* (cantava).

Carol Chomsky, comentando as implicações pedagógicas desses desenvolvimentos, em fonologia (1970), sustenta que a ortografia do inglês é uma ajuda ao leitor, visto que as palavras que contêm um mesmo lexema são também muito similares na escrita. Isto seria uma ajuda para o leitor, já que lhe permite aceder mais diretamente ao nível significativo do texto sem perder-se em detalhes superficiais e irrelevantes para a compreensão. De maneira análoga, uma mesma escrita poderia adaptar-se a todos os dialetos. E se recordamos (coisa que amiúde se esquece) que a criança *já sabe* como pronunciar as palavras quando aprende a ler, o problema é reconhecer a palavra para poder pronunciá-la, e não produzir um som aproximado por decifrado para encontrar em seguida a significação.

Este último ponto leva-nos a uma discussão sobre a definição de leitura, que faremos na conclusão deste livro (Capítulo 8, parte 2). Basta aqui mostrar que, então, a resposta à pergunta anterior (qual é a variante dialetal que o espanhol escrito transcreve?) não é óbvia nem imediata. Inspirando-nos parcialmente em Chomsky e Halle poderíamos esboçar a seguinte resposta: a escrita não deve ser, necessariamente nem habitualmente, uma transcrição fonética da fala; os sinais escritos podem corresponder a formas fônicas que não coincidem inteiramente com os sons efetivos; porém, se as similitudes semânticas que correspondem à existência de um mesmo lexema em palavras diferentes estão refletidas nas similitudes da escrita, o sistema de escrita em questão pode adaptar-se com facilidade às variantes dialetais de pronúncia. Em consequência, nenhuma delas é elevada à classe de "pronúncia correta para aprender a ler".

(Observe-se, de passagem, que esta interpretação de Chomsky e Halle aproxima o sistema de escrita inglesa, em certos aspectos, à escrita ideográfica. Os componentes ideográficos da escrita do francês já foram mostrados por vários autores. Por exemplo, C. Blanche-Beneviste e A. Chervel (1974) analisam muitos casos em que o francês escrito estabelece uma diferença visual ali onde há indiferenciação auditiva: pense-se, por exemplo, nas séries *"pin, pain, peint"*, *"vain, vint, vingt, vainc, vin"*, *"tan, tant, temes, tend"*, etc. De tudo isso, resulta que a diferença entre sistemas alfabéticos de escrita e de sistemas ideográficos é menos taxativa do que parece à primeira vista: não somente porque os sistemas alfabéticos introduzem princípios ideográficos, mas também porque as escritas ideográficas fazem, amiúde, uso de caracteres com valor fonético. Para uma discussão técnica da noção de "representação ortográfica ótima", citamos E. Klima, *"How alphabets might reflect language"* (1972).

Voltemos à proposição de Goodman: não faz falta mudar os materiais, mas sim permitir às crianças lerem da maneira que falam. De nada serve mudar somente os materiais quando o que tem que mudar é a concepção do processo. Não é por nada que essa alternativa foi a menos explorada. Ela vai ao mesmo tempo contra os preconceitos linguísticos (ao sustentar que não há "maus" dialetos) e contras as concepções tradicionais da abordagem da leitura pela via do decifrado. (Incidentalmente, também vai contra a indústria vinculada ao ensino, sempre disposta a produzir novos testes, novos materiais, novos manuais ...) A menos explorada, apesar de que já existem indicações, na literatura, de sua viabilidade. Essas indicações são, por exemplo, casos de crianças negras que aprenderam a ler sozinhas na idade pré-escolar (também aí os há!) e que leem em *black English* um texto escrito, não em inglês "branco", mas, simplesmente, em inglês (cf. Smith, 1973).

A escola deverá, então, renunciar a corrigir a pronúncia de seus alunos? Como é um ponto crítico, é preciso responder com precisão.

1) Já indicamos que não há que confundir variante dialetal com pronúncia defeituosa; uma coisa é a persistência de formas de fala "infantilizadas" ou de pronúncias idiossincráticas, e outra muito diferente é o modo de pronunciar ou de construção própria de um dialeto. O rechaço linguístico é um dos mais profundos e provavelmente um dos rechaços com maiores consequências afetivas. Não se muda o modo de falar pela vontade. Quando se rejeita o dialeto materno de uma criança, rejeita-se a mesma por inteiro, a ela e com toda a sua família, com seu grupo social de pertinência.

2) É impraticável, como objetivo escolar, propor-se homogeinizar a fala em função da escrita. Cada vez que a escola se propõe a frear o desenvolvimento da linguagem em função de uma suposta missão de salvaguardar os valores culturais, brinca de perdedor. Porque a linguagem é um instrumento vivo de intercâmbios sociais e segue sua evolução fora da escola. A escola pode, isso sim, ajudar a conservar uma língua frente a outras línguas concorrentes (situação típica de escolas de fronteira, ou de escolas de grupos nacionais minoritários dentro de outra comunidade nacional). A escola pode, isso sim, perpetuar certas variantes estilísticas, independentemente de sua função comunicativa. A escola pode assumir a distinção entre "fala culta" e "fala inculta" (ou "popular"), estigmatizando dialetos e fazendo sua a hierarquia estabelecido pelas classes dominantes dentro da sociedade. Porém, não pode frear o desenvolvimento da comunidade linguística na qual está inserida. Durante anos, a escola argentina lutou contra o "voseo" a favor do "tuteo" *,

---

*N. de T. "Vos" é o modo mais familiar e popular do trato, equivalente ao *você* paulista ou carioca, sendo o "tu" um modo mais formal e clássico do idioma espanhol.

obrigando os docentes a utilizarem com os alunos – e estes com o docente – uma pauta linguística concebida como "correta" (o "tu eres" em lugar de "vos sos"). Funcionou como parte dos rituais escolares, como uma barreira a mais na sempre difícil comunicação entre docentes e alunos. Porém, não modificou no menor aspecto a pauta linguística da capital argentina.

3) Finalmente, pode ocorrer que a política educacional decida pela conveniência de permitir a todas as crianças o acesso a um modo de falar que facilite a inserção social futura. (Por exemplo, um negro americano tem fechadas muitas possibilidades de ascenção social e profissional, simplesmente por ser negro, mas as terá ainda mais fechadas se nem sequer souber falar como um branco.) Não cabe aqui discutir se tal coisa é justificável. Sim, sabemos que é factível. Nesse caso, trata-se de ensinar outra forma de falar. E as formas de falar se aprendem – sobretudo quando se é criança – em contextos de fala, em situações comunicativas. Ensinemos, se julgarmos necessário, a falar outros dialetos. Porém, não ponhamos isso como um pré-requisito para aprender a ler, porque, então estaremos, estabelecendo uma relação causal que dista muito de estar validada e, além disso, estaremos pondo um duplo freio na aprendizagem: à aprendizagem da leitura, porque obrigamos o futuro leitor a mudar de dialeto para poder alcançar a língua escrita; e à aprendizagem de novo dialeto, porque o apresentamos fora de todo intercâmbio comunicativo real.

CAPÍTULO 8
Conclusões

Guiados pela hipótese de que todos os conhecimentos supõem uma gênese, preocupamo-nos em averiguar quais são as formas iniciais de conhecimento da língua escrita e os processos de conceitualização resultantes de mecanismos dinâmicos de confrontação entre as ideias próprias do sujeito, de um lado, e entre as ideias do sujeito e a realidade do objeto de conhecimento, de outro. A questão central que se nos colocou foi, então, conhecer como as crianças chegam a ser "leitores" – no sentido psicogenético – antes de sê-lo – no sentido das formas terminais do processo. Os problemas colocados concernem tanto à natureza do objeto escrita como aos processos de apropriação do objeto, por parte da criança.

Temos a esperança de que os dados aqui apresentados tragam novos elementos à teoria psicogenética do conhecimento e que alguns dos resultados encontrados ajudem a reestabelecer a prática pedagógica do ensino da leitura e da escrita.

Resta-nos, na forma de um resumo geral, tentar um esboço da evolução da escrita e da leitura de 4 a 6 anos, fazendo uma lista dos problemas que a criança se coloca e dos modos possíveis de resolvê-los.

1 - OS PROBLEMAS QUE A CRIANÇA SE COLOCA

Aos 4 anos – para a maioria das crianças – há um primeiro problema já resolvido: a escrita é, não somente um traço ou marca, mas também um objeto substituto, uma representação de algo externo à escrita como tal. (A gênese da escrita enquanto objeto substituto será possível de estabelecer, provavelmente, graças aos estudos longitudinais que estamos realizando atualmente, a partir dos 3 anos.) Ser um objeto substituto não significa que a escrita seja concebida, de imediato, como uma representação da linguagem e, menos ainda, dos aspectos formais da fala (os sons elementares ou fonemas). O primeiro problema a resolver é, então, compreender o que é que a escrita substitui, qual é o significado que lhe é atribuído. Quer dizer, o que é que a escrita representa e qual é a estrutura desse modo de representação. A essa mesma idade, o desenho aparece como uma das formas privilegiadas de representação gráfica. Desenho e escrita são substitutos materiais de algo evocado, manifestações da função semiótica mais geral e têm uma origem de representação gráfica comum. Entretanto, as relações entre ambos não podem ser reduzidas a uma simples confusão. Aos 4 anos, a maioria das crianças sabe quando o resultado de um traço gráfico é um desenho e quando pode ser denominado escrita. Tratando de compreender o que é que a escrita representa, a criança tenta estabelecer *as distinções entre desenho e escrita e, paralelamente, entre imagem e texto*. As soluções exploradas são, nesta ordem, as seguintes:

a) Quando se trata de interpretar o significado de um texto acompanhado de uma imagem, a escrita recebe a significação da imagem que o acompanha. Ambos são assimilados sob o ponto de vista do significado que lhes é outorgado. Com efeito, as imagens podem ser mais facilmente interpretadas por si mesmas; mas, como interpretar a escrita? O que a criança supõe, inicialmente, é que o significado de ambos é próximo, enquanto diferem as formas significantes. Portanto, há uma diferenciação a respeito dos significantes, mas se espera encontrar uma semelhança nos significados.

É evidente que a criança não compartilha conosco, os adultos, o conhecimento de que a escrita é "linguagem escrita". Isto é, não supõe que representa a linguagem ainda que se interprete como a expressão visual de significados diferenciados. É por isso que a criança passa da imagem ao texto e desde àquela, sem modificar a interpretação, porque ambos formam uma unidade e juntos expressam o sentido de uma mensagem gráfica.

Ao passar da interpretação de um texto à produção, encontramo-nos com o mesmo fato: a criança espera que a escrita – como representado próxima, ainda que diferente, do desenho – conserve algumas das propriedades do objeto a que substitui. Esta correspondência figurativa entre escrita e objeto referido é relativa, fundamentalmente, a aspectos quantificáveis daquilo que a escrita deve reter. Assim, aos objetos grandes corresponde uma escrita proporcional a seu tamanho.

Psicogênese da Língua Escrita **275**

E isso é assim, porque o signo que expressa um objeto não é, ainda, a escrita de uma forma sonora. A tendência a expressar a nível significante algumas das características do objeto representado é uma mostra da necessidade de assegurar a interpretação. Outro dos mecanismos próprios deste período consiste em fazer escritas na proximidade espacial do desenho, como que para garantir o significado. Esta necessidade de garantia pode levar, inclusive, a inserir a escrita dentro do desenho. Entretanto, os traços gráficos iniciais – que segundo a criança são escrita – se diferenciam dos desenhos, por um lado, e retêm os caracteres mais sobressalentes da escrita adulta que imitam, pelo outro. Porém, a diferença entre desenho e escrita não afeta somente a sua forma de execução. Apesar de certas dificuldades momentâneas, a criança de 4 anos é capaz também de distinguir as atividades de escrever e desenhar, porque o modo de remeter ao objeto próprio do desenho não é o mesmo que o da escrita. Temos dito, não obstante, que há uma assimilação na atribuição de significados. Esta assimilação deve entender-se no sentido de que, neste período, a escrita, assim como o desenho, expressa simbolicamente o conteúdo de uma mensagem e não seus elementos linguísticos.

b)   A primeira indicação explícita da distinção entre imagem e texto (e entre desenho e escrita) consiste em eliminar os artigos quando se trata de predizer o conteúdo do texto, enquanto que os artigos estão sempre presentes quando se faz referência à imagem. Este recurso de "apagar" o artigo é sistemático ao passar da imagem ao texto. Enquanto a imagem se identifica como sendo "uma bola", por exemplo, para o texto que a acompanha se reserva somente o nome: "bola". Este é um momento muito importante na evolução da escrita e *constitui o que temos denominado de "hipótese do nome"*. O texto retém somente um dos aspectos potencialmente representáveis, o nome do objeto (ou objetos) que aparece na imagem, e deixa de lado outros elementos que possam predicar-se dele.

Pensar que a escrita representa os "nomes" não é ainda concebê-la como a expressão gráfica da linguagem; porém, é um passo importante nessa direção. A escrita se constitui como registro de nomes que servem como identificação do objeto referido: espera-se encontrar no texto tantos nomes quantos objetos existam na imagem. Qualquer outra forma linguística fica excluída; o efetivamente escrito são somente os nomes. Leve-se em conta uma observação metodológica importante: enquanto a escrita não representa diretamente a linguagem para a criança deste nível, a interpretação do que realmente se concebe como escrito nem sempre corresponde com as realizações orais posteriores. *A distinção entre "o que está escrito "e "o que se pode ler"* é necessária e indica uma diferente conceitualização a respeito do que é concebido como efetivamente escrito ou como podendo se ler "a partir" do escrito.

A "hipótese do nome" é uma construção da criança, no sentido de elaboração interna, que não depende da presença de uma imagem. Com efeito, se o conteúdo de um texto sem imagem é desvendado por um adulto, também neste caso a criança espera que sejam os "nomes" os que apareçam representados na escrita. Esclareçamos que o lido e o escrito são sempre orações completas (na nossa situação experimental trata-se de verbos transitivos e sintagmas nominais simples), mas o que a criança concebe escrito são somente os nomes. Este tipo de conduta encontramos de maneira muito frequente – tanto na leitura com ou sem imagem, como na escrita espontânea. Para tratar de compreender a frequência deste tipo de respostas, podemos elaborar duas hipóteses: ou a criança pensa que somente os substantivos da oração estão representados, ou a escrita representa os objetos referidos. Pense-se que a diferença entre as duas interpretações não é banal porque aceitar a primeira é supor que a criança pode fazer um recorte na mensagem oral escutada e atribuir as partes isoladas à escrita – os substantivos. Já conforme a segunda interpretação, tudo ocorre como se a criança atribuísse à escrita o conteúdo referencial da mensagem escutada e não algumas partes da mensagem enquanto forma linguística. Esta particularidade da concepção infantil – que denominamos "hipótese do nome" – recebe, para nós, a segunda explicação, isto é, *a escrita é uma maneira particular de representar objetos. Maneira particular dizemos porque o escrito não é os elementos figurais do objeto, mas sim seu nome.* Agora, com os nomes escritos, pode "se ler" toda uma oração (novamente, é necessário diferenciar o escrito da interpretação oral posterior). E aqui a analogia com o desenho se impõe e consiste em pensar que, dados alguns elementos representados, podem-se "acrescentar" outros como componentes interpretativos. Daí a distância entre o desenhado e o que "quer dizer", paralela a "está escrito" e "se pode ler".

Até aqui, o modelo explicativo oferecido leva em consideração a intenção do sujeito de interpretar a escrita, ao mesmo tempo que seu esforço para diferenciá-la do desenho. Uma vez estabelecido esta distinção, a criança começa a atender a determinadas propriedades do texto em si mesmo.

c) É evidente que antes de realizar a distinção entre desenho e escrita a criança não podia dedicar-se a considerar as propriedades do texto. Porém, já vimos que, na necessidade de conservar uma atribuição, o sujeito colocava em correspondência certas propriedades quantificáveis do objeto referido com variações quantificáveis do significante substituto que o refere. São justamente as variações quantitativas (longitude, quantidade de linhas, quantidades de partes ou fragmentos numa mesma linha) as primeiras propriedades observadas no texto. O atribuir nomes de objetos grandes a trechos maiores não é mais do que o começo de uma consideração das propriedades do texto.

A consideração de propriedades qualitativas do texto (tipo e formas de letras) é muito posterior e geralmente aparece com possibilidades de conhecer modelos socialmente transmitidos, como pode ser a inicial do seu próprio nome ou do nome de outras pessoas. Agora, as propriedades qualitativas são levadas em conta somente a partir do momento em que se exige certa estabilidade significativa. É preciso haver ultrapassado minimamente a etapa na qual qualquer escrita serve para atribuir o significado desejado. Fica claro que, na tentativa de diferenciar texto de imagem, a criança descuida das características diferenciais do próprio texto: grafias-letras, grafias-números, grafias que acompanham as letras (sinais de pontuação, por exemplo) se parecem enquanto caracteres não representativos diferentes do desenho. Uma vez resolvida esta distinção, um novo problema surge: *levar em conta as características formais específicas do escrito*. As propriedades descobertas pela criança, como vimos, distam muito do esperado pelo adulto. A primeira delas se constitui em função de *exigir uma quantidade mínima de grafias para permitir um ato de leitura*. Segundo este critério, as grafias se classificam em: servem ou não servem "para ler". A quantidade mínima situa-se em torno de 3 grafias, porque "com poucas letras não se pode ler".

Que a legibilidade de um texto apareça associada a uma exigência de quantidade é uma hipótese construída pela criança, cujo caráter endógeno fica demonstrado pelo fato de que nenhum adulto pode tê-lo ensinado e porque em qualquer texto escrito aparecem notações de uma ou duas letras. A esta exigência, denominamos *"hipótese de quantidade"*. A consequência mais curiosa é a seguinte: ela é aplicada a qualquer tipo de caracteres (grafias-números, grafias-letras, etc.) e independentemente das denominações que a criança seja capaz de empregar ("letras", "números", "nomes", etc.); porém, dá lugar a duas classes bem definidas, ou "o legível" (com muitas grafias) e "o não legível" (com poucas). O primeiro grupo é denominado, geralmente, "letra"; o segundo, "número". Que uma grafia pertença a um ou outro desses grupos não depende de suas propriedades específicas, mas do fato de estar agrupada com outras ou estar isolada. Poder-se-ia pensar que se trata de uma confusão perceptual, já que a criança não diferencia os traços pertencentes a cada tipo de grafia. Embora este fator possa intervir, mais que de uma confusão perceptual trata-se de um *problema conceitual, de um bom problema conceitual*.

Avaliar as propriedades do objeto utilizando o intermediário da ação de colocá-lo junto a outros ou separado (e em outros contextos de diminuir ou de aumentar, deslocar, transladar, etc.) é uma característica própria do período pré-operatório em que se encontram todos os sujeitos deste nível. E é através desta construção que a criança pareceria descobrir um fato fundamental: uma grafia sozinha ainda não constitui uma escrita, enquanto que um número sozinho já é a expressão de uma quantidade.

A segunda das propriedades exigidas a um texto para permitir um ato de leitura é a variedade de grafias. Quantidade e variedade são as propriedades (abstratas) que a criança requer e que definem a classe de objetos aceitáveis para exercer um ato de leitura.

É necessário distinguir as duas hipóteses construídas pela criança: a de quantidade serve para definir as propriedades exigidas ao objeto; a hipótese do nome, por sua vez, é relativa à natureza da escrita, enquanto objeto simbólico, e se elabora em função do ato de atribuir significado ao escrito. Ambas hipóteses são

278 Ferreiro & Teberosky

totalmente compatíveis e coexistem no espírito da criança durante períodos longos da evolução.

d) Estreitamente ligada à distinção entre imagem e texto (produzidos por outros) apresenta-se *o problema da distinção entre escrever e desenhar* enquanto atividades da própria criança. Anteriormente, referimo-nos ao critério de quantidade como exigência sobre as propriedades do objeto, agora vamos enfocar o problema das ações do sujeito e dos resultados materiais de suas intenções. O identificar o texto como sendo "para ler" corresponde-se com as produções gráficas diferenciadas em grafias-garatujas e grafias-escrita. Todos os sujeitos entrevistados eram capazes de fazer esta distinção; a escrita, por oposição ao desenho, apresenta características gráficas particulares, conforme seja o modelo imitado. Porém, todos os resultados se parecem, porque o que conta é a intenção subjetiva, mais que os resultados objetivos. Posteriormente (e isto se vê mais claramente nos casos de imitação de grafias de imprensa) os critérios sobre condições formais para que algo se possa ler começam a integrar-se a título de recurso necessário para expressar significados distintos: exigência de quantidade constante de grafias – algo assim como "o que garante que se possa ler" – e variedade de grafias. Ou seja, a necessidade de distinguir os significados aparece expressa na diferença dos significantes.

Escrever já se diferenciou nitidamente de desenhar; porém, além disso, há um começo de consideração dos resultados e uma utilização de recursos para distinguir significados: basicamente, a variação nas grafias. Uma vez integrada a variação se estende e desenvolve progressivamente em direção à consideração de características qualitativas: utilização de letras diferentes, da oposição cursiva-imprensa, variação da posição das grafias na ordem linear, etc. Concomitantemente, começa-se a considerar a variedade de tipos de escritas e a estabelecer diferenças entre grafias-letras, grafias-números e grafias que acompanham as letras. Ou seja, as características específicas da escrita se convertem em observáveis ao mesmo tempo em que se incorporam como variáveis necessárias dentro do sistema.

e) Finalmente, devemos situar um problema contemporâneo aos anteriores, a *distinção entre ler e olhar,* e mais, geralmente, *entre as ações específicas e as não específicas com respeito a um texto.*

Desde muito cedo – até os 2 e 3 anos em sujeitos de classe média – deparamonos com condutas que mostram uma tendência a definir os objetos "portadores de texto" (isto é, objetos que tenham texto impresso) por sua função específica: serve "para ler". Além disso, porém, encontramos índices conductuais de imitação da ação que se exerce sobre esse tipo de objeto: imitação de ações pertinentes,

Psicogênese da Língua Escrita **279**

tais como segurar, olhar e falar, exercidos sobre objetos que se "prestam"; geralmente livros com imagens. É a primeira forma de apropriar-se de uma prática social adulta, relativa aos textos escritos. Claro que se trata de ações muito gerais, mas que desembocarão em ações mais específicas. Uma das primeiras diferenciações consiste em distinguir entre olhar e ler: enquanto olhar é uma ação implícita à atividade de ler, a recíproca não é verdadeira. Para ler, é necessário olhar e algo mais que não está definido senão pelo ler em si, mas cujos índices exteriores podem ser direção ou tempo de fixação do olhar. Fazer esta distinção supõe ter aceito a leitura silenciosa como ato de leitura.

Outra das distinções é relativa à diferença entre "contar" e "ler" (ou "explicar" e "ler"). O livro com imagens, o livro de contos, é o protótipo de texto (isto é assim, ao menos para todos os sujeitos de classe média) sobre o qual se podem exercer dois tipos de ações de início indiferenciados: contar um conto ou ler um conto. Posteriormente, distinguem-se em função de diferenciar duas partes no portador: "conta-se" sobre a imagem e "lê-se" sobre o texto.

Está claro o paralelismo na construção das noções implícitas: desde uma diferenciação incipiente entre a de exercidos de desenhar ou escrever, entre interpretações sobre imagem e texto, até ações especificas construídas em função de aspectos específicos. também definíveis do objeto.

Chegados a este ponto, é necessário fazer uma distinção teórica a respeito dos conhecimentos da criança, cuja origem é diferente, conforme sejam conhecimentos socialmente transmitidos ou construções espontâneas. Quanto ao papel dos conhecimentos provenientes do meio, fica claro que se trata de interações entre o indivíduo e o meio, onde quem impõe as formas e os limites de assimilação é o indivíduo, mas a presença do meio é indispensável para a construção de um conhecimento cujo valor social e cultural não se pode esquecer. Como conhecer o nome das letras, a orientação da leitura, as ações pertinentes exercidos sobre um texto e o conteúdo próprio de muitos textos se não se teve oportunidade de ver material escrito e presenciar atos de leitura? Não é possível descobrir por si mesmo certas convenções relativas à escrita. Está claro que este tipo de conhecimento é transmitido socialmente por aqueles que outorgam valor a esse conhecimento. Na nossa população experimental, somente as crianças de classe média demonstram possuir uma longa prática com textos e com leitores, prática da qual não se beneficiam as crianças de classe baixa.

No outro extremo, teremos as hipóteses construídas pela criança, as quais são produtos de uma elaboração própria. É evidente que o que denominamos de "hipótese do nome", "critério de quantidade mínima e de variedade" não podem ter sido transmitidas por nenhum adulto, mas sim "deduzidos" pela criança em função das propriedades do objeto a conhecer. Na nossa população experimental, há exemplos de construções espontâneas tanto em crianças de classe média como em crianças de classe baixa. Porém, como vimos no Capitulo 7 ("Evolução da Escrita") esta diferença na origem dos conhecimentos – que se encontra nas duas classes sociais, tem consequências importantes para o desenvolvimento da aprendizagem. Por um lado, porque a escola posteriormente exigirá e estimulará mais os conhecimentos específicos, produtos de uma transmissão cultural. E por outro lado, porque o meio – ao oferecer oportunidades de confrontação entre hipóteses internas e realidade externa – provoca conflitos potencialmente modificadores e enriquecedores.

Até aqui estamos no nível de correspondência global, não analisável, entre linguagem e escrita: a única correspondência estabelecida é entre duas totalidades: a palavra emitida e a escrita interpretada. A partir de agora, surge um novo problema, cuja solução corresponde a um nível superior na evolução.

f) A palavra escrita tem partes diferenciáveis (facilmente diferenciáveis, já que o modelo da letra de imprensa é o que domina). Que classe de "divisão" na emissão poderá ser feita para colocar em correspondência com as partes da escrita? A primeira solução oferecida pelas crianças é uma divisão da palavra em termos de suas sílabas. Assim, surge a *"hipótese silábica"*. A importância de aplicar à escrita a divisão das palavras em suas sílabas componentes é enorme; a partir daqui a *escrito está diretamente ligado à linguagem* enquanto pauta sonora com propriedades específicas, diferentes do objeto referido. Porém, é necessário esclarecer que esta capacidade de análise da fala não supõe, imediatamente, poder reconhecer as palavras na sua forma individual. Trata-se de uma divisão em sílabas como um dos "recortes" possíveis das emissões, que podem coexistir com dificuldades a respeito de outras formas de recorte (em palavras, em unidades constituintes, etc., quando se passa da palavra escrita à oração escrita).

A hipótese silábica entrará continuamente em conflito com a hipótese de quantidade mínima de grafias (ambas são construções originais da própria criança) tanto como com os modelos de escrita propostos pelo meio (muito particularmente com a escrita do nome próprio) . Desta dupla possibilidade de conflito surgem, de acordo com nossa análise, as razões da superação da hipótese silábica, já que somente buscando uma divisão que vá "mais além da sílaba" (isto é, a divisão da sílaba em sons menores) é possível superar o conflito. A quantidade de grafias resultantes da aplicação da hipótese silábica é, amiúde, menor que a quantidade mínima exigida e, obviamente, também menor que os modelos de escrita alfabética propostos pelo meio.

A hipótese silábica pode aparecer com sinais ainda distantes das letras do alfabeto, ou pode aplicar-se às letras, ainda que não lhes sejam atribuídos valores sonoros estáveis. Temos encontrado escritas silábicas – com atribuição de valor sonoro – tanto vocálicas como consonânticas e, inclusive, combinadas. O conflito entre as hipóteses internas – silábica e de quantidade – é resolvido "acrescentando" um número maior de grafias que as previstas, conforme uma interpretação silábica. Assim, as palavras dissílabas, que teriam que ser escritas com duas letras, tornam-se de três letras para cumprir com a exigência mínima de quantidade. Mas, aqui, aparece um novo conflito: nem todas as grafias podem ser interpretadas. As soluções a esta situação consistem em repetir duas vezes a mesma sílaba ou em agrupar duas grafias para uma só sílaba (as semelhanças com a correspondência entre nomes dos números e objetos contados são evidentes. Também nesta situação, as crianças pré-operatórias contam duas vezes o mesmo objeto ou repetem duas vezes o mesmo número). Por outro lado, quando se trata de formas globais aprendidas por influência do meio, a criança se defronta com elementos "sobrantes", dificilmente interpretáveis. A criança ensaia diversas soluções de compromisso, sempre limitadas para tal ou qual caso, sem conseguir absorver as perturbações que aparecem. Quer seja por "sobrantes" (devido aos modelos externos) ou por "acrescentados" (segundo critérios internos), o abandono da hipótese silábica se faz necessário. Entretanto, este abandono não é imediato. Pode transcorrer um longo período de oscilações entre escrita silábica e alfabética, dando lugar a escritas e a leituras que, na maioria dos casos, começam silabicamente e terminam alfabeticamente.

g) Os problemas das relações entre o todo e as partes colocam-se de maneira algo diferente quando a unidade de análise não é a palavra, mas sim a oração. Ali o problema consiste em saber qual das múltiplas divisões possíveis de uma oração é a que corresponde às divisões do texto, e, concomitantemente, descobrir quais são as categorias de palavras que recebem uma representação por escrito.

Aceitar que uma oração está escrita não implica necessariamente que todas as palavras que a compõem estejam escritas (pela distinção que a criança estabelece entre o que está escrito e o que se pode ler *sobre* o escrito). Além disso, pode-se admitir que uma palavra esteja escrita sem admitir, necessariamente, que esteja escrita num fragmento independente de escrita. Isto é o que ocorre a respeito do verbo, primeiro, e dos artigos, depois. Um verbo transitivo representa uma relação entre um ator e um receptor da ação, e a criança tem dificuldades para conceber que o verbo possa estar representado num fragmento separado de escrita, sendo que é inseparável dos termos da relação que ele expressa. Daí as múltiplas tentativas de supor que os substantivos estão representados de maneira independente, enquanto que o verbo aparece ligado a seu objeto direto, ou à oração inteira.

Uma vez resolvido o problema do verbo, a mesma dificuldade se coloca em relação às outras partes da oração, que gozam de menor autonomia que o verbo em si: os artigos. Porém, no caso dos artigos, soma-se outra dificuldade, derivada da representação gráfica: um fragmento de escrita de somente duas letras não se pode ler (pela hipótese da quantidade mínima de grafias). Uma vez mais se estabelece o problema dos "sobrantes": para resolver os problemas do "sobrante" de fragmentos num texto (tanto como os de sobrantes de letras em uma única escrita), a criança tenta múltiplas soluções. Uma das mais frequentes consiste em atribuir a uma escrita concebida como incompleta (já que tem somente duas letras) uma parte também incompleta de uma emissão oral (um fragmento silábico de uma palavra)

h) Somente quando todos esses problemas foram superados, a criança aborda uma nova problemática – a que surge de *duas convenções particulares*, uma das quais é a ortografia, e a outra, as separações entre palavras (esta última começou a ser abordada previamente, enquanto propriedade objetiva do texto, mas geralmente ignorada a nível da produção de textos, por parte da própria criança).

Na evolução desses problemas, e de seu modo de resolução, há duas características que se sobressaem:

- a coerência rigorosa que as crianças exigem de si mesmas;
- a lógica interna da progressão seguida.

A respeito da primeira, assinalamos reiteradamente, no decorrer da análise de dados, como as crianças, obedecendo a certas regras que elas mesmas se deram, são coerentes até as últimas consequências. Ninguém lhes pede que utilizem um número determinado de caracteres para escrever, ninguém lhes exige que não repitam as mesmas letras. Entretanto, para ater-se a ambas as exigências, vemos crianças de apenas 4 anos realizarem proezas de raciocínio, tais como as que aparecem no nível 2 de escrita quando, com um repertório de grafias extremamente reduzido, pretende-se expressar as diferenças de significado por meio de diferenças no resultado objetivo e termina-se descobrindo que mudanças na ordem linear produzem totalidades diferentes, apesar de utilizar a mesma quantidade e o mesmo repertório de grafias.

A respeito da segunda característica, torna-se claro que a ordem de resolução de problemas que a criança constrói é muito semelhante a uma programação ideal. Com efeito, a criança começa por tratar de diferenciar o gráfico-icônico do gráfico não icônico, antes de tentar fazer diferenciações no interior deste último conjunto. Uma vez que esses dois tipos de universos gráficos foram relativamente bem diferenciados, e suas funções respectivas relativamente bem estabelecidos, pode-se começar a fazer distinções dentro das grafias não icônicas, em termos de grafias-letras e grafias não letras.

Somente quando há um início de estabilidade em certas configurações gráficas (em termos de formas totais ou de elementos-índices), pode-se expor as relações entre o todo e as partes. Somente quando foram entendidas as razões para abandonar a hipótese silábica, pode-se passar a uma análise fonética. Somente quando se compreende a forma de produção de escritas própria ao sistema alfabético, pode-se abordar os problemas de ortografia.

2 – LER NÃO É DECIFRAR; ESCREVER NÃO É COPIAR

Na Introdução deste livro, destacamos três precauções básicas que predominaram na elaboração do nosso trabalho de investigação: não identificar leitura com decifrado; não identificar escrita com cópia de um modelo; não identificar progressos na lectoescrita com avanços no decifrado e na exatidão da cópia gráfica. Depois da análise dos resultados obtidos, parece-nos evidente que essas "precauções" permitiram-nos evidenciar uma série de fatos novos: uma construção real e inteligente por parte das crianças desse objeto cultural, por excelência, que é a escrita. Entretanto, parece-nos útil retornar a essas três precauções básicas, apresentando-as agora como afirmações teóricas e não como princípios metodológicos.

A – Não identificar leitura com decifrado

Neste ponto, nossos resultados coincidem com as teses defendidas por vários autores contemporâneos, os quais partem dos resultados obtidos pela psicolinguística contemporânea (pós-chomskyana) para compreender, sobre essa base, o comportamento de um leitor. É comum a todos eles o rejeitar uma análise da leitura em termos puramente perceptivos. Kenneth Goodman (1977) o expressa de uma maneira brilhante:

> Se compreendemos que o cérebro é o órgão humano de processamento da informação; que o cérebro não é prisioneiro dos sentidos, mas que controla os órgãos sensoriais e seletivamente usa o *input* que deles recebe; então, não nos surpreenderá que o que a boca diz na leitura em voz alta, não é o que o olho viu, mas o que o cérebro produziu para que a boca o diga (p. 319).

Frank Smith (1975) também insiste em que a leitura "não é essencialmente um processo visual". Num ato de leitura, utilizamos dois tipos de informação: uma informação visual e outra não visual. A informação visual é provida pela organização das letras na página impressa ou manuscrita, mas a informação não visual é causada pelo próprio leitor. A informação não visual essencial é a competência linguística do leitor (se o texto está escrito num idioma desconhecido pelo leitor não haverá leitura no sentido estrito, ainda que haja exploração visual da página, busca de semelhanças e regularidades, etc.). Porém, outras informações não visuais são utilizadas, tais como o conhecimento do tema (o que não é o mesmo que o conhecimento do texto).

À lista de informações não visuais utilizadas que F. Smith apresenta, gostaríamos de somar uma que nos parece essencial: a identificação do suporte material do texto. Ainda antes de começarmos a ler, já sabemos (por antecipação) algo sobre o texto, em virtude da categorização que fizemos do suporte material. Assim, se identificamos o suporte como sendo um livro técnico, já sabemos que algumas construções que marcam tipicamente um certo estilo estarão excluídas (ninguém espera encontrar num livro técnico uma oração que comece com "Era uma vez..." ou com "Tenho a satisfação de dirigir-me a você..."). Se identificarmos o suporte como uma receita médica, não nos surpreenderemos com a ausência de verbos ("uma colherada a cada três horas" será bem interpretado como "tomar uma colherada deste produto a cada três horas"). E assim por diante.

Está claro que há uma relação inversa entre a informação não visual utilizável e a informação visual requerido. Smith e outros autores nos lembram dados já clássicos da psicologia experimental de laboratório: o olho não trabalha senão "a saltos"; cada fixação dura aproximadamente 250 milissegundos, logo realiza um "salto" de aproximadamente 10/12 letras (ou espaços equivalentes), e se detém outra vez, para uma nova fixação. Há, além disso, retornos para trás, saltos mais importantes no final de uma linha, etc. Em cada fixação, identificam-se 4 ou 5 itens diferentes: se o estímulo visual consiste em letras apresentadas ao azar, serão 4 ou 5 letras diferentes; se o estímulo consiste em palavras escritas, pode-se identificar o dobro de letras que antes (duas palavras, aproximadamente 10 letras); se as palavras estão organizadas sintaticamente (isto é, constituem uma oração escrita), podemos identificar o dobro de letras que antes (em torno de 4 palavras, quer dizer aproximadamente 20 letras).

O que "se vê" depende, então, do nível de organização do estímulo. Porém, na realidade, não é que o olho veja mais coisas, mas que a capacidade de integração da informação aumenta concomitantemente com a organização do estímulo. Em outras palavras, o leitor completa com sua informação não visual (conhecimento do léxico e da estrutura gramatical de sua língua) a escassa informação visual recolhida numa centração.

Fatos desta natureza – concomitantemente com outros relativos às limitações da memória imediata – têm levado numerosos autores contemporâneos a considerar a leitura como uma atividade essencialmente não visual. As antecipações que qualquer leitor realiza continuamente aparecem como um elemento essencial da atividade de leitura. "A leitura é impossível sem predição", sustenta F. Smith. As predições são basicamente de dois tipos diferentes: predições léxico--semânticas, as quais nos permitem antecipar tanto o significado como proceder a autocorreções, e predições sintáticas, as quais nos permitem antecipar a categoria sintática de um termo, tanto como proceder a autocorreções quando um elemento sintático essencial não foi identificado. Um exemplo depredações do primeiro tipo é o seguinte: lendo rapidamente as manchetes de um jornal (uma atividade de leitura na qual qualquer leitor adulto, por mais treinado que seja, costuma cometer erros de identificação) um adulto acredita identificar a oração "liberaram-se *os presos* do peixe'"; a incongruência semântica é evidente, e o leitor volta atrás, ao único lugar onde poderia existir um erro de identificação ("preços" e não "presos"). Um exemplo do segundo tipo de predição é a experiência conhecida de qualquer leitor adulto de chegar ao ponto final da oração sem ter encontrado um verbo; tipicamente, neste caso, o conhecimento sintático força uma autocorreção e uma nova exploração.

Desta ênfase na predição (predição inteligente, linguisticamente controlada, que não deve ser confundida com um simples "adivinhar" sem direção) surgem uma série de propostas pedagógicas novas. F. Smith o diz enfaticamente: "a oportunidade para desenvolver e empregar a predição deve ser uma parte essencial da aprendizagem da leitura". Na França, recentemente, surgiram as vozes de pedagogos como J. Foucambert (1976) e Jean Hébrard (1977) para defender essa opção pedagógica.

É óbvio que mal podem desenvolver-se as antecipações inteligentes sobre orações tais como *"mi mama me mima"* (minha mamãe me mima), *"Susi asa sus sesos sosos"* (Susi assa seus miolos insossos), ou similares, "frases para destravar a língua", clássicos da linguagem ritual que permite – tradicionalmente falando – o acesso ao santuário da língua escrita.

Assinalemos que essas orações se reencontram em todos os lugares. Assim, as crianças inglesas conhecem *"the fat cat sat on the mat"*, as crianças francesas começam com *"bébé a bu, bébé bave"* ou com, *"Riri a ri; Lili a lu"*, para se introduzir logo em *"La poule rousse couve sur son petit nid de mousse"* (o que, sem dúvida alguma, é um avanço em relação ao que deviam ler, no século XIX, as crianças da primeira série: *"Hugues subjugue ses juges par la fugue qu'il composa à Bruges"*). Como destaca J. Hébrard, "hoje em dia, as crianças aprendem a ler o francês como se se tratasse de latim". E isto é válido para o espanhol também.

Com efeito, a armadilha de tais orações é dupla: por um lado, têm a aparência de verdadeiras orações e, entretanto, não correspondem a nenhuma linguagem real (nem ao dialeto do docente nem ao das crianças); por outro lado, se propõem oralmente como enunciados reais, sendo que não transmitem nenhuma informação e toda intenção comunicativa lhes é alheia. Uma vez mais, trata-se aqui de que a criança esqueça tudo o que ela sabe sobre sua língua materna para ascender à leitura, como se a língua escrita e a atividade de ler estivessem alheias ao funcionamento real da linguagem.

Não se trata, aqui, de pretender, contra toda a evidência, que a língua escrita é uma simples transcrição da língua oral. Muito pelo contrário, há marcantes diferenças entre uma e outra (sem falar dos múltiplos "estilos" de língua oral e de língua escrita). A língua escrita tem termos que lhe são próprios, expressões complexas, um uso particular dos tempos do verbo, um ritmo e uma continuidade próprios. Todos sabemos quão difícil é ler a transcrição de uma conversa gravada, conversa que, entretanto, recobra sua transparência quando a escutamos; todos sabemos quão difícil é escutar uma conferência lida em voz alta.

Trata-se, então, não de confundir língua oral com língua escrita, mas de permitir que o aprendiz de leitor se aproxime desta com aquilo que é imprescindível para ambos: sua competência linguística.

Na análise de nossos resultados, vimos a diferença notável entre as crianças em curso de escolaridade, introduzidos na leitura através do estreito corredor do decifrado, e as que tinham organizado seu próprio método de aprendizagem, fora de toda a sistematização escolar. Os primeiros mostravam dois tipos de condutas que nunca encontramos nos segundos: por um lado, a confiança cega no

286 Ferreiro & Teberosky

decifrado, como única via de acesso ao texto; por outro, a impossibilidade de utilizar o próprio conhecimento sintático como guia para decidir da exatidão do decifrado. O decifrado, como única via de acesso ao texto, leva à sua própria caricatura nos casos de crianças que decifram – isto é, que oralizam as marcas gráficas ou que, conforme uma expressão bem acertada, "fazem um ruído com a boca em função dos sinais que veem com os olhos" – mas sem compreender absolutamente nada. Como qualquer docente ou psicopedagogo o sabe, a incompreensão do texto pode coexistir com um decifrado correto. Seria inútil buscar nesses casos um defeito de memória para explicar a dificuldade. Demasiado fácil apelar ao rótulo "crianças boas para a análise, mas que fracassam na síntese". Desligado da busca constante de significação, o texto se reduz, no melhor dos casos, a uma longa série de sílabas sem sentido. Quando chegou ao final da linha, a criança esqueceu o começo, não porque tenha uma falha de memória, mas sim porque é impossível reter na memória uma longa série de sílabas sem sentido (um resultado clássico da psicologia experimental, estabelecido já há várias décadas). Finalmente, a falta de confiança no próprio conhecimento sintático leva a ler mais flagrantes incongruências gramaticais (como "a macaco..." ou "a pato..."), a cometer erros gramaticais superados há vários anos antes do nível oral, como se de um texto pudesse "sair" qualquer coisa, sendo – tal como os textos de iniciação são – um híbrido na metade do caminho entre linguagem oral e uma acrobacia de salão.

Na concepção tradicional da leitura, o significado aparece em algum momento, magicamente, atraído pela oralização. É graças à emissão sonora que o significado surge, transformando assim a série de fonemas numa palavra. Segundo a visão de vários autores contemporâneos, o circuito signo visual-tradução sonora-significação não é um circuito inevitável, mas sim que nos surge como tal em virtude da importância desmesurada que a leitura em voz alta adquire na prática escolar.

O nó da questão é a resposta a esta pergunta: oralizamos para compreender um texto, ou porque a escola o exige? No primeiro caso, a escrita aparece como um sistema "segundo" de signos, isto é, como um sistema de signos que remetem a outros signos (os da linguagem oral). No segundo caso, a escrita aparece como um sis*tema alternativo* de sinais, os quais remetem diretamente a uma significação, tal como os signos acústicos.

O interesse da atual polêmica é o enfatizar esta segunda alternativa. Foucambert diz assim: "Ler consiste em selecionar informações na língua escrita para construir diretamente uma significação". Smith diz assim: "A escrita é uma forma alternativa ou paralela de linguagem relacionada à fala e à leitura, tanto como a recepção da fala envolve uma decodificação significativa' direta, ou compreensão". O mesmo Smith, em outro texto (1971), sustentará que "apesar da crença muito difundida no sentido contrário, é possível sustentar que a linguagem escrita não representa primariamente os sons da fala, mas sim que provê índices sobre o significado". Por essa razão, "a transcrição do escrito na fala é possível somente através do intermediário do significado".

Nessa perspectiva, o leitor trata dos signos visuais da mesma maneira que ele escuta os signos audíveis: uns e outros trabalham com a estrutura superficial e devem alcançar a estrutura profunda do texto ou do enunciado para compreender seu significado. A estrutura profunda é comum a ambos. Por isso, Smith (1975) afirma que "a fala e a escrita são formas variantes ou alternativas da mesma língua", contrariamente à suposição generalizada que considera a escrita como a transcrição por escrito da fala.

Em resumo: a) as evidências obtidas da análise do comportamento do leitor adulto pareceriam coincidentes em indicar que o significado não deriva de um reconhecimento letra por letra (ou palavra por palavra), ou seja, de um decifrado correto; b) os dados que nós recolhemos de crianças pré-escolares mostram que em nenhum momento se opta pelo decifrado puro como forma de abordagem da escrita; c) Margaret Clark (1976), estudando uma população de crianças inglesas de 5 anos, as quais chegavam à escola sabendo ler por si mesmas, comprova também a solidariedade entre "ler" e "obter significado"; d) nos nossos próprios dados, somente algumas crianças em curso de escolaridade recorriam cegamente ao decifrado e deixavam de lado – também cegamente – o próprio conhecimento linguístico.

Foucambert faz do decifrado a chave de todos os males da iniciação escolar da leitura; não hesita em afirmar que "o decifrado é fácil... quando se sabe ler", mas que "a utilização do decifrado como meio para compreender uma palavra escrita coloca a criança em situação de fracassar; e conclui, enfaticamente, que o decifrado "é uma armadilha, um presente envenenado" (p. 47). Na sua perspectiva, as dislexias não são perturbações da leitura, mas sim do decifrado, e o decifrado em si mesmo não é uma atividade de leitura (p. 76).

Na nossa opinião, estas posições são basicamente corretas; no entanto, temos reticências a subscrevê-las por inteiro, por duas razões que nos parecem constituir limitações não justificadas:

- Parte-se de uma análise do comportamento do leitor adulto, sem proceder a um estudo detalhado – como nós tentamos fazê-lo – da gênese deste comportamento. (Aqui, como em outros domínios, uma correta descrição do estágio final a alcançar é inevitável, mas essa descrição – por correta e pormenorizada que seja – não permite deduzir o processo efetivamente seguido para consegui-lo.)
- Faz-se uma análise exclusiva – ou quase exclusiva – da leitura, esquecendo-se, ou tratando como subsidiários, os dados provenientes da escrita. (Está claro que ler e escrever são atividades diferentes, ainda que complementárias; entretanto, da mesma maneira que no estudo da aquisição da linguagem oral é perigoso tratar a compreensão, ignorando a produção, aqui também nos parece que se corre o risco de uma visão unilateral do processo de aquisição da língua escrita, enfatizando a leitura [compreensão] em detrimento da produção de textos, própria da escrita.)

B – Não identificar escrita com cópia de um modelo externo

Embora haja um número importante de autores que insistem na necessidade de reformular nossa visão do processo da leitura, há notavelmente menos que tenham feito o mesmo com respeito à escrita.

Carol Chomsky (1971) sugere que "se permita às crianças serem participantes ativas, ensinando a si mesmas a ler; de fato, são elas quem devem dirigir o processo", já que "a mente de uma criança de 4, 5 ou 6 anos está longe de ser um espaço linguisticamente vazio no qual deve se verter a informação vinculada com a leitura". Com esta afirmação, estamos inteiramente de acordo; porém, estamos menos de acordo quando ela propõe que "a ordem natural é primeiro escrever e depois ler o que a criança escreveu", tanto como quando afirma que "o compor palavras segundo seu som (utilizando letras móveis ou escrevendo com sua própria mão se a criança pode realizar letras) é o primeiro passo para a leitura". Segundo nossos próprios dados, a "ordem natural" pode variar de uma criança a outra, algumas fazendo hipóteses mais avançadas quando se trata de ler, e outras quando se trata de escrever.

Além disso, o que Chomsky assinala como sendo "o primeiro passo para a leitura" é, sob nossa perspectiva, um dos últimos. A criança estudada por ela tem somente 3 anos, mas suas hipóteses correspondem a um sistema alfabético de escrita (ou talvez um nível intermediário entre hipótese silábica e alfabética, já que compõe KT e lê "Kate"; compõe TODO (tudo) e lê "Toto", etc.). A defesa de C. Chomsky, com a qual estamos de acordo, situa-se a nível da ortografia: deixemos a criança escrever "segundo o som", tal como ela imagina que as palavras possam compor-se. Porém, nossa defesa vai mais longe ainda: deixemo-la escrever, ainda que seja num sistema diferente do sistema alfabético; deixemo-la escrever, não para inventar seu próprio sistema idiossincrático, mas sim para que possa descobrir que seu sistema não é o nosso, e para que encontre razões válidas para substituir suas próprias hipóteses pelas nossas.

Ch. Read, estudando o detalhe da "ortografia espontânea" de crianças pré-escolares (1975), pôde mostrar que, longe de ser caótica, esta ortografia espontânea apresenta regularidades tanto dentro de uma mesma criança como entre crianças diferentes; elas "não escolhem letras aleatoriamente nem inventam símbolos adicionais". Essas crianças de língua inglesa têm, por certo, pais tolerantes que não se angustiam ao ver mensagens como esta (acompanhada do desenho de um peixe na água): *FES SQWEMEG EN WOODR*, isto é, *"Fish swimming in water"*. Estes trabalhos são extremamente úteis, tanto para compreender adequadamente a noção de "variação fonética" que possuem as crianças pequenas como para compreender certas dificuldades ortográficas sistemáticas.

Tanto C. Chomsky como Ch. Read indicam, implicitamente, que não há que identificar escrita com cópia de um modelo externo (salvo no que se refere às próprias letras). Mas ambas estudam a escrita que antecede quase imediatamente a escrita correta (isto é, de acordo com os princípios de uma escrita alfabética).

Nosso trabalho mostra que, antes de chegar a esse ponto, a criança percorreu um longo caminho e explorou várias hipóteses de escrita. A distância que medeia entre a escrita-cópia e a escrita tal como a criança a entende é tão grande como a que medeia entre o desenho-cópia e o desenho tal como a criança o entende.

Somente através do estudo do desenho espontâneo foi possível descobrir que, para a criança de certa idade, desenhar não é reproduzir o que se vê tal como se vê, mas sim o nosso saber sobre o objeto. As transparências e as múltiplas dificuldades que enfrenta quando tenta realizar um perfil não constituem obstáculos gráficos, mas reais problemas cognitivos. Da mesma maneira, pensamos que a evolução da escrita que nós evidenciamos não depende da maior ou menor destreza gráfica da criança, de sua maior ou menor possibilidade de desenhar letras como as nossas, mas sim do que chamamos seu nível de conceitualização sobre a escrita, quer dizer, o conjunto de hipóteses exploradas para compreender este objeto. Impedindo-a de escrever (isto é, explorar suas hipóteses no ato de produção de um texto) e obrigando-a a copiar (isto é, a repetir o traçado de outro, sem compreender sua estrutura) a impedimos de aprender, quer dizer, descobrir por si mesma. Quando corrigimos sua escrita-cópia em termos de relações espaciais (barra à esquerda, duas barras no lugar de três, curva fechada, etc.), ou em termos de letras "de mais" ou "de menos", deixamos de lado o essencial do texto: o que se quer representar, e a maneira na qual se representa. Ainda que a caligrafia tenha deixado de ser uma disciplina escolar, o espírito que preside a escrita é o mesmo: cópia fiel de um modelo imutável, simplesmente com uma maior margem de tolerância para aceitar a fidelidade da cópia.

C – Não identificar progressos na lectoescrita com avanços no decifrado e na exatidão da cópia gráfica

Para compartilhar desta afirmação, é preciso desprender-se de todos os pressupostos próprios às teorias condutistas e empiristas da aprendizagem. Com efeito, o que nela está envolvido é não somente uma redefinição do que entendemos por leitura e por escrita, mas também uma concepção global do processo de aprendizagem. A posição que sustentamos reiteradamente é que o marco da teoria do desenvolvimento cognitivo de Piaget é apto para compreender os processos de apropriação de conhecimento envolvidos na aprendizagem da lectoescrita. *Dizemos apropriação de conhecimento*, e não aprendizagem de uma técnica. Com tudo o que essa apropriação significa, aqui como em qualquer outro domínio da atividade cognitiva: um processo ativo de *reconstrução* por parte do sujeito que não pode se apropriar verdadeiramente de um conhecimento senão quando compreendeu seu *modo de produção*, quer dizer, quando o reconstituiu internamente. Isto nos conduz às consequências pedagógicas de nossa exposição.

3 – CONSEQUÊNCIAS PEDAGÓGICAS

Se definimos a escrita como "um sistema de signos que expressam sons individuais da fala" (Gelb, 1976, P. 217) estamo-nos referindo à escrita alfabética, e somente um pequeno número de crianças na nossa amostragem possui escrita alfabética. Em troca, se definimos a escrita num sentido mais amplo, levando em conta suas origens psicogenéticas (e históricas), como uma forma particular de representação gráfica, todos os sujeitos de nossa amostragem começam a escrever. Entre as concepções iniciais e os pontos terminais, há um longo processo de evolução, como o testemunham os dados aqui apresentados. Toda essa evolução é pré-escolar, no sentido de que encontramos crianças situadas nos últimos momentos da evolução ao ingressar na escola de ensino fundamental. Porém, outras crianças chegam ao primeiro ano nos níveis iniciais da problemática. Os primeiros têm muito pouco que aprender da escola, já que a proposta de ensino de primeiro ano lhes resultará muito inferior às suas reais possibilidades; os outros têm bastante que aprender. A questão é saber se, tal como ele é tradicionalmente concebido, o ensino está em condições de oferecer-lhes o que necessitam.

Se passamos em revista a todos os problemas que aqui enumeramos, nossa conclusão é pessimista: nenhum deles é considerado pelo ensino tradicional. A escola procede com ambiguidade, muitas vezes assinalada, pensando o problema em termos exclusivamente metodológicos enquanto atribui, implicitamente, à criança, uma série de noções sem preocupar-se de investigar se elas as adquiriram.

Para chegar a compreender a escrita, a criança pré-escolar raciocinou inteligentemente, emitiu boas hipóteses a respeito de sistemas de escrita (ainda que não sejam boas hipóteses a respeito de nosso sistema de escrita), superou conflitos, buscou regularidades, outorgou significado constantemente. A coerência lógica que elas exigiram de si mesmas desaparece frente às exigências do docente. A percepção e o controle motor substituirão a necessidade de compreender; haverá uma série de hábitos a adquirir no lugar de um objeto para conhecer. Haverá que deixar o próprio saber linguístico e a própria capacidade de pensar até que logo se descubra que é impossível compreender um texto sem recorrer a eles.

Na sua proposição tradicional, a escola ignora esta progressão natural, e propõe um ingresso imediato ao código escrito, acreditando facilitar a tarefa se se desvendam, de saída, todos os mistérios. Porém, ao fazê-lo, ocorre que contribui para criar o mistério: as crianças não compreendem que esses ruídos que se fazem diante das letras têm algo a ver com a linguagem; não entendem que essas "frases para destravar a língua", as quais passam por orações, tenham algo a ver com o que elas sabem sobre a linguagem; tudo se converte numa pura convenção irracional, numa, "dança das letras" que se combinam entre si de maneira incompreensível. Em algo no qual não se pode pensar.

Entre as propostas metodológicas e as concepções infantis há uma distância que pode medir-se em termos do que a escola ensina e do que a criança aprende. O que a escola pretende ensinar nem sempre coincide com o que a criança consegue aprender. Nas tentativas de desvendar os mistérios do código alfabético, o docente procede passo a passo, do "simples ao complexo", segundo uma definição própria que sempre é imposta por ele. O que é próprio dessa proposição é atribuir simplicidade ao sistema alfabético. Parte-se do suposto de que todas as crianças estão preparadas para aprender o código, com a condição de que o professor possa ajudá-las no processo. A ajuda consiste, basicamente, em transmitir-lhes o equivalente sonoro das letras e exercitá-las na realização gráfica da cópia. O que a criança aprende – nossos dados assim o demonstram – é função do modo em que vai se apropriando do objeto, através de uma lenta construção de critérios que lhe permitam compreendê-lo. Os critérios da criança somente coincidem com os do professor no ponto terminal do processo. É por isso que:

- A escola se dirige a quem já sabe, admitindo, de maneira implícita, que o método está pensado para aqueles que já percorreram, sozinhos, um longo e prévio caminho. O êxito da aprendizagem depende, então, das condições em que se encontre a criança no momento de receber o ensino. As que se encontram em momentos bem avançados de conceitualização são as únicas que podem tirar proveito do ensino tradicional e são aquelas que aprendem o que o professor se propõe a ensinar-lhes. O resto, são as que fracassam, às quais a escola acusa de incapacidade de aprendizagem ou de "dificuldades na aprendizagem", segundo uma terminologia já clássica (talvez haveria que precisar a definição em termos de dificuldades para aprender o que o professor se propõe a ensinar, nas condições em que se ensina). Porém, atribuir as deficiências do método à incapacidade da criança é negar que toda a aprendizagem supõe um processo, é ver *déficit* ali onde somente existem diferenças em relação ao momento de desenvolvimento conceitual em que se situam. Isso porque,
- nenhum sujeito parte de zero ao ingressar na escola de ensino fundamental, nem sequer as crianças de classe baixa, os desfavorecidos de sempre. Aos 6 anos, as crianças "sabem" muitas coisas sobre a escrita e resolveram sozinhas numerosos problemas para compreender as regras da representação escrita. Talvez não estejam resolvidos todos os problemas, como a escola o espera; porém, o caminho se iniciou. Claro que é um caminho que difere fundamentalmente do processo suposto pela escola. E difere porque os problemas e as formas de resolução são – como demonstramos – o fruto de um grande esforço cognitivo. Enquanto que a escola supõe que:
- é através de uma técnica, de uma exercitação adequada que se supera o difícil transe da aprendizagem da língua escrita. A sequência clássica "leitura mecânica, compreensiva, expressiva" para a leitura e a exercitação na cópia gráfica supõem que o segredo da escrita consiste em produzir sons e reproduzir formas. Isto é, reduzem o sistema a um intercâmbio de sinais auditivos e visuais em sinais gráficos. A prática cotidiana da escola compõe seu horário durante um ano com ditado, cópia, decifrado, dese-

nho, voltando a começar, cada vez, tudo de novo. A rotina da prática responde a proposições metodológicas tributárias de concepções empiristas da aprendizagem.

- O sujeito a quem a escola se dirige é um sujeito passivo, que não sabe, a quem e necessário ensinar e não um sujeito ativo, que não somente define seus próprios problemas, mas que, além disso, constrói espontaneamente os mecanismos para resolvê-los. É o sujeito que reconstrói o objeto para dele apropriar-se através do desenvolvimento de um conhecimento e não da exercitação de uma técnica. É o sujeito, em suma, que conhecemos graças à psicologia genética. Quando podemos seguir de perto esses modos de construção do conhecimento, estamos no
- terreno dos processos de conceitualização que diferem dos processos atribuídos por uma metodologia tradicional. Isto está claramente exemplificado pelos dados dos sujeitos escolarizados que temos apresentado. Os processos de aproximação ao objeto seguem caminhos diferentes dos propostos pelo docente. A ignorância da escola a respeito dos processos subjacentes implica:
- pré-suposições atribuídas à criança em termos de:

    a) "a criança nada sabe", com o que é subestimada, ou
    b) "a escrita remete, de maneira óbvia e natural, à linguagem", com o que é superestimada, porque, como temos visto, não é uma pré-suposição natural para a criança e isto é assim, porque:

- parte-se de uma definição adulta do objeto a conhecer e expõe-se o problema sob o ponto de vista terminal. Além disso, porém, a definição do que é ler e do que é escrever está errada. Acreditamos que, à luz dos conhecimentos atuais, a escola deve revisar a definição desses conceitos. Assim como também deve revisar o conceito de "erro". Piaget mostrou a necessária passagem por "erros construtivos" em outros domínios do conhecimento. A leitura e a escrita não podem ser uma exceção: encontramos também muitos "erros" no processo de conceitualização. É óbvio que, tratando de evitar tais erros, o professor evita que a criança pense. No outro extremo, temos erros produtos do método, resultado da aplicação cega de uma mecânica. É necessário diferenciar os dois tipos de erros e compreender o processo: ambas as tentativas levariam a uma reexposição do problema da patologia da aprendizagem. Com efeito, a partir de que modelos se pode definir uma dificuldade de aprendizagem? Segundo que definição de erro? Isto obriga também a revisar o conceito de "maturidade" para a aprendizagem, assim como a fundamentação das provas psicológicas que pretendem medi-la. E, finalmente, é necessário que nos coloquemos também
- os critérios de avaliação de progressos, assim como a concepção sobre a preparação pré-escolar para a aprendizagem da leitura e da escrita. Ambas são dependentes de uma teoria associacionista, ambas estão pensadas

Psicogênese da Língua Escrita **293**

em termos de *performance* na destreza mecânica da cópia gráfica e o decifrado.

Em resumo, a leitura e a escrita se ensinam como algo estranho à criança, de forma mecânica, em lugar de pensar que se constitui num objeto de seu interesse, do qual se aproxima de forma inteligente. Como disse Vygotsky (1978), "Às crianças se ensina traçar letras e fazer palavras com elas, mas não se ensina a linguagem escrita. A mecânica de ler o que está escrito está tão enfatizada que afoga a linguagem escrita como tal". E logo acrescenta: "É necessário levar a criança a uma compreensão interna da escrita e conseguir que esta se organize mais como um desenvolvimento do que como uma aprendizagem".

Se, como dissemos antes, a concepção da escrita como cópia inibe a verdadeira escrita, a concepção de leitura como decifrado não somente inibe a leitura, mas cria ainda outros problemas. Pela via das correspondências fonema-grafema chega-se muito rapidamente ao problema da "boa (ou correta) pronúncia", aquela que é a que permite alcançar a língua escrita, aquela que é propriedade das classes dominantes dentro de uma sociedade. A escola opera uma seleção inicial entre os que aprender a ler mais rapidamente – porque já falam como "devem falar" – e os que deverão mudar de dialeto para aprender a ler. As consequências desta discriminação linguística não foram ainda avaliadas em profundidade, à parte das consequências pedagógicas evidentes. Atuando desta maneira, a escola não contribui para aumentar o número dos alfabetizados; contribui, mais precisamente, para a produção de analfabetos.

4 – AS SOLUÇÕES HISTÓRICAS DADAS AO PROBLEMA DA ESCRITA

É extremamente surpreendente ver como a progressão de hipóteses sobre a escrita reproduz algumas das etapas-chaves da evolução da história da mesma na humanidade, apesar de que nossas crianças estejam expostas a um único sistema de escrita. A linha de desenvolvimento histórico vai do pictograma estilizado à escrita de palavras (logografia), à introdução posterior de um princípio de "fonetização", que evolui paulatinamente até as escritas silábicas e depois de uma complexa etapa de transição, culmina no sistema puramente alfabético dos gregos. (Cf. Gelb – 1976 – e Jensen – 1969 –, em particular pela discussão da importância das escritas silábicas como predecessores necessárias das alfabéticas, e a interpretação das escritas chamadas "consonânticas" como propriamente silábicas (Gelb) ou como silábico-alfabéticas (Jensen).)

A linha de desenvolvimento psicogenético que traçamos começa também com a separação dos sistemas representativos icônicos e os não icônicos, logo passa a um tipo de logografia com indubitáveis elementos ideográficos (representações próximas para palavras semanticamente relacionadas, ainda que muito diferentes em sonoridade), assume penosamente o princípio de fonetização, conhece uma etapa de apogeu silábico e deriva finalmente para o sistema alfabético.

Este paralelismo entre a história cultural e a psicogênese não deve ser interpretado como urna tentativa de reduzir a primeira à segunda. É certo que a escrita alfabética é a etapa posterior (historicamente falando) da evolução da escrita, e que há 2500 anos, aproximadamente, "os princípios da escrita não sofreram reforma alguma. Centenas de alfabetos repartidos por todo o mundo, por diferentes que possam ser no seu aspecto exterior, continuam com todos os princípios estabelecidos pela primeira e última vez na escrita grega" (Gelb, p. 255). Uma evolução posterior "é concebível em somente duas direções: 1) na direção de uma maior precisão na reprodução dos variados sons de uma língua e 2) na direção de uma maior simplificação dos signos-letras" (Jensen, p. 53). Ainda que se tenham criado outras escritas para representar linguagens técnicas particulares (como a escrita da matemática e a escrita lógica) não se criou nenhum novo sistema para representar as linguagens naturais: Isto é certo. Porém, não é menos certo que outros sistemas de escrita estão atualmente em uso e cumprem, com eficácia similar, as mesmas funções que o sistema alfabético de escrita. (A escrita chinesa, basicamente ideográfica, cumpriu historicamente uma função que a escrita alfabética dificilmente teria podido satisfazer: conservar, durante séculos, uma língua escrita uniforme, apesar da grande diversidade de dialetos. A escrita japonesa, conhecida corno Kana, é puramente silábica e muito bem adaptada à estrutura silábica do japonês, etc.)

Se as crianças que estudamos culminam em hipóteses do tipo alfabético, é, sem dúvida alguma, porque qualquer outra hipótese entra em conflito insolúvel com os dados da experiência (com a escrita constituída). Mas os dados da experiência poderiam ter eliminado todas as outras hipóteses e, entretanto, não é assim. Uma teoria estritamente empirista não pode dar conta dos nossos resultados. Assinalemos que a coincidência com o desenvolvimento histórico não se limita às etapas essenciais; numa observação mais pontual, percebemos que certos fatos, tardios na evolução individual, também são tardios na evolução histórica (como a adoção de uma orientação constante da leitura, que não varie de uma linha a outra; como a separação entre as palavras; como a distinção gráfica entre letras e números; etc.).

Então, qual pode ser a razão desse paralelismo? Ainda que sejam necessários estudos detalhados e comparativos para poder esclarecer a índole exata da comparação e seu sentido epistemológico, gostaríamos de propor uma hipótese que não é imediatamente refutável: *as razões da semelhança de ambos os processos, é preciso buscá-las nos mecanismos de tomada de consciência das propriedades da linguagem.* Para alcançar uma escrita – histórica e individualmente – não bastaria possuir uma linguagem; seria preciso, além disso, certo grau de reflexão sobre a linguagem, o qual permita tomar consciência de algumas de suas propriedades fundamentais. Os fonemas existiram desde que existe a linguagem humana; qualquer indivíduo que fala sua língua materna tem um certo conhecimento "implícito" (subjacente ou inconsciente) da estrutura fonética de sua língua (o que permite, entre outras coisas, identificar uma pauta sonora como sendo ou não um candidato potencial à classe das palavras de sua língua, independentemente de conhecer o significado dessa pauta sonora). Entretanto, o descobrimento da "unidade linguística fonema" é um fato recente.

Bloomfíeld assinala:

> A existência dos fonemas e a identidade de cada fonema individual não são, de modo algum, óbvias: foram necessárias várias gerações de estudo antes que os linguistas tivessem plena consciência desta importante característica da linguagem humana. O notável é que muito antes de que os estudiosos da linguagem tivessem feito essa descoberta, tenha surgido um sistema de escrita alfabética, um sistema no qual cada grafia representa um fonema (...) É importante saber que a escrita alfabética não foi inventada repentinamente como um sistema já pronto, mas que progrediu gradualmente e, quase poderíamos dizer, por uma série de acidentes, a partir de um sistema de escrita de palavras.

Nossa hipótese consiste, então, em supor que é necessária uma série de processos de reflexão sobre a linguagem para passar a uma escrita; mas, por sua vez, a escrita constituída permite novos processos de reflexão que dificilmente teriam podido existir sem ela (não se conhecem exemplos de uma reflexão gramatical em povos carentes de escrita, por exemplo). A semelhança das progressões histórica e psicogenética teria que se buscar numa análise dos obstáculos que devem ser superados – cognitivamente falando – para alcançar uma tomada de consciência de certas propriedades fundamentais da linguagem. (As razões histórico-sociais vinculadas à aparição das distintas escritas desempenham um papel semelhante ao da motivação no caso individual, mas não explicam os mecanismos específicos que permitiram criar esse objeto cultural.)

O que acabamos de assinalar não passa, neste momento, de ser especulativo, mas permite elaborar uma série de novas hipóteses a serem submetidas à prova, hipóteses que vão numa direção bem diferente das tradicionais. Tradicionalmente se assinalou que a criança deve possuir, para aprender a ler, uma boa linguagem (ou um desenvolvimento suficiente da linguagem oral), avaliada em termos de vocabulário, dicção e complexidade gramatical. Porém, no caso em que se verifique a intervenção de processos de tomada de consciência como os que estamos sugerindo, a perspectiva muda: mais do que "saber falar", tratar-se-ia de ajudar a tomar consciência do que ela faz com a linguagem quando fala, de ajudá-la a tomar consciência de algo que ela sabe fazer, de ajudá-la a passar de um "saber-fazer" a um "saber acerca de", a um saber conceitual.

5 – IMPLICAÇÕES TEÓRICAS

Além das consequências de nossos dados para uma prática pedagógica, há uma série de implicações que quiséramos apresentar de uma maneira sucinta, a título de sugestão para futuras reflexões teóricas.

- Na introdução, mostramos a intenção de utilizar o marco conceitual da psicologia genética para elaborar nossas próprias hipóteses. O livro inteiro é, na nossa opinião, uma prova reiterada da pertinência e fecundidade da teoria de Piaget para compreender os processos de aquisição de conhecimentos num terreno não diretamente explorado por Piaget.

Foi graças à teoria de Piaget que pudemos tentar uma aproximação diferente a um tema que mereceu uma literatura por demais abundante; foi graças a essa teoria que pudemos descobrir um sujeito que reinventa a escrita para fazê-la sua, um processo de construção efetivo e uma originalidade nas concepções que nós, adultos, ignorávamos.

Utilizar a teoria de Piaget num novo campo é uma aventura intelectual apaixonante. Não se trata simplesmente de empregar as "provas piagetianas" para estabelecer novas correlações, mas sim de utilizar os esquemas assimiladores que a teoria nos permite construir para descobrir novas observáveis. A partir daqui, fica aberta uma nova possibilidade: a de construir uma teoria psicogenética da aquisição da língua escrita.

- Num terreno em que, classicamente, e apesar da variedade de enfoques, pensou-se sempre que não podia haver aprendizagem sem um ensino específico, e em que a contribuição do sujeito se considerava como dependente e subsidiária do método de ensino, pudemos descobrir uma linha evolutiva que passa por conflitos cognitivos semelhantes, até nos detalhes do processo, aos conflitos cognitivos constitutivos de outras noções fundamentais.
- O tipo particular de objeto de conhecimento que estudamos permitiria expor uma série de problemas ainda não abordados pela epistomologia genética. Com efeito, a escrita é um objeto particular, o qual participa das propriedades da linguagem enquanto objeto social, mas que possui uma "consistência" e uma permanência que a linguagem oral ignora. É precisamente esta característica de objetividade, esta existência que se prolonga mais além do ato de emissão, que permite à criança realizar, com respeito à escrita, uma série de ações especificas, próximas às que realiza a respeito de um objeto físico. A escrita tem uma série de propriedades que podem. ser observadas atuando sobre ela, sem mais intermediários que as capacidades cognitivas e linguísticas do sujeito. Mas, além disso, existem outras propriedades que não podem ser "lidas" diretamente sobre o objeto, mas através das ações que outros realizam com esse objeto. A mediação social é imprescindível para compreender algumas de suas propriedades. Através da escrita enquanto objeto de conhecimento, poderemos talvez nos aproximar de um tema imensamente vasto e complexo: a psicogênese do conhecimento dos objetos socioculturais.

- O Ao finalizar nosso trabalho, descobrimos que estávamos fazendo, sem o saber, o que Vygotsky (1978) tinha claramente assinalado há décadas:

> Uma tarefa prioritária da investigação científica é desvendar a pré-história da linguagem escrita na criança, mostrando o que é que conduz à escrita, quais são os pontos importantes por que passa este desenvolvimento pré-histórico, e qual é a relação entre esse processo e a aprendizagem escolar.

Referências Bibliográficas

Ajuriaguerra, Bresson, Inizan, Stamback y otros, *La dislexia en cuestión*, Madrid, Pablo del Rio Editor, 1977.
Berthoud-Papandropulou, I., *La réflexion métalinguistique chez l'enfant*, Tesis doctoral, Universidad de Ginebra, 1976.
Blanche-Benveniste, C. y Chervel, A., *L'orthographe*, Paris, Maspero, 1974.
Bloomfleid, L., "Linguistics and reading", *Elementary English Review, 19*, 1942. (Reproducido en: Savage, J., *Linguistics for teachers* – Selected readings, Chicago, Science Research Associates Inc., 1973.
Braslavsky, Berta P., *La querella de los métodos en la enseñanza de la lectura*, Buenos Aires, Kapeluz, 1973.
Bronckart, J. P., *L'acquisition des formes verbales chez l'enfant*, Bruselas, Dessart et Margade, 1976.
Chomsky, C., "Reading, writing and phonology", *Harvard Educational Review, 40*, 2, 1970. (Reproducido en: Smith, F., *Psycholinguistics and reading*, Nueva York, Holi-Rinehart & Winston, 1973.)
Chomsky, C., "Write first, read later", *Childhood Education, 47*, 6, 1971.
Chomsky, N., *Estructuras sintácticas*, México, Siglo XXI, 1974.
Chomsky, N., *Aspectos de la teoria de Ia sintaxis*, Madríd, Aguilar, 1976.
Chomsky, N. y Halle, M., *The sound pattern of English*, Nueva York, Harper & Row, 1968.
Clark, M., *Young fluent readers. What can they teach us?*, Londres, Heinemann Educational Books, 1976.
Cohen, M., *La grande invention de l'écriture et son évolution* París, Imprimérie Nationale – Kilncksiek, 1958.
Cohen, M., *La escritura y Ia psicología de los pueblos*, México, Siglo XXI, 3a ed,
Downing, J. y Thackray, D., *Madurez para la lectura*, Buenos Aires, Kapeluz, 1974.

300 Ferreiro & Teberosky

Ferreiro, E., *Les relations temporelles dans le langage de l'enfant*, Ginebra, Droz, 1971.
Ferreiro, E., *Problemas de psicologia educacional*, Buenos Aires, Producciones Editoriales IPSE, 1975.
Filho, L., *Test ABC*, Buenos Aires, Kapeluz, 1960.
Foucambert, J., *La manière d'être lecteur*, Paris, SERMAP, 1976.
Gelb, I., *Historia de Ia escritura*, Madrid, Alianza Editorial, 1976.
Gibson, E., "The ontogeny of reading", *American Psychologist, 25*, 2, 1970.
Goodman, IK., "Dialect barriers to reading comprehension", en: *Teachíng black children to read*, Center for Appiled Linguistics, Washington, D. C., 1969.
Gray, W., *La enseñanza de la lectura y de Ia escritura*, París, UNESCO, 1975.
Haugen, E., "Dialect, language, nation", en: Pride, J. y Holmes, J. (Eds.), *Sociolinguistics*, Penguin Books, 1972.
lnhelder, B., Sinclalr, H. y Bovet, M., *Aprendízaje y estructuras del conocimiento*, Madrid, Ed. Moratà, 1975.
Jensen, H., *Sign, symbol and script*, Nueva York, Putnams Sons, 1969.
Kavanagh, J. y Mattingly, I., (*Eds.*), *Language by ear and by eye*, Londres y Cambridge, MIT Press, 1972.
Klima, E., "How alphabets might reflect language", en: Kavanagh, J. y Mattingly, I. (Eds.), *Language by ear and by eye*, Cambridgc y Londres, MIT Press, 1972.
Labov, W., *The logic of nonstandard English*, Georgetown Monographs on Language and Linguistics, 22, 1969, (Reproducido en: Willlams, F. (Ed.), *Language and poverty*, Chicago, Markham, 1970).
Lavine, L., "Differentiation of letterlike forms in pre-readlng children", *Developmental Psychology, 13*, 2, 1977.
Lentin, L., Clesse, C., Hebrard, J. y Jan, I, *Do parler au lire*, París, Editíons ESF, 1977.
Lurçat, L., *Études de l'acte graphique*, París y La Haya, Mouton, 1974.
Malmberg, B., *La fonética* (adaptación de G. Bès), Buenos Aires, EUDEBA, 1977.
Mlafaret, G., "Psicología experimental de la lectura, de Ia escritura y del dibujo", en: Fraisse, P., y Piaget, J., *Tratado de psicología experimental* (vol. "Lenguaje, comunicación y decisión"), Buenos Aires, Paidós, 1975.
Plaget, J., *La formación del símbolo en el niño*, México, Fondo de Cultura Económica, 1961.
Piaget, J., *Epistemología y psicologia de la identidad*, Buenos Alres, Paídós, 1971.
Piaget, J., *La equílibración de las estructuras cognitivas*, Madrid, Siglo XXI, 1978.
Piaget, J. y Szemlnska, A., *La génesis del número en el niño*, Buenos Aires, Guadalupe, 1967.
Piaget, J., Ferreiro, E. y Szeminska, A., "La transmission médiate du mouvement", en: Piaget, J., y col., *La transmission des mouvements*, París, PUF, 1972.
Read, Ch., "Lessons to be learned from the preschool orthographer" en: Lenneberg, E. y Lenneberg, EI. (Eds.), *Foundations of language development* (vol. 2), Nueva York y Londres, Academic Press y París, UNESCO Press, 1975.
Reid. J., "Learning to think about reading", *Educational Research, 9*, 1966.
Slobin, D., *Introducción a la psicolingüística*, Buenos Alres, Paldós, 1974.
Smith, F., *Understanding reading*, Holt-Rinehart & Winston, Nueva York, 1971.
Smith, F. (Ed.), *Psycholinguistics and reading*, Nueva York, Holt-Rinehart & Winston, 1973.
Smlth, F., "The relation between spoken and written language", en: Lenneberg, E. y Lenneberg, EI. (Eds.), *Foundations of language development* (vol. 2), Nueva York y Londres, Academic Press, y París, UNESCO Press, 1975.
UNESCO, Oficina de la Unesco para América Latina y el Caribe, *Evulución reciente de la educación en América Latina*, Santiago de Chile, 1974.
Vygotsky, L., *Pensamiento y lenquaje*, Buenos Aires, Ed. La Pléyade, 1973.
Vygotsky, L., *Mind in society*, Harvard University Press, 1978.
Wolfram, W., "Sociolinguistic alternatives in teaching reading to monstandard speakers", *Reading Research Quarterly, 6*, 1970. (Reproducido en: Savage, J. (Ed.), *Linguistics for teachers*, Chicago, Science Research Associates, 1973.)

IMPRESSÃO:

PALLOTTI
GRÁFICA

Santa Maria - RS | Fone: (55) 3220.4500
www.graficapallotti.com.br